De babyplanner

DE **BABY**PLANNER

Autobiografische roman

Barbara Muller

the house of books

Omslagontwerp
marliesvisser.nl
Omslagillustratie
Getty Images
Foto auteur
© Kristy Juncurt
Opmaak binnenwerk
ZetSpiegel, Best

ISBN 978 90 443 2831 8
D/2010/8899/129
NUR 320

Voor Margot, mijn dappere vriendin

Proloog

2002

Ik had een afspraak gemaakt, omdat ik wilde horen dat mijn leven nog leuker zou worden en dat er nog heel wat spannends voor me in het verschiet lag. Dat ik een geweldige man zou ontmoeten, op wie ik de rest van mijn leven verliefd bleef. En hij op mij. Want de relatie die ik had, liep ten einde. Ik wilde horen dat ik nog veel mooie huwelijken mocht organiseren, omdat ik de mooiste baan had die ik me kon voorstellen. Dat mijn familie, vrienden en ik altijd gezond bleven en stokoud werden. Bovenal wilde ik horen dat ik op de goede weg zat en alleen nog maar gelukkiger zou worden. Even had ik getwijfeld of het wel goed zou zijn om te gaan. Stel dat hij een onheilspellende voorspelling zou doen? Maar mijn vriendin Lisa trok me over de streep. 'Wat heb je nou te verliezen?' vroeg ze me. En daar had ze een punt.

Zijn kamer stond vol prullaria. Aan de rechterkant van zijn kleine bureau stond een houten Boeddhabeeld, met aan de voeten een koperen schaaltje. Op een stukje karton stond met zwarte stift EEN KLEINE BIJDRAGE AL NAAR GELANG U KUNT MISSEN geschreven.

Een tikkeltje gespannen ging ik tegenover hem zitten. Ik legde het schriftje met vragen (die ik die nacht had bedacht) voor me op tafel en sloeg het open. Mijn ogen waren gericht op vraag 1:

Wanneer ga ik hem ontmoeten en hoe ziet hij eruit? Ik moest me straks inhouden om niet té gretig alle vragen op hem af te vuren. Mijn inmiddels klam geworden handen legde ik in mijn schoot. Ik probeerde rustig in te ademen door mijn neus en uit via mijn mond. Buik uit, buik in.

Meester Ramses schudde een stapeltje kaarten en liet me er drie uit pakken. Geduldig legde hij ze voor me op tafel en staarde ernaar. Toen hij de eerste kaart omdraaide, keek hij me aan. Met een blik die regelrecht naar mijn ziel leek te gaan. Een koude rilling liep via mijn ruggengraat omhoog. 'In de liefde,' hij stopte even met praten, pakte mijn rechterhand en legde deze met de rug op tafel. Met zijn slanke vinger bewoog hij over de lijnen van mijn handpalm. 'In de liefde zie ik moeilijkheden. Heb je al eens bedacht waarom je bij deze man bent? Het lijkt erop dat je moeilijk alleen kunt zijn.'

Verwonderd sloeg ik mijn ogen naar hem op. Lisa had het al gezegd, dit was een heel goede.

Hij liet mijn hand los, die ik weer veilig in mijn schoot legde.

Ik wendde mijn blik af en keek uit het raam. Het leek me het beste om gewoon open kaart te spelen, ook al kende ik deze man nog maar net. Ik had immers niets te verliezen. 'Weet u, meester Ramses, ik vind het fijn om leuk gevonden te worden en kan inderdaad moeilijk alleen zijn.' Verlegen pulkte ik aan mijn nagel en zag hoe een stukje lak van mijn pink afbladderde.

'Hm,' hij prevelde iets onverstaanbaars en sloot zijn ogen. 'Jouw ware laat nog even op zich wachten.'

Ik verschoof naar het puntje van mijn stoel en begon opgewonden op de voorste twee poten te wippen.

'Het is een man die je al eens eerder hebt gezien,' vervolgde hij. 'Een man met lichte ogen.'

Mijn ademhaling werd onregelmatiger. 'Vertel me alles wat u ziet, meester Ramses, ik heb alle tijd van de wereld. Kunt u zien hoe hij heet? Wat voor type man is het? En is hij misschien ook aantrekkelijk?' Dat laatste vroeg ik zo achteloos mogelijk. Ik bedoel, er zijn natuurlijk belangrijkere dingen dan uiterlijk, maar toch.

Ramses schudde met een ernstig gebaar zijn hoofd, vastberaden om dit grote geheim onder geen beding met me te delen. 'Meer mag ik je niet zeggen.'

Teleurgesteld zakte ik terug in de stoel en ging alle mannen met lichte ogen na. Maar ik kon niemand noemenswaardigs bedenken die ooit mijn ware zou kunnen worden. Met gesloten ogen wreef Ramses over de kaart, waarna hij hem tussen de dikke stapel schoof. Nu zou hij vast zien dat ik een grote reis ging maken. Helemaal alleen. Hij zou me een schouderklopje geven en zeggen dat hij me dapper vond. En oneindig stoer.

Bedachtzaam pakte hij de tweede kaart en schoof deze naar me toe. Hij keek me diep in mijn ogen en haalde zijn neus op. 'Eigenlijk heb je veel meer diepgang dan je de wereld laat geloven. Het is jammer dat je zo'n oppervlakkig bestaan leidt. Je hebt veel meer in je mars.'

Ik voelde weerstand opkomen. 'Wat bedoelt u daarmee?' vroeg ik bits.

Hij nam me van top tot teen op en trok een gezicht alsof hij bedorven vis rook. 'Uitgaan, drank, dure kleding; niet bepaald verrijkend voor de geest.'

Met een betrapt gezicht keek ik naar mijn Chloé-laarzen en even voelde het alsof ik een vreselijke misdaad had begaan door ze aan te schaffen. Toch haalde ik mijn schouders op en probeerde zijn beledigingen van me af te laten glijden. De man wist niet beter. Mijn ogen gleden over zijn gebreide gilet met daaronder een donkerrode glanzende blouse met flinke puntkraag. Helderziend en hip, dat ging natuurlijk niet samen.

Meester Ramses focuste zich weer op de kaart. 'Onder invloed van "de vijf van zwaarden"-kaart breekt er een moeilijke periode aan. Een periode van diepe eenzaamheid, waarin je het gevoel krijgt dat niemand je meer begrijpt en dat je de controle over je leven helemaal kwijt bent. Maar als je deze periode door bent gekomen, zal het geluk je weer toelachen.' Met een tevreden gebaar verdween ook deze kaart tussen de stapel.

Alle spieren in mijn lichaam spanden zich aan. Ik rechtte mijn rug en vouwde mijn armen over elkaar. 'Nou, dat klopt niet helemaal. Ziet u, ik ga een reis maken en dat zal mij juist rust geven. Een paar maanden in de zon, geen zorgen en alleen maar plezier maken.'

Zijn mondhoeken gingen omlaag.

'En natuurlijk ga ik daar ook wat vrijwilligerswerk doen. Voor u zit een vrouw met diepgang, die altijd klaarstaat voor de minderbedeelde medemens.' Ik knikte hem hoopvol toe en verwachtte dat hij het nu ook ging zien.

Ramses concentreerde zich weer op de kaart en wreef over zijn stoppelige wang. Hij leunde naar achteren, legde zijn armen ontspannen in zijn nek en zei: 'Jij kunt dan wel weg willen, maar in een ander land ga je niet vinden wat je nodig hebt. Jij bent namelijk op de vlucht voor jezelf.' Met één opgetrokken wenkbrauw zei hij meer dan met duizend woorden. Hij stond op en liep naar de andere kant van de kamer, waar hij een doosje lucifers uit de la pakte. Hij streek het zwavelstokje af en hield de vlam boven een wierookstaafje. Zijn handen wapperden driftig in de lucht om de rook door de kamer te verspreiden. Toen draaide hij zich om en wees met een priemend gebaar mijn kant op. 'Jij, meisje, gaat pas rust vinden als je een groot gezin hebt om voor te zorgen.'

Kreunend sloeg ik mijn handen voor mijn gezicht. Wat deed ik hier ook alweer bij deze vreemde man met zijn absurde uitspraken?

Toen had ik het door. Dit was zo'n bedrieger waar je wel vaker over las. Een charlatan die geld uit mijn zak wilde kloppen en de meest rare voorspellingen over mijn leven uit zijn duim zoog. Natuurlijk vond Lisa hem fantastisch nadat hij haar een geweldige en ook nog eens knappe man had beloofd. Ik schudde mijn hoofd, verbaasd om zoveel naïviteit van mijn kant en zuchtte diep.

Het schriftje klapte ik dicht en ik liep naar de deur. Vlak voor Ramses bleef ik staan. Mijn ogen vernauwden zich tot spleetjes. 'Dit is heel gevaarlijk wat u doet, wist u dat? Er zijn ook mensen die uw praatjes geloven en ernaar gaan leven.'

Met een verbaasd gezicht deinsde hij terug. Hij wilde nog iets zeggen, maar ik was hem voor.

'U wordt bedankt, ik had me hier iets heel anders van voorgesteld,' zei ik, harder dan mijn bedoeling was, waarna ik de deur achter me dichttrok.

Nadat ik de auto had gestart, zette ik de radio aan en draaide het raampje open. Ik ademde de koude buitenlucht in. Een groot gezin? Ik? Haha. Ik schudde mijn hoofd en moest nu eigenlijk wel lachen om dit gekke verhaal. In de achteruitkijkspiegel controleerde ik of mijn make-up nog in orde was. Ik had geen Ramses, geen man en al helemaal geen kinderen nodig om gelukkig te worden. De gedachte alleen al. Snel werkte ik mijn pinknagel bij. Ik draaide de volumeknop naar rechts en zong uit volle borst 'Girls Just Wanna Have Fun' mee, terwijl ik met mijn nieuwe laarsje het gaspedaal diep intrapte.

1

2006

Max zijn hand beweegt van mijn bovenbeen naar mijn heup. Hij draait rondjes rond mijn navel en kriebelt omhoog via mijn borsten naar mijn gezicht. Zachtjes streelt hij mijn wang en glijdt met zijn vinger over mijn lippen. Ik voel zijn hart tegen mijn borst kloppen. De verlangende blik in zijn ogen maakt dat ik me zijn allerleukste voel.

Met mijn vingers volg ik de lijnen van zijn rug en blijf steken bij de ronding van zijn billen. Ik wil hem, de man op wie ik nu meer dan een halfjaar verliefd ben. Het was allesbehalve logisch dat net wij twee een relatie zouden krijgen. Maar liefde laat zich nou eenmaal niet sturen.

Zo ziet Max er ongeveer uit.

- Hij is heel groot (net geen twee meter) waardoor ik (als ik geen hakken draag) moet springen om hem te kussen.
- Hij heeft dik donker haar, sproetjes op zijn neus en lichtblauwe ogen.
- Hij heeft rechte boventanden (dankzij twee jackets) en een behoorlijk scheef ondergebit.
- Hij is gezegend met een mooi gespierd lijf waar hij bijzonder weinig voor hoeft te doen.

Max zijn eigenaardigheden:
- Als hij haast heeft loopt hij als een eend.
- Hij slaapt met zijn mond wijd open.
- Hij leest tijdens de toiletgang de hele krant uit.
- Hij begint de dag met espresso en een gevulde koek.
- Wanneer hij nerveus is, frummelt hij aan zijn veter.
- Er is iets goed mis met zijn zaad, maar daar kom ik pas later achter.

Max neemt mijn borst in zijn handen en bijt zachtjes in mijn tepel. Ik voel zijn opwinding tegen mijn bekken duwen. Langzaam kruipt hij omhoog en likt aan mijn oorlel. Mijn gezicht beweegt ontvankelijk mee. Mijn lichaam kronkelt als hij bij me binnenkomt. Nu we verbonden zijn bewegen we geen van beiden meer. Het gevoel is zo overweldigend dat elke vezel in mijn lichaam begint te tintelen. Mijn ogen zijn gesloten en toch ervaar ik hem duidelijker dan ik ooit gedaan heb. Met mijn tong proef ik de zoute huid in zijn nekplooi. Zijn vertrouwde lichaamsgeur maakt me licht in mijn hoofd.

Dan begint Max te stoten, mijn heupen bewegen ritmisch mee. We laten ons meeslepen in verlangen en passie. Max en ik gebruiken nooit voorbehoedsmiddelen, hij trekt altijd op tijd terug. Maar dit keer lijkt het anders. Ik voel hoe zijn spieren aanspannen. Hij knijpt zijn ogen dicht. Wanneer ik merk dat hij klaar gaat komen trekt hij me nog dichter naar zich toe. Hij drukt zijn vingertoppen stevig tegen de huid van mijn rug en kijkt me aan.

'Liefje,' kreun ik. 'Moet je niet...?'

Vastberaden schudt hij zijn hoofd. Verbergt zijn gezicht in mijn hals en komt klaar. Een tijd lang blijven we muisstil tegen elkaar aan liggen. Onze lichamen verbonden. Ons vocht smelt samen.

Ik druk mijn mond op zijn lippen en sluit mijn ogen. De liefde die ik voel verwarmt me tot mijn kruin.

Dan duwt Max mijn benen uit elkaar en kruipt onder het dekbed. Zijn tong likt de restjes van zijn genot op. 'Je bent zo lekker,' fluistert hij schor.

Ik doe mijn ogen dicht en neem zijn hoofd in mijn handen. Verlangend duw ik zijn gezicht dichter tegen me aan. Wanneer hij het likken afwisselt met zijn vinger raak ik buiten mezelf van genot. Mijn lichaam begint zacht te schokken. Kronkelend kom ik klaar. Met mijn ogen dicht lig ik na te genieten. Ik rek me uit en glimlach. Max is in me klaargekomen en ik ben niet eens in paniek.

Hij draait zich van me af en komt naast me liggen. Zijn handen ondersteunen zijn nek. Een veelbetekenende glimlach speelt rond zijn lippen. 'Ik zou niets liever willen dan samen met jou een kindje krijgen,' fluistert hij.

Ik bekijk hem van opzij en werp hem een plagerige blik toe. 'Ik heb vandaag mijn eisprong. En je maakt mij al zwanger door naar me te kijken.'

Niet dus.

2

2006

De seks heeft meer diepgang gekregen. Dankzij het bedrijven van onze liefde kan er immers nieuw leven ontstaan. Ik vind het een opwindende gedachte dat het zomaar ineens raak kan zijn, waardoor de wens om zwanger te raken me behoorlijk in zijn greep krijgt. In mijn agenda houd ik bij wanneer mijn eisprong is en wanneer ik ongesteld moet worden.

De eerste vier maanden staat het 'ongesteldheids'kruis stipt op zevenentwintig dagen. Ik haal mijn schouders op en houd me voor dat ik wel realistisch moet blijven. We zijn nog maar net bezig, volgende maand weer een kans.

De vijfde maand ben ik een paar dagen over tijd. De eerste overtijddag durf ik eigenlijk nog niet te geloven dat ik wel eens zwanger kan zijn. Ik hou mezelf voor dat het ieder moment kan komen. Als ik dag drie zonder bloedverlies ben doorgekomen, durf ik optimistisch te worden en koop ik een zwangerschapstest. Maar in de loop van de avond begint mijn buik te rommelen. Mijn trouwe biologische vooraankondiging. Een paar uur buikpijn, licht beginnend, zwaar eindigend. Op het moment dat mijn eierstokken pijnlijk gaan kloppen duurt het niet lang meer voordat het bloed mijn uitgang vindt.

Die eerste uren houd ik mezelf nog even voor de gek. Ik wil

nog geen afstand nemen van het blije gevoel waardoor ik de afgelopen dagen overspoeld werd. Het kan innestelingspijn zijn. Het vocht dat in mijn slipje drupt kan zomaar slijm zijn. Totdat ik naar het toilet ga en met een wc-papiertje de nattigheid wegveeg. Starend naar het bebloede toiletpapiertje voel ik een spoor van teleurstelling door mijn lijf trekken. Ik houd me dapper voor dat we volgende maand weer een nieuwe kans hebben. Eens zal het raak zijn.

Maar vandaag lijkt het anders. Ik ben zeven dagen over tijd. Op dag drie had ik getest maar was er nog niets te zien. Dat kan, gebeurt wel vaker. Mijn borsten zijn gevoeliger dan ooit en ik ben twee kilo aangekomen. Ik lijk wel een rollade in mijn skinny jeans. Normaal gesproken reden tot paniek. Een paar dagen leven op water, groente en fruit. Nu reden tot opwinding. Grote opwinding. Ik wist het. Mijn lichaam laat me toch niet in de steek. Ik voel het aan alles: ik ben zwanger!

Max is direct uit zijn werk naar me toe gereden en is bijna net zo nerveus als ik. Op een draf loop ik naar de badkamer en gris ik de test uit mijn kastje. Mijn vingers zijn gekruist. De kans van slagen is gevoelsmatig groter op het moment dat het staafje de urine heeft opgezogen. Als een kansspel waar ik nog maar één vraag van de hoofdprijs verwijderd ben. Ik kan goed of fout antwoorden. Baby of geen baby.

Onrustig schuiven we op onze stoeltjes heen er weer, de uitgevoerde test ligt voor ons op tafel. We zien hoe de roze kleur zich langzaam terugtrekt, een teken dat de test goed is uitgevoerd. Max tikt onophoudelijk met zijn voet tegen de tafelpoot, terwijl ik met samengeknepen ogen boven de test hang. Ik kijk zo intens naar het witte staafje en wil zo graag een stip zien dat ik een stip ga zien. Een prachtige, duidelijke, de toekomst veranderende en alle onzekerheid wegnemende stip. Vlak voordat ik een gat in de lucht wil springen, helpt Max me uit mijn droom. Hij pakt me bij mijn schouder en trekt me naar zich toe.

Nadat ik een paar keer knipper met mijn ogen, zie ik een verraderlijke witte vlek. 'Hoe kan dat nou?' stamel ik. 'Ik weet zeker dat ik zwanger ben. Alles wijst er toch op?' Ik bijt op mijn onderlip.

'Wie weet is het nog te vroeg om te testen,' zegt Max geruststellend. 'We proberen het volgende week nog een keer.' Ik zie de teleurstelling in zijn ogen. Hij vouwt zijn handen om mijn wangen en kust mijn tranen weg.

's Nachts begin ik te bloeden. Het voelt alsof een stofzuigertje ongewenst bij me naar binnen gaat om het leven op te zuigen. Een gedwongen abortus waarbij ik machteloos toe moet kijken hoe ons kindje ons ontnomen wordt. Mijn baarmoederwand trekt pijnlijk samen en zorgt ervoor dat ik de hele nacht op die lege plek gefocust ben. De plek waar ons kindje had moeten groeien. Die plek wordt de komende tijd mijn nieuwe focus. De plek waar hoop en vertrouwen afgewisseld zullen worden met wanhoop en verdriet. Op het moment van deze bloeding weet ik nog niet wat ons te wachten staat en waarmee we geconfronteerd zullen worden. Ik weet nog niet dat deze pijn een schijntje is, vergeleken bij het verdriet dat nog gaat volgen. De volgende ochtend word ik met dikke ogen wakker.

'Ik moet je wat vertellen,' zegt Max die avond nadat hij de lekkerste spaghetti vongole voor me gemaakt heeft die ik ooit heb gegeten. Hij wil me extra verwennen omdat ik verdrietig ben. Het valt me zwaar om de babywolk, die de hele week met me mee zweefde, los te laten.

Nadat we samen hebben afgeruimd duwt hij me richting bank. Hij pakt mijn hand, wrijft met zijn vinger over mijn pols. Aan de diepe denkrimpel die op zijn voorhoofd verschijnt zie ik dat hij moeite heeft de juiste woorden te vinden. 'Lang geleden ben ik geopereerd,' begint hij. 'Ik denk dat ik twaalf was. Na die operatie heeft de dokter me verteld dat ik waarschijnlijk geen kinderen kan krijgen.'

Ik kijk hem aan en voel hoe het bloed mijn wangen kleurt. 'Waaraan ben je geopereerd?' vraag ik geschokt.

Max laat mijn hand los en frummelt aan zijn veter. 'Aan mijn bal, die bleek niet ingedaald,' legt hij uit. Behoedzaam staat hij op van de bank en loopt de kamer in. Zijn haar is achterovergekamd en als hij zich omdraait vallen een paar lokken langs zijn slaap. 'Tegenwoordig zijn artsen daar alert op en worden kinderen vóór hun eerste verjaardag al geopereerd. Bij mij zijn ze er te laat achter gekomen.' In het midden van de woonkamer blijft hij stilstaan. Zijn ogen zijn op het bruine vloerkleed gericht.

Mijn hoofd tolt en even lijkt het of ik niet meer helder kan denken. Dan sla ik mijn armen over elkaar. 'Waarom heb je dat dan niet eerder verteld? Ik kijk al maanden uit naar een positieve test. Iedere keer weer die teleurstelling. Je had me een hoop verdriet kunnen besparen.' Ik kijk uit het raam en snap werkelijk niet dat hij hier nu pas mee komt. Mijn benen voelen slap aan. Het liefste wil ik in snikken uitbarsten en met dingen gaan gooien. Maar in plaats daarvan klem ik mijn lippen op elkaar en blijf ik een tijdje bewegingsloos zitten. 'Jij hebt werkelijk geen idee hoe het voor me was. Elke maand weer. Het bijzondere gevoel dat ik iedere keer had als we gevreeën hadden. De dagen voordat ik ongesteld moest worden. Waarom heb je me dat aangedaan?' vraag ik uiteindelijk met een hese stem.

Max komt weer naast me zitten, pakt mijn gezicht en draait voorzichtig mijn kin naar zich toe. 'Ik heb het je ook zo vaak willen vertellen, maar tegelijkertijd voelde ik dat dit alle spontaniteit op een natuurlijke zwangerschap zou wegnemen. Ik hoopte zo dat het wel zou lukken.'

Ik trek mijn hoofd terug en word overspoeld door een verpletterend gevoel van zelfmedelijden. Als ik nu terugkijk voel ik me zo'n sukkel. Maandenlang tegen beter weten in hopen dat het gelukt was. Na iedere mooie vrijpartij ervan overtuigd zijn dat ik bevrucht was, overtijddagen in mijn agenda aankruisen, testen kopen. Wat een schijnvertoning. Terwijl Max al die tijd wist dat het een farce was. 'Ga maar weg,' zeg ik bijna fluisterend. 'Ik wil het er nu niet meer over hebben. Ik heb tijd nodig om dit te verwerken.'

Max ziet eruit alsof hij een harde klap in zijn gezicht heeft gekregen. 'Dat begrijp ik,' zegt hij nauwelijks hoorbaar en hij komt in beweging om op te staan. 'Barbara,' zegt hij als hij bij de deur staat.

'Ja,' antwoord ik met vlakke stem zonder me om te draaien. 'Ik ga niet weg voordat ik alles verteld heb.'

Gelaten vouw ik mijn benen in kleermakerszit en sluit mijn ogen, wachtend op wat komen gaat.

'Mijn hele leven droom ik al van een gezin met veel kinderen. Ver voordat leeftijdsgenoten daarmee bezig waren. Mijn wens werd alleen nog maar groter na die operatie.' Max blijft een moment stil. 'Ik heb nu eindelijk een vrouw ontmoet bij wie ik het aandurf mijn leven vol overgave met haar te delen,' gaat hij verder. 'Samen met jou is het leven nog leuker dan alleen. Zo leuk dat ik het beste van mezelf en van jou hoop terug te zien in nieuw leven.' Zijn stem breekt.

Ik draai me om en vind zijn ogen. Met een woest gebaar veegt Max de tranen van zijn gezicht. Hij ziet er zo kwetsbaar uit dat ik snel naar hem toe loop en hem in mijn armen sluit. Hij legt zijn hoofd tegen mijn schouder, zijn tranen doorweken mijn blouse.

'Het is alleen nog maar moeilijker geworden mijn geheim met je te delen vanaf het moment dat ik zag hoe graag je zwanger wilde worden,' snikt hij. 'De manier waarop je aan het einde van de maand straalde en hoe je het verdriet probeerde te bedekken als je ongesteld werd. Je bleef er zo dapper en optimistisch onder. Ik had gewoon de moed niet meer om het je te vertellen.'

Ik kijk naar hem op en zie een adertje op zijn voorhoofd kloppen. Mijn tranen knipper ik weg. 'Het is goed dat je het verteld hebt, al is het wat laat. Nu kunnen we onderzoeken of we hulp nodig hebben om zwanger te worden. Wie weet valt het allemaal wel mee. De artsen zijn nu zoveel verder dan twintig jaar geleden.' Ik kijk hem met een bemoedigende glimlach aan.

'Mag ik bij je blijven vannacht?' Max zijn ogen tasten onzeker de mijne af.

'Natuurlijk,' zeg ik zachtjes terwijl ik mijn hand in de zijne vouw en hem naar mijn slaapkamer leid.

We hebben er best lang over gepraat, onder de dekens, onze neuzen tegen elkaar aan gedrukt. Mijn hand verstopt in die van Max. Ik heb hem gerust weten te stellen, hem laten weten dat ik niet boos op hem ben. Het is ook niet zo dat hij me moedwillig de waarheid heeft ontzegd, puur om me eens goed te kunnen kwetsen. Ik snap zijn beweegreden, hoewel ik het zelf anders had gedaan. Maar mannen zijn daar nu eenmaal anders in dan vrouwen. Dat is een universeel gegeven. Er ontsnapt een lange zucht uit mijn mond. Max ligt op zijn zij en aan zijn zware adem te horen is hij al ver in dromenland. Ik merk dat ik moeite heb om mezelf gerust te stellen. Want hoe je het ook wendt of keert, als de man verminderd vruchtbaar is, is de vrouw de sigaar. Mijn kennis over onvruchtbaarheid is zeer beperkt, maar zover ik weet is de techniek nog niet zover dat de man een vruchtbaarheidsbehandeling kan ondergaan.

Om drie uur stap ik uit bed om een kopje warme melk met honing te maken. Ik klap mijn laptop open. Om grip te houden op de nieuwe situatie waar ik sinds een paar uur in verkeer, wil ik meer over het onderwerp te weten komen. Het eerste woord dat in me opkomt is onvruchtbaarheid. 135.000 pagina's. Gedeeld leed is half leed. Ik begin te lezen.

Onvruchtbaarheid betekent letterlijk dat je niet in staat bent een kind voort te brengen. In veel gevallen is er met behulp van medische technieken wel iets aan dit probleem te doen of komt er onverwachts toch nog een zwangerschap tot stand. Het zou dan ook beter zijn in

dergelijke gevallen te spreken van verminderde vruchtbaarheid, zolang nog niet definitief vaststaat of je werkelijk geen kinderen kunt krijgen.

Het volgende woord dat ik intik is ivf. 6.400.000 pagina's. Verbluft staar ik naar het scherm. Dat zijn meer hits dan wanneer je
'mobiele telefoon' intikt.

In-vitrofertilisatie. Sinds de eerste ivf-behandeling in
1978 zijn er wereldwijd meer dan een miljoen kinderen geboren met behulp van ivf. Ongeveer één op de vijf stellen
krijgt te maken met een vruchtbaarheidsprobleem.

Nooit heb ik me gerealiseerd dat zoveel mensen kampen met
vruchtbaarheidsproblemen. Ook niet dat er best veel mogelijkheden zijn om toch nog zwanger te raken. Ik stuit op forums waar
vrouwen hun verhalen en emoties met elkaar kunnen delen. Ik
lees over het verdriet en de pijn wanneer een behandeling mislukt. En ik voel de warmte en het medeleven van de andere leden.
Maar het lijkt net alsof dit onderwerp niet op ons van toepassing
is. Nog niet.

Terug in bed verstop ik me achter Max zijn warme rug. Morgen
ga ik het ziekenhuis bellen om een afspraak te maken. Simpelweg
om uit te willen sluiten dat wij een plastisch en allesbehalve romantisch traject in moeten om een kindje te krijgen. Maar diep in
mijn hart weet ik het. Een spontane zwangerschap is na het delen
van Max zijn 'niet ingedaalde bal'-geheim verleden tijd. Ik sluit
mijn ogen en denk aan de weg die mogelijk voor ons ligt. De weg
van de verminderde vruchtbaarheid.

3

2002

Mijn kamer was aardedonker. Ik opende mijn ogen en keek naar mijn nieuwe zonwerende gordijnen. Ze waren het geld meer dan waard. Als moeilijke slaper was het geweldig om de hele nacht het gevoel te hebben dat het nog lang geen ochtend was.

Totdat de wekker ging. Het kostte me moeite mijn ogen open te krijgen. Ik legde mijn handen op mijn buik en probeerde op mijn ademhaling te letten. Bij inademing kwam mijn buik omhoog en als ik met een zucht uitblies kromp hij weer in. Mijn yogajuf had me op het hart gedrukt dit zeker tien minuten vol te houden om rustig de nieuwe dag tegemoet te treden. Wanneer ik ook weer met dezelfde oefening afsloot kon mijn leven niet meer stuk en werd ik een ontspannen mens. Hoewel ik al een jaar haar yogalessen volgde, had ik nog niet het gevoel dat mijn inspanning vruchten afwierp.

De dekens trok ik tot ver over mijn hoofd. Ik krulde me op als een wormpje en dacht aan de dag die voor me lag. Om elf uur zou ik de Vondelkerk in Amsterdam bezichtigen. Het unieke van deze kerk was dat het bruidspaar vanuit de kelder, in een twee-persoons kooi, op kon stijgen. Met de juiste muziek zou dat een geweldig spektakel worden. Bruidspaar Lopez uit een stenen vloer getoverd. De unieke openingsdans.

Om drie uur moest ik terug op kantoor zijn. Een redacteur van *Bruid en Bruidegom* had ons benaderd voor een interview. Ze wilde meer weten van die vreemde hype die overgevlogen was vanuit Amerika.

Met mijn handen pakte ik de rand van de wastafel vast om mijn gezicht beter te kunnen bekijken in de spiegel. De wasbak voelde koud aan. Mijn donkere haar hing sluik langs mijn gezicht. Ik gebruikte liever het woord 'sluik' als het om mijn haar ging. Dat klonk nou eenmaal vriendelijker dan futloos vlashaar, wat het eerlijkheidshalve wel was. Aandachtig bestudeerde ik mijn gezicht. Twee donkerbruine ogen keken me aan. Ik zag er moe uit. Ik kon me niet herinneren dat ik de laatste maanden één keer voor twaalven in bed lag. Als ik niet tot laat aan het werk was, ging ik wel uit met Kate en Lisa. We hadden een vast ritueel waar we zelden van afweken. Vrijdagavond na het werk. Cocktails drinken in Pol, bij voorkeur mojito's, een hapje eten bij La Pizza en daarna wel zien waar we uitkwamen. Ook buiten die vrijdagavond zagen we elkaar geregeld.

Ik stak mijn tong uit naar mijn spiegelbeeld. Negenentwintig jaar. Nog even en de eerste rimpels zouden mijn gezicht ouder maken. Met mijn wijsvinger wreef ik langs mijn ooghoek en haalde er wat slaap uit. Ik trok mijn boxer en hemdje uit en zette de kraan van de douche aan. Het kippenvel stond op mijn lijf. Vlug pakte ik een handdoek en legde deze op de verwarming. Nog geen moment had ik spijt van de aankoop van dit huis, maar het was stokoud en had alleen maar enkel glas, waardoor in de winter de ijspegels aan de binnenkant van de ramen hingen. En aan mijn neus.

Terwijl de warme stralen mijn lijf verwarmden sloot ik mijn ogen. Het werd tijd dat ik meer rust ging nemen. Er waren momenten dat ik moe werd van mezelf. Ik rende en ik vloog zonder ook maar heel even tijd voor mezelf te nemen. Mijn gezicht hief ik richting douchekop en ik genoot van het water dat over mijn gezicht kletterde. Op het moment dat de douche koud werd, kwam ik eronder vandaan en wikkelde ik de opgewarmde handdoek strak om mijn lichaam. Ik pakte de mascara uit mijn toilettas en zette in lange halen mijn wimpers aan. Tevreden bekeek ik het resultaat. Het was voor het eerst dat een reclame zijn belofte waarmaakte. Mijn wimpers oogden superdik en nog eens lang ook. Met een dikke kwast bepoederde ik mijn bleke winterse wangen en ik bracht tot slot een dun laagje lipgloss aan.

Misschien moest ik eens op een rijtje zetten waar ik stond in het leven en waar ik naartoe wilde. Het begin van de bewustwording, las ik laatst in de *Happinez*. Ik pakte pen en papier en begon met mijn 'hoera tot nu toe bereikt'-lijstje.

1. Ik was wedding planner (sinds twee jaar runde ik samen met Lisa Before You Kiss the Bride).
2. Ik had een huis gekocht waar ik (voor het eerst in mijn leven) helemaal alleen in woonde.
3. Ik had de twee leukste vriendinnen van de wereld.
4. Ik was financieel onafhankelijk.
5. Punt 2 stond dertig kilometer bij mijn ouders vandaan. Voor mijn moeder net te ver om dagelijks te controleren of ik wel voldoende groente en fruit in mijn koelkast had.
6. Sinds een jaar had ik een relatie met Frank (maar ik twijfelde of dit punt wel op mijn hoera-lijst thuishoorde).

Terwijl ik mijn spijkerbroek aantrok en op zoek ging naar mijn zwarte lakpumps dacht ik na over de punten waar ik nog aan wilde werken. De moeilijkste opdracht, want daar was zelfkennis voor nodig. Ik opende de keukenkast, pakte de cornflakes en goot er wat melk overheen. Langzaam roerde ik de flakes door de melk, waarna ik de witte kom voor me op de houten keukentafel zette. Al etend begon ik aan mijn 'helaas nog steeds niet bereikt'-lijstje.

1. Me zen voelen, terwijl ik toch wekelijks trouw naar de yoga ging.
2. Mijn schoenenfetisj overwinnen (deze hobby kostte me maandelijks meer dan mijn hypotheek).
3. De liefde van mijn leven ontmoeten.
4. Met plezier een avond alleen thuisblijven.
5. Eens langer dan twee weken op vakantie gaan.
6. Een dag (een uur zou ook al prettig zijn) zonder mijn mobiel op pad gaan.

Ik was altijd al onrustig. Nou ja, op mijn eerste twee levensjaren na dan. Toen was ik een dooie en tevens dikke pierlala die af en toe een hysterische keel opzette als ik eten zag. Of wanneer mijn buurjongen van drie met zijn nieuwe rode sportauto gedreven over mijn bolle lijfje reed. Maar dat is begrijpelijk, dan huil je als baby.

In mijn kleutertijd kwam ik tot leven, met name als het donker was. Iedere nacht sloop ik mijn bed uit. 'Ik wil niet alleen zijn, mammie. Als ik alleen ben word ik bang,' fluisterde ik in haar oor. 'Kom maar kleintje, bij mij ben je veilig. Ik zal je beschermen, voor altijd,' zei ze terwijl ze de dekens opzij sloeg en me tegen zich aantrok. Mama voegde de daad bij het woord. Tot op de dag van vandaag.

Ik zette de lege kom terug op het aanrecht. Als ik niet werkte ging ik 's avonds de stad in. De gedachte dat ik helemaal alleen thuis op de bank moest zitten maakte me angstig. Misschien was ik bang dat ik antwoord zou krijgen op de vraag waarom ik niet alleen durfde te zijn. Waarom ik vanaf mijn zestiende zonder tussenfases vriendjes had. Was ik bang voor de leegte die ik in mezelf aan zou treffen? Een enkele keer vroeg ik me af of ik ooit moeder wilde worden. Dat was tijdens de momenten dat anderen dit onderwerp aansneden. Maar het antwoord was nee, iedere keer weer. Mijn biologische klok leek buiten werking. Wat betreft mijn vriendje dacht ik dat we de zomer niet zouden halen.

Frank wilde zich binden, ik niet en dat gaf frictie. Daarbij waren we twee totaal verschillende persoonlijkheden. Wat een meerwaarde voor je relatie kan zijn, mits je elkaars taal spreekt. En dat deden wij niet. Frank was een ster in het onderuithalen van mijn enthousiaste en spontane ideeën. Hij deed dat op een dusdanige manier dat ik al snel geen zin meer had om mijn hersenspinsels met hem te delen. Maar er was nog een onoverkomelijk iets. Nou was ik niet het type vrouw die het de hele dag nodig had te horen hoe leuk ze wel niet was, maar ik moest Frank nog op zijn eerste compliment betrappen. 'Leuk haar, het zou alleen op een hond moeten zitten,' grapte hij toen hij voor het eerst naast me wakker werd. Natuurlijk, één uitglijder kon de beste overkomen, relativeerde ik terwijl ik met hem mee lachte alsof mijn voortanden zonder verdoving getrokken werden. Maar het bleef niet bij die ene misser. Na een paar maanden wist ik zelfs zeker dat wanneer ik naakt op zijn voorruit had gelegen, hij zonder mij op te merken naar kantoor was gereden. Terwijl het in een relatie juist zo leuk was te horen waarom mijn lief nou net op mij viel. Waarin ik me onderscheidde van mijn soortgenoten. Het was zeker geen onwil, Frank kon het gewoon niet. Toch voelde ik wel dat hij zijn leven met me wilde delen. Gewoon en zonder veel poespas.

Waar Frank wel helemaal in opging was zijn werk. Hij was makelaar, een heel serieuze. Hij had zijn eigen kantoor in Rotterdam en het grootste gedeelte van zijn leven ging op aan zijn werk.

Zo zag Frank er ongeveer uit.
- Donkerblond haar, ergens tussen dun en dik in.
- Groene ogen.
- Een brede kaaklijn en een scherpe neus.
- 1.84 meter (wat twintig centimeter groter is dan ik ben).
- Een klein litteken op zijn bovenlip, dat ontstaan is toen hij als tienjarige op de hark van zijn vader viel.

- Kaarsrechte tanden (waar hij wel op hoge leeftijd een plaatjesbeugel voor nodig had, maar dat was gelukkig voordat ik hem ontmoette).

Franks eigenaardigheden:
- Hij poetste tweemaal daags de gootsteen met bleekmiddel.
- Hij tankte benzine voordat de meter onder de helft stond.
- Hij onderzocht na het niezen altijd zijn vangst.
- Hij at die dan ook nog op.
- Hij vloekte tijdens een orgasme.

Volgens Lisa zou je hem kunnen vergelijken met de Marlboroman, ware het niet dat die in het echt waarschijnlijk groter en breder was en dat Frank niet rookte.

Als latrelatie vond ik het prima, zo konden we elkaar zien op momenten dat we daar zin in hadden.

Frank dacht daar dus anders over. Hij was meer dan klaar voor een relatie. Misschien omdat hij acht jaar ouder was dan ik. 'Ik wil niets liever dan met je samenwonen.' De avond dat hij dit met me deelde zat ik tegen een hyperventilatieaanval aan. Het was drie maanden voor de grote schok.

4

2002

Het geluid van mijn mobiel leidde me van mijn overpeinzing af.

Kan vanavond niet mee naar Pol. Heb nieuwe date,
ga je binnenkort voorstellen. Hij is echt té
leuk! Tot vanmiddag, succes in Amsterdam.
X Lisa.

Lisa en ik kenden elkaar al vierentwintig jaar. Vanaf de eerste dag van de basisschool was het liefde op het eerste gezicht. Lisa is even groot als ik. Met haar blauwe ogen, omrand met donkerbruine lange wimpers en haar blonde krullen is ze een prachtige verschijning. Toch was ze al vijftien jaar op zoek naar de ware. Ze had laatst zelfs een helderziende bezocht met de vraag of ze hem ooit nog zou ontmoeten.

Ik kon geen panklare oorzaak noemen waarom haar relaties nooit standhielden. Zo kon het gebeuren dat ze binnen het uur al afknapte op te grove poriën, een accent of op een veegje oorgeel dat in een oorschelp was blijven kleven. Lisa zag dingen die een ander vaak niet eens opvielen. Maar als de man het eerste uur zonder kleerscheuren was doorgekomen, kon ze zich in hem vastbijten als een piranha. Ze maakte die nieuwe liefde vaak de eerste week al duidelijk dat ze het liefst al haar vrije tijd met hem doorbracht. En dat schrikt, naar mijn bescheiden mening, af. Een man wil toch zijn best doen om een vrouw voor zich te winnen. Dat zit nou eenmaal in zijn natuur.

In ieder geval waren we nu behalve vriendinnen ook compagnons. De eerste week van het nieuwe millennium tekenden we voor de oprichting van ons bureau. Een spannende onderneming, want Nederland was nog helemaal niet bekend met het fenomeen 'wedding planner'. Alle glossy magazines en kranten ontvingen een trendy flyer over de oprichting van ons bedrijf. Deze *free publicity* had succes en mondjesmaat druppelden de opdrachten binnen.

De eerste maanden werkten we vanuit mijn huis. Na zes maanden huurden we de benedenverdieping van een monumentaal pand in Blijdorp. Dankzij de ornamenten en de glas-in-loodramen ademde het pand een karakteristieke uitstraling. Familie en vrienden hielpen ons met het verven van de muren en het opschuren van de oude notenhouten vloer. Het interieur kochten we in de uitverkoop bij Kitsch & Kunst. Ik was op slag verliefd op de witgelakte bureaus en limekleurige stoeltjes. Na een jaar waren we uit de kosten en konden we meer salaris uit ons bedrijf opnemen. Niet veel, precies genoeg om onze vaste lasten en hobby's te kunnen betalen.

Ik gniffelde, weer een nieuwe date. Ik hoopte dat ik het in dit leven nog mee mocht maken dat het eens langer duurde dan drie weken. Snel tikte ik een berichtje aan Kate. Vanavond bios? Charlie's Angels draait.

Lisa en ik leerden Kate op de middelbare school kennen. Zes jaar lang hebben we met elkaar in de klas gezeten en alles deden en deelden we samen. Kate ging rechten studeren, Lisa en ik bedrijfskunde. Kate is het tegenovergestelde van mij. Om te beginnen heeft ze dik blond haar. Ze is lang en stevig, ik ben klein en tenger. Haar kast puilt uit met mantelpakjes, ballerina's en platte laarzen, de mijne met jeans, tuniekjes en pumps. Kate is standvastig, ik wispelturig. Zo had ze al vijfenhalf jaar dezelfde vriend, Jules, met wie ze heel gelukkig samenwoonde.

Nadat ik mijn tas vulde met mijn mobiel, agenda, de zwart-leren werkmap en een appel, plofte ik op de bank en legde ik de twee lijstjes op mijn schoot. Terwijl ik ernaar keek, wist ik ineens wat me te doen stond. Een tintelend gevoel van blijdschap kronkelde als een slang door mijn buik. Ik ging op reis, heel ver weg. Helemaal alleen. Met slechts twee paar schoenen in mijn rugzak: mijn Havaianas-slippers en mijn pumps. Oké, niet te streng zijn voor mezelf. Mijn nieuwe Chloé-laarsjes mochten ook mee. Het was immers geen strafkamp. Mijn mobiel mocht, nee moest ook mee. Stel dat ik Kate en Lisa niet kon bellen wanneer ik de man van mijn dromen ontmoette, de gedachte alleen al. Vanaf oktober werd het rustiger op kantoor en in februari trok het weer aan. Vier maanden moest genoeg zijn voor mijn avontuur, langer kon echt niet. Lisa zou het in de winter gemakkelijk alleen af kunnen. Als ik vanmiddag terug op kantoor was, zou ik het haar direct vragen.

Met een opgetogen gevoel trok ik de voordeur in het slot. Het was koud buiten en ik stak mijn handen diep in mijn zakken. De zon piepte voorzichtig door de wolken en hoewel het vroor, gaf het me een zomers gevoel. Ik legde de routebeschrijving naar de Vondelstraat op de passagiersstoel, mijn tas op de achterbank en zong opgewekt mee met *Q-Music*.

'Kate Lohman.'

Ik rolde met mijn ogen. 'Waarom zeg je altijd je naam als je in de display kunt zien dat ik het ben?'

Ze grinnikte. 'Ik krijg elke dag zoveel telefoontjes dat ik geen tijd heb om te kijken wie me belt.' Kate was advocate en ook nog eens een heel goede. Gespecialiseerd in echtscheidingen en drukker dan ooit. 'Vanavond is goed, maar dan de late voorstelling. Ik ben zeker nog tot acht uur aan het werk.' Op de achtergrond hoorde ik papier ritselen.

'Kate, ik bel je eigenlijk voor iets anders.' Het bleef even stil. Toen jubelde ik het uit. 'Ik ga een paar maanden weg, naar de

andere kant van de wereld. Kun je me zo lang missen, denk je?'
Weer diezelfde stilte.

'Ik kan beter vragen of jij zo lang weg kunt,' zei ze uiteindelijk. 'En wat vindt Lisa daar eigenlijk van?'

Ik schonk Lisa een brede grijns. Bij toeval vroeg ik het haar vanmiddag precies op het juiste moment. Haar date van gisteren bleek zo leuk dat ze maar twee uur geslapen had vannacht. In zijn bed. 'Het lijkt alsof we voor elkaar gemaakt zijn. Als ik tegen hem aanlig voel ik een magnetisch veld. We zijn niet te stoppen. Direct na het werk vlieg ik weer naar hem toe.' Stralend begon ze aan de factuur van Robert en Marja. Onze eerste trouwerij in het buitenland. We hebben de *Cosmopolitan* aangeboden direct na de bruiloft het draaiboek te mailen en foto's te sturen. Het artikel wordt in augustus gepubliceerd met als thema 'bijzondere beroepen'.

'Ik heb het haar net gevraagd. Ze gunt het me van harte. Ik ben de laatste twee jaar natuurlijk alleen maar weekendjes weggeweest.'

Ik keek op van mijn beeldscherm en zag Lisa onafgebroken naar haar mobiel staren.

'We hebben afgesproken dat ik tijdens mijn afwezigheid geen salaris uit de zaak haal en dat zij wat meer verdient. Niet meer dan logisch.'

Kate onderdrukte een lach en probeerde hem weg te kuchen.

'Wat is daar zo grappig aan?' vroeg ik.

'Jij een paar maanden geen salaris? Ga je tomaten plukken in een zonnig land om rond te komen?'

Ik draaide een keertje rond op mijn stoel. 'Vanaf nu ga ik elke maand geld opzij leggen om met voldoende zakgeld op pad te kunnen. Natuurlijk ga ik daar niet werken. Ik ga juist tot rust komen, genieten van het leven en mijn nieuw verworven vrijheid.'

Vanaf dat moment hield Kate het niet meer. 'Jij hebt nog nooit van je leven gespaard. Je geeft maandelijks veel meer uit dan je binnenkrijgt. Ik denk dat je bij heel wat kredietmaatschappijen inmiddels een bekende bent.' Ze haalde haar neus op. 'Trouwens, dat betekent een paar maanden geen kleding, nee nog erger, geen schoenen kopen. Je zou het simpelweg niet overleven.'

Ik nam een slokje water en schrok van de gil die uit de hoorn weerklonk.

'We gaan toch nog wel op wintersport, of past dat ook niet meer in je budget?'

Geschrokken sloeg ik mijn hand voor mijn mond. Helemaal vergeten onze wintersport op te nemen in mijn spaarplan. Maar als ik het daar wat rustiger aan zou doen, moest dat goed komen. 'Tuurlijk gaat onze reis nog door,' stelde ik haar gerust, waarna Kate me wegdrukte voor een wisselgesprek.

Eerlijk gezegd was ik best een beetje teleurgesteld in het wantrouwen van mijn beste vriendin. Natuurlijk was ik in staat geld opzij te leggen. Het hoefde immers niet direct te betekenen dat ik helemaal niets meer kon kopen. Ik zou de komende maanden naar de Lidl gaan en oude merkkleding naar tweedehandszaakjes brengen (in plaats van deze via mama aan de derde wereld te schenken). Ik zou zelfs een huishoudboekje bij gaan houden.

Terug naar mijn reis. Ik moest naar de andere kant van de wereld, dan had ik de kleinste kans dat mijn moeder me achterna zou komen. Om er zeker van te zijn dat ik het zou redden daar. Mama had vliegangst. Dus het werd Australië. Op internet bestudeerde ik de landkaart. Ik keek naar de beste temperaturen en onderzocht waar de meeste backpackers naartoe gingen.

Op zaterdagochtend kocht ik bij het reisbureau een ticket en ik moest me inhouden niet dansend van blijdschap de winkel te verlaten. Uit mijn mond ontsnapte een bevrijdende kreet toen ik weer op de fiets stapte. Ik was trots omdat ik naar mijn gevoel luisterde. Trots omdat ik mijn veiligheid los durfde te laten. Bovenal trots omdat ik dit avontuur helemaal alleen aan zou gaan. Iedereen juichte mijn reis naar zelfstandigheid toe, op mijn ouders en Frank na.

Frank stelde voor om me achterna te reizen. 'Natuurlijk kan ik niet te lang weg van mijn werk, maar een maand moet wel lukken.' Hij was diep teleurgesteld dat ik voet bij stuk hield om alleen te gaan.

Mama kreeg bijna een zenuwinzinking. Ze was ervan overtuigd dat ze mij niet meer terug zou zien. In ieder geval niet in levenden lijve. 'Er gebeuren daar vreselijke dingen. Vermissingen die nooit meer opgelost worden,' snikte ze.

Hoewel beiden ongetwijfeld nog alles uit de kast zouden halen om mij op andere gedachten te brengen en in Rotterdam te houden, stond mijn besluit vast. Op 6 oktober 2002 vertrok mijn vliegtuig, bestemming Sydney, en niets of niemand kon mij tegenhouden.

Dacht ik.

5

2006

Wat onwennig zitten we in de wachtkamer van de gynaecoloog. De hele ruimte is gevuld met dikke buiken. De een nog boller dan de ander. Naast ons zit een stel dat bij mij in de buurt woont. Na een enthousiaste begroeting schieten twee paar ogen nieuwsgierig naar mijn buik. Omdat deze meer dan plat is (wat de kans heel klein maakt dat er een baby in woont) vragen ze gelukkig niet verder.

Een van de deuren gaat open. We zien alleen een hoofd buiten de kier verschijnen. 'Mevrouw Muller?'

Max en ik schieten omhoog en lopen op haar af.

'Dokter A., aangenaam.' Onder de witte jas draagt ze een auberginekleurige velours broek en zwarte Kickers-schoenen. Ze heeft bruin haar dat net over haar schouders valt en als je het mij vraagt nodig aan een wasbeurt toe is. Dokter A. draagt een zwarte bril met een dik montuur. Ze kijkt ons met een opgewekte blik aan. Door haar warme persoonlijkheid geeft ze ons een welkom gevoel, waardoor we ons direct op ons gemak voelen en het onderwerp minder beladen lijkt.

Drs. A.   'Hoelang zijn jullie al bezig?'
B. (wat overdreven) 'Al anderhalf jaar.'
Drs. A.   'Hoe vaak hebben jullie seks?'

M. (trots)	'Minstens drie keer per week.'
Drs. A.	'Komt er veel sperma uit tijdens de ejaculatie?'
M. (minder trots)	'Nee.'
Drs. A.	'Wat is weinig?'
B. (kijkend naar M.)	'Een paar druppels?'
M.	*Frummelt wat aan zijn veter.*
Drs. A.	'Hebben jullie al een kindje samen?'
B.	'We hebben een dochtertje van vier, Sophie, maar zij heeft een andere biologische vader.'
Drs. A.	'Komen er ziektes, genetische- en/of eventuele chromosoomafwijkingen in jullie families voor?'
M. en B.	*Na in gedachten de hele familie doorlopen te hebben:* 'Nee.'
Drs. A.	'Oké, dan mag Max nu zijn broek uitdoen.'
M. en B.	*Stilte.*

Max denkt dat de dokter een grapje maakt.

Maar de dokter maakt geen grapje. Vastberaden staat ze op en gaat recht voor hem staan.

Het arme schaap trekt helemaal wit weg, maar probeert zich dapper te vermannen.

Ik houd mijn hand voor mijn mond en weet ternauwernood een uit nervositeit geboren lach te onderdrukken.

Max, die inmiddels vuurrood is aangelopen, staat op en hupst een beetje onnozel door het kleine kamertje.

'Kom maar hier staan, Max,' zegt dokter A. 'Recht voor mij alsjeblieft.'

In een nonchalante beweging probeert hij zijn broek te laten zakken. Zijn ogen zijn strak op de muur gericht. Op het schilderij van onze koningin.

'Graag ook je onderbroek, anders zie ik nog niks.'

Als een vos in de val laat hij de onderbroek van zijn billen glijden. De dokter gaat recht op haar doel af, pakt hem vol bij zijn ballen en kneedt er flink in. Alsof ze een gehaktbal draait. 'Tja, eigenlijk zie ik het zo al. Je hebt een hoogstaande bal.'

Dan hou ik het niet meer. Een hoogstaande bal, dat is nog eens prachtig jargon voor zijn mankement. Die ga ik er absoluut in houden.

Max (zichtbaar aangedaan door de spontane kneedactie van drs. A.) probeert krampachtig mee te lachen. Hij ziet eruit alsof hij een Napoleon-zuurbal in zijn mond heeft.

'Omdat je op latere leeftijd pas aan deze hoogstaande bal geholpen bent, is de kans groot dat je sterk verminderd vruchtbaar bent,' legt ze uit. A. gaat weer zitten en maakt een aantekening. 'Jullie mogen direct door om bloed te prikken. Dit om uit te sluiten dat jullie seropositief zijn, hiv-besmet zijn of hepatitis hebben. Volgende week mag Max zijn zaad inleveren. Na productie moet het binnen dertig minuten in het lab zijn. Je mag het thuis doen, maar alleen als je in buurt woont.' Haar ogen worden kleiner en ze buigt voorover. 'Anders hebben wij er in dit ziekenhuis een speciaal en discreet kamertje voor.' A. knikt Max bemoedigend toe.

Max ziet inmiddels groen.

'Binnen een week krijgen jullie de uitslag van het bloedonderzoek en van de zaadkwaliteit. Op basis daarvan bepalen we welk traject jullie ingaan. En, heel belangrijk, het zaad moet op lichaamstemperatuur verwarmd blijven.' Ze geeft ons nog een foldertje mee met uitgebreide informatie over vruchtbaarheidsbehandelingen.

'Al moet ik ervoor verhuizen, geen haar op mijn hoofd die erover denkt zo'n pervers kamertje in te gaan,' sist Max in de gang. 'Nog in geen honderdduizend jaar!'

's Avonds nadat Max de open haard heeft aangemaakt, komt hij naast me zitten.

'Vreemd idee, vind je niet? Vorige maand dacht ik nog dat ik via de natuurlijke weg zwanger kon worden. Nu staan we aan het begin van het onvruchtbaarheidscircuit. Een totaal andere wereld.' Ik rek me uit en wurm mijn benen om zijn middel.

Max tilt me voorzichtig op en legt me op het kleed. Met de warmte van het vuur op onze naakte lijven hebben we seks. Als we na afloop loom naast elkaar liggen en het vuur is gedoofd, voel ik dat er iets veranderd is. Seks zal een andere betekenis gaan krijgen. We zullen waarschijnlijk nooit meer vrijen en daarna in elkaars oor fluisteren: 'Dit keer is het vast raak.' En als het tegenzit, zal ik hem nooit meer spontaan kunnen verrassen met een positieve zwangerschapstest.

Nooit meer.

6

2006

Vandaag mag Max zijn zaad inleveren. Ik heb een belangrijke vergadering, waardoor hij er alleen voor staat. Om zijn zaad een duwtje in de rug te geven mocht hij de afgelopen weken niet roken en niet drinken. Zijn ondergoed mocht niet te strak zitten, hij moest foliumzuur en zink slikken en mocht zijn kruis onder geen beding blootstellen aan hoge temperaturen. Hij mocht niet langer dan vijf dagen droogstaan en drie dagen voordat hij zijn zaad in moest leveren, mocht hij niet meer klaarkomen.

Max is bloednerveus. Het liefst had hij zich van tevoren wat moed ingedronken, ware het niet dat het halfnegen 's ochtends is en dat door alcohol de kwaliteit van het zaad verslechtert. Hij heeft er slecht van geslapen en als hij klaarkomt is hij alleen maar bezig met de vraag waarom men voor zulk precisiewerk zo'n smal potje ter beschikking stelt. *Wat als ik mis spuit?* Een grote jongen die direct opnieuw een lozing kan hebben. Max spuit, maar mikt verkeerd. Twee druppels in het potje. De rest op de grond. Hij raakt in paniek, neemt een snoekduik, plat op de grond. Nauwgezet schraapt hij zijn restjes van de vloer en veegt ze in het potje. Hij krabbelt op, sluit het deksel en stopt het potje onder zijn trui.

In het ziekenhuis aangekomen schuifelt hij, met minder snelheid dan hij gekomen is, de wachtkamer in. Met een steeds groter wordende blos op zijn wangen wendt hij zich tot de baliemedewerkster. Max haalt het potje onder zijn trui vandaan. Houdt het voorzichtig in de lucht, lacht verlegen en hoopt op een snelle verlossing.

'U komt uw zaad inleveren? Dan hoeft u niet te wachten, hoor. Loopt u maar snel door naar het lab, daar helpen ze u verder.'

Max voelt zich de vieze rukkende man. Met zijn gezicht naar de grond gericht loopt hij verder. Hij wordt direct geholpen, want iedere seconde telt. Hij ziet meerdere slachtoffers de ruimte binnentreden. Met dezelfde potjes in hun hand. De gedachte dat hij niet de enige is, kalmeert hem.

'Waar gaan jullie het zaad eigenlijk op testen?' vraagt Max aan een man in het wit, die over enkele minuten met zijn neus in zijn zaad zal duiken.

'We kijken onder andere naar het aantal zaadcellen, de beweeglijkheid en de vorm van de zaadcellen,' legt hij uit. 'En natuurlijk ook de snelheid. Volgende week mogen jullie bellen voor de uitslag.'

Max bedankt de man vriendelijk, haalt een paar keer diep adem en verlaat met geheven hoofd het ziekenhuis. Zijn taak is volbracht.

Als het niet al te slecht gesteld is met het zaad van mijn lief, blijken dit de mogelijkheden om onze natuur een handje te helpen.

1. Seks op afroep ofwel temperaturen en de ovulatie bijhouden.
De vrouw houdt haar eisprong bij met behulp van een ovulatietest en temperatuurt dagelijks. Bij het begin van de eisprong zakt de temperatuur. Haast is geboden, want het eitje leeft maar enkele uren. Het is het beste om net voor de eisprong seks te hebben. Maar voordat je eisprongspecialist bent, ben je wel een aantal maanden verder. Maanden van grafieken maken en deze secuur bijhouden. Het einde van een spontaan seksleven is begonnen.

'Max, je moet nu thuiskomen, mijn temperatuur is perfect. Een patiënt? Zeg, ik lig hier dankzij jou met een thermometer in mijn kont. Schiet je op? Ik lig boven op je te wachten.' Knappe man die daar nog wat van kan maken. Zelfs het standje is bepaald, want liggend op de rug met de benen hoog in de lucht, is de positie waarin de zaadcel het beste zijn weg kan vinden naar het eitje.

Na het klaarkomen begint het. De benen moeten hoog blijven, het bekken gekanteld. De kaarsenstandaard. Minimaal twintig minuten zonder al te veel beweging in diezelfde positie blijven. Op deze manier is de kans het grootst dat de zaadcel zijn einddoel bereikt.

Wanneer hier na een paar maanden geen zwangerschap uit ontstaat gaan we door naar stap twee.

2. Thuisinseminatiekit.

Steriele spuit kopen bij de apotheek (de beste is die van tien centimeter, in verband met een verder bereik). De vrouw houdt ook hier weer haar eisprong bij met een ovulatietest en temperatuurt dagelijks. Vlak voor de eisprong masturbeert de man, vangt zijn sperma op in een potje. Trekt het sperma met een spuit uit het potje, injecteert het zaad diep in zijn vrouw. Positie van de vrouw zoals bij stap één. Voordeel: kan (net als 1) gewoon in de huiselijke omgeving.

Als hier na een paar maanden geen zwangerschap uit volgt, gaan we door naar stap drie.

3. IUI (intra-uteriene inseminatie).

Een man is verminderd vruchtbaar wanneer hij minder dan twintig miljoen zaadcellen heeft. Zijn er minder dan tien miljoen zaadcellen, dan is hij sterk verminderd vruchtbaar. De gemiddelde ondergrens van IUI ligt tussen de een en twee miljoen bewegende zaadcellen.

De man masturbeert, vangt zijn zaad op in potje en brengt het naar het lab. Daar worden de beste zaadcellen geselecteerd. In het ziekenhuis wordt via een katheter het zaad in de baarmoederholte van de vrouw gebracht. Vooraf worden de follikels (eiblaasjes) van de vrouw gerijpt door hormonen.

Het gemiddeld aantal keren dat IUI wordt toegepast is zes.

Wanneer hier geen zwangerschap uit ontstaat, is de volgende stap ivf of in het slechtste geval icsi.

Vandaag mag ik bellen voor de uitslag en weten we in welk traject we kunnen beginnen. Een week lang hebben we in spanning gezeten, nu is het moment daar. Mijn computer maakt pruttelende opstartgeluiden terwijl ik een slokje van de inmiddels lauw geworden koffie drink. Handenwrijvend staar ik voor me uit. Ik probeer moed te verzamelen om het nummer van drs. A. te bellen.

De afgelopen week was ik een beetje uit mijn doen. Het ene moment was ik positief en wist ik meer dan zeker dat Max gewoon vruchtbaar is, dat wij samen kinderen zullen krijgen. Zonder dat er een witte jas of een naald aan te pas hoeft te komen. Op andere momenten drong de gedachte zich aan me op dat we samen nooit kinderen konden krijgen.

Ik rol mijn mobiel van mijn ene naar mijn andere hand en probeer de spanning in mijn buik weg te ademen. Tot voor kort speelde onvruchtbaarheid geen enkele rol in mijn leven en nu denk ik aan niets anders meer. Ook omdat ik nog niet weet wat ons te wachten staat. Met mijn wijsvinger druk ik het telefoonnummer in. Ik staar naar de cijfertjes op de display en druk uiteindelijk op het groene telefoontje. Mijn hart bonkt in mijn keel als ik onze dokter aan de lijn heb. Ik hoor mezelf naar de uitslag van Max zijn zaad vragen.

'Niet goed,' zegt drs. A. zonder enige aarzeling. Ze is in ieder geval direct.

Ik kan geen woord meer uitbrengen en hap als een vis op het droge naar adem. 'Hoe slecht is niet goed?' stamel ik na een hele tijd stil te zijn geweest.

'Heel slecht. We hebben geen enkele levende zaadcel gevonden. Het spijt me.'

Zonder iets terug te zeggen knik ik, waarna ik mijn mobielvrije hand voor mijn mond sla. Mijn warme adem weerkaatst tegen mijn handpalm. Drs. A. en ik blijven beiden een poosje stil.

'Is er soms iets verkeerd gegaan bij het produceren? Een uitslag als deze komt namelijk zelden voor,' vraagt ze uiteindelijk.

Op mijn netvlies verschijnt Max, die op zijn buik zijn kostbare zaad bijeen schraapt. Ik kuch een ongemakkelijk hoestje. 'Ja, dat is er zeker,' antwoord ik.

A. hoort mijn korte versie van Max zijn spuitavontuur aan en ik hoor dat ze moeite moet doen niet te gaan schateren. En dan heb ik de duik op de grond nog achterwege gelaten. Ik wil hem natuurlijk niet in een al te stuntelig daglicht plaatsen.

'Dan mag Max over drie dagen opnieuw een potje inleveren. Dit keer zonder grondbacteriën. Dodelijk voor het zaad,' legt ze uit en aan haar stem te horen weet ik nu zeker dat ze lacht.

De zwarte wolk die daarnet in mijn hoofd zweefde heeft plaatsgemaakt voor een strakblauwe, zonnige hemel waar vogeltjes naar hartenlust aan het fluiten zijn. We krijgen een nieuwe kans. Het kan allemaal nog meevallen.

'Overigens hebben jullie met de bloedtest op alle onderzochte ziektes en afwijkingen negatief gescoord,' sluit ze ons gesprek af. 'O, nog één ding,' zegt A. als ik haar al bijna weggedrukt heb. 'Beloof me dat je hem de volgende keer een handje helpt!'

7

2002

Kate keek geamuseerd naar mijn vier tassen. 'We gaan vier dagen, je hebt voor een paar maanden kleding bij je.'

Ik haalde mijn schouders op. 'Skikleding weegt nou eenmaal zwaarder,' zei ik zo achteloos mogelijk. Ik hield altijd in mijn achterhoofd dat ik van tevoren nooit wist wat ik 's avonds aan wilde trekken. Dan was het wel zo prettig om uit verschillende setjes te kunnen kiezen. Ik stapte in en zette de tas met lekkers tussen mijn benen. Op de tast zocht ik naar de Redbull die ik speciaal voor Kate gekocht had. Ik maakte hem open, prikte er een felroze rietje in en gaf hem aan Kate die me dankbaar aankeek. Hoewel ze net uit bed was, leek het alsof ze zo bij de kapper vandaan kwam. Dat was nou het mooie van een weelderige bos met haar. Zelfs als ik mijn haar een uur lang föhnde, krulde en kamde, leek het in de verste verte niet op dat van haar. Ik keek op het dashboard en zag dat het vier uur 's nachts was. 'Fijn dat het nog zo vroeg is, dan zijn we er begin van de middag en kunnen we nog lekker skiën,' zei ik terwijl ik een zak drop openscheurde.

We wisten ons geen raad met de uit de kluiten gewassen routekaart. Op het moment dat ik hem helemaal openklapte, reed Kate bijna tegen de vangrail aan. Toen ik het onding voor onze eigen veiligheid voor de helft inklapte, was ik weer kwijt waar ik gebleven was. Ik zag Duitsland aan voor Oostenrijk en Kate verwarde de rijksweg met B-wegen.

Veel later dan gepland kwamen we in ons dorpje aan. De gondels hingen al uren stil in de lucht.

Nadat we onze kleding in de kast hadden opgehangen, wandelden we naar de eerste de beste après-skibar. Het kostte ons moeite om de bar te bereiken en zo goed en kwaad als het ging baanden we ons een weg tussen de hossende mensen die allemaal naar zweet roken. We bestelden twee flügeltjes en namen plaats op een barkruk. Dankbaar namen we de flesjes in ontvangst. We keken elkaar aan en schoten in de lach.

'Met de grootste fantasie van de wereld kun je deze muziek nog niet leuk vinden, laat staan erop bewegen,' schamperde ik nadat ik een kleffe Duitser van me af had geduwd.

Na nog drie drankjes mengden we ons in de mensenmassa. 'Anton aus Tirol,' schreeuwden we terwijl onze handen tegelijkertijd de lucht in gingen.

De volgende ochtend bestelde ik bij een pisterestaurant twee latte macchiato.

Na mijn eerste slok belde Frank. 'Ik tel de dagen totdat je weer bij me bent. Weet je dat ik al twee nachten over je gedroomd heb? Gek toch? Hoe is het daar? Goede sneeuw? Ik heb het waanzinnig druk, drie huizen verkocht. Gelukkig maar, dan gaat de tijd wat sneller.'

Het leek alsof mijn keel werd dichtgeknepen en het kostte me dan ook moeite om aardig te doen. Kate keek me gedurende het gesprek met een schuin oog vanachter haar zonnebril aan. Nadat ik Frank had beloofd dat ik eind van de dag nog een berichtje zou sturen, borg ik mijn mobiel weer in mijn binnenzak op.

Kate ademde hoorbaar in. 'Waarom doe je zo koel? Je kunt op z'n minst gewoon vriendelijk zijn en even de tijd voor hem nemen.'

Ik knikte schuldbewust. 'Het lijkt alsof hij steeds afhankelijker wordt. Voordat hij ophing zei hij dat hij geen dag meer zonder me wil leven. Niet wil, maar ook niet kan. De eerste maanden was ik echt gek op hem, maar dit gedrag benauwt me enorm.' Ik sloeg mijn zwarte skischoenen tegen elkaar aan en keek naar de dikke brokken sneeuw die er vanaf vielen. Eigenlijk wilde ik nieuwe kopen, maar ik had me in weten te houden. Ik smeerde Labello op mijn lippen en wreef ze over elkaar.

'Dit is voor Frank ook niet goed, die moet daar toch ongelukkig van worden?' reageerde Kate. 'Jij zou hem graag anders zien, maar een man van die leeftijd verander je niet meer, neem dat maar van mij aan.' Ze schepte de witte schuimlaag uit haar glas en bracht het lepeltje vlak voor haar mond tot stilstand. 'Ik begrijp je ook niet helemaal. Je vindt het toch jammer dat Frank zelden een compliment geeft?'

Ik knikte bevestigend en was benieuwd waar dit gesprek naartoe ging.

'Dat hij zo graag bij je is, is toch het grootste compliment dat je kunt krijgen?' Kate keek me niet-begrijpend aan, waarna ze de lepel in haar mond liet verdwijnen.

'Die twee dingen staan los van elkaar,' reageerde ik alsof het de meest logische zaak van de wereld was. 'Je wilt als vrouw toch horen dat je het allermooiste meisje bent dat hij ooit op deze wereld heeft gezien? En dat er nooit een ander zal zijn die ook maar in je schaduw zou kunnen lopen?'

Kate schudde haar hoofd. 'Frank laat zijn liefde op een andere manier voelen. Op zijn eigen manier. Al zou hij je dagelijks bedelven onder de mooiste complimenten, dan nog ben je niet gelukkig in jullie relatie.' Ze haalde haar schouders op en keek me met een triomfantelijke gelaatsuitdrukking aan. Een blik waarvan ik zeker wist dat die het in de rechtbank bijzonder goed zou doen. 'Dus vind je hem niet leuk genoeg. Want op het moment dat je op zoek gaat naar minpunten om je aan te kunnen ergeren is het begin van het einde in zicht.' Ze leunde naar voren om het Milka-chocolaatje van haar schoteltje te pakken.

Zonder iets terug te zeggen keek ik naar het kauwende gezicht van mijn vriendin. Wetende dat ze helemaal gelijk had.

'Volgens mij wordt het tijd dat jij als vrijgezel door het leven gaat. Dat is om precies te zijn dertien jaar geleden. Al die tijd heb je een man om je heen gehad.' Kate zette haar zonnebril op het puntje van haar neus en keek me streng aan. 'Het zou goed voor je zijn. De vraag is alleen: durf je het aan?'

We werden afgeleid door haar eigen mobiel en de schatjes, liefjes en poepeledorisjes vlogen me om de oren.

'Hoe kan het, Kate?' vroeg ik verwonderd toen ze haar Jules met veel moeite gedag had gezegd. 'Na zoveel jaar samen nog zo kinderachtig verliefd tegen elkaar doen.'

Kate glimlachte sereen. 'Simpelweg omdat ik het weet. Jules is het voor mij. En ik voor hem,' zei ze er vlug achteraan. 'We zouden elkaar eigenlijk iets vaker moeten zien. Ik werk zeventig uur per week en hij komt daar soms nog overheen.' Ze legde haar hoofd in haar nek om van de zon te genieten. Jules werkte als binnenhuisarchitect en was vaak avonden achtereen tot diep in de nacht aan het tekenen. Zijn beroep had één groot voordeel. Kate en Jules woonden in een indrukwekkend rijksmonument aan het water. Jules ontwierp een modern interieur zonder de klassieke elementen verloren te laten gaan.

'Heerlijk, Kate', zei ik terwijl ik zachtjes in haar been kneep. 'Jullie boffen maar.' Ik sloot mijn ogen. 'En je hebt gelijk, het is voor niemand goed wanneer ik bij Frank blijf, terwijl ik nu al twijfel over onze relatie. Het zou goed zijn om de cirkel te doorbreken. Dan pas weet ik hoe het is om alleen te zijn.'

We klikten onze ski's weer aan. De zon stond hoog aan de ijsblauwe hemel en de koude wind gierde langs mijn gezicht. We namen het bospad terug naar St. Anton. Genietend keek ik naar de besneeuwde dennentakken die aan beide kanten van het pad groeien. Ik rook de boslucht. Met mijn stokken prikte ik bij ieder bochtje dat ik draaide in de krakende sneeuw. Ik keek voor me en zag hoe het zwarte bolletje van Kates muts vrolijk heen en weer wapperde. Bij de gondel klikten we onze ski's uit en stapten we in de wiebelende cabine. 'Ik ben zo blij dat we hier zijn,' zei ik opgewekt. 'Dit is echt vakantie.'

De derde middag dronken we zoveel dat we de après-skibar uitzwalkten en niet meer wisten waar ons hotel stond. Ik ging op de stenen rand van de fontein zitten om me rustig te oriënteren. In de verte zag ik een man op ons aflopen. Toen hij dichterbij kwam knikte hij me vriendelijk toe. Hij droeg een azuurblauw skipak met bijpassende muts. Uitnodigend bood hij zijn hand aan, trok me omhoog en drukte twee zachte lippen op mijn mond. Hij smaakte naar een mengelmoes van pepermunt en bier. In een nuchtere wereld had ik hem een enorme oplawaai gegeven, maar in deze staat zoende ik hem gretig terug.

'Zullen we straks afspreken in de Mooserwirt?' vroeg hij alsof het de gewoonste zaak van de wereld was dat hij net met een volstrekt vreemde vrouw had gekust. 'Ik heb nu met mijn vriend afgesproken om een hapje te gaan eten, daarna kunnen we elkaar zien.' Hij drukte zijn wang tegen de mijne.

'Leuk, tot zo dan,' antwoordde ik tot mijn eigen verbazing, waarna ik hem hinnikend uitzwaaide.

'Bizar,' reageerde Kate die verdwaasd haar hoofd schudde.

Met een biertje in zijn hand stond hij bij de bar.

Kate gaf me een knipoog en mengde zich op de dansvloer.

In een halfuur tijd hadden we best veel informatie met elkaar gedeeld. Korte onderwerpen. Of hij vaker in St. Anton kwam, waar hij woonde, hoe oud ik was, hoeveel dagen we hier nog zouden blijven. Onze namen, waarbij ik die van hem steeds vergat. Hoewel hij hem al twee keer had gezegd. Het leek me onbeleefd om er nog een derde keer naar te vragen. Een paar dingen bleven me bij. Hij was geboren in Zuid-Afrika, had Engelse ouders en woonde sinds een paar jaar weer in Londen.

Ik wist genoeg, wilde dansen. De drankjes zorgden ervoor dat mijn blik troebel werd. Mijn hoofd tolde.

De kusman sloeg zijn armen om me heen en duwde mijn bekken tegen zijn heupen. Hij fluisterde woorden in mijn oor die ik niet meer kon verstaan. Onze lippen raakten elkaar aan. Zijn tong tegen de mijne.

Toen werd ik misselijk. Heel erg misselijk. Met moeite wurmde ik me los uit zijn greep. Ik moest Kate zien te vinden.

Het duurde even voordat ik haar tussen de kudde swingende mensen zag. Ze danste met een man die vast en zeker in dit dorp geboren was. Hij droeg een Cars-spijkerbroek met daarop een okergele spencer met rendiermotief. Ik sprong tussenbeide.

'Kate, ik moet hier weg,' lispelde ik.

Haar danspartner wierp me een geïrriteerde blik toe.

'Waarom?' Ze haalde haar schouders op en wierp haar armen weer in de lucht. 'Ik heb het net zo naar mijn zin, heb een leuke man ontmoet. Wilde je trouwens net aan hem voorstellen. Hij heet Günter, is hij niet enig?' Ze liet Günter een pirouette draaien om de as van haar vinger. Hij leek wel een marionet.

Ik keek haar dwingend aan. 'Kate, luister naar me. Als ik nu niet ga, dan maak ik mezelf volstrekt belachelijk. Dan spuug ik jouw nu nog fris ruikende Günter de Geitenhoeder helemaal onder en dat gaat echt te ver!'

Ze zag aan mijn instabiele houding dat ik geen grap maakte. 'Tjuus, we moeten gaan,' riep ze, terwijl ze verontschuldigend met haar handen wapperde. Günter kreeg een vluchtige kus op zijn wang en bleef verbouwereerd op de dansvloer achter. Met mijn hand in die van haar leidde ze me naar de uitgang, opende de deur en zette me buiten. Ze liep terug om onze jassen op te halen.

Vanaf dat moment werd het donker.

Flarden van de vorige avond dansten op mijn netvlies. Drank, kusman, dansvloer, misselijk. Hoewel mijn relatie niet goed zat, voelde ik me schuldig. Dit verdiende Frank niet. Ik rolde me op mijn zij en sloot mijn ogen. Dicht voelde nog even beter dan open. Mijn mond voelde kurkdroog aan. Mijn adem rook naar schimmelkaas. Het grootste gedeelte van de nacht had ik hangend boven het toilet doorgebracht. Met een wazig oog keek ik naar Kate, die zachtjes lag te kreunen.

'Bar, ik beloof mezelf plechtig dat ik vanaf vandaag nooit meer een druppel alcohol drink. Ik heb me nog nooit zo waardeloos gevoeld.' Ze trok het kanten dekbed tot ver over haar neus.

Ik zette mijn mobiel aan. Vier berichten. De letters dansten over het beeldscherm. Ik probeerde te focussen en opende nummer één:

Hoi lieverd, veilig aangekomen? Laat even wat van je horen. Xx mams ps doe voorzichtig en drink niet te veel!!!

Twee: Bar, waar ligt het draaiboek van Robert en Marja? Komen straks op kantoor en ik kan het nergens vinden. HELP. L Werk, daar moest ik nog even niet aan denken.

Ik deed mijn best een bericht terug te sturen, want ik wilde dat ze verder kon. Sorry, vergeten in de kast op te bergen, ligt in mijn bureaula. Hoe ging het gisteren?

Drie: Trouwens, de trouwerij van Jeroen en Katja is perfect gegaan. Bruidspaar supertevreden. Volgend jaar wil ik ook met jullie mee!

Ze was me voor, fijn dat het succesvol was.

Nummer vier en daarna kon hij weer uit: Lieflieflief, ik vind jou lief, bel je me vandaag even? Heb niets meer van je gehoord.

Frank, hij moest eens weten wat zijn zogenaamde vriendin allemaal uitspookte als ze alleen op pad was. Hoi, alles goed hier, We genieten! x tot gauw. Snel deed ik mijn mobiel uit en verstopte me onder het warme dekbed.

'Wat was dat trouwens met die Günterman van jou gisterenavond?' vroeg ik en ik hoorde de argwanende ondertoon in mijn stem. Ik keek naar Kate en zag alleen twee waterige oogjes boven het dekbed uitkomen.

'Een beetje lol maken kan toch geen kwaad? Ik zou nooit met een ander kussen, hoor, maar een kleine flirt moet kunnen.' Ze giechelde onder haar dekbed.

We besloten, nadat we de hele ochtend als twee troosteloze hoopjes mens op bed hadden gelegen, naar het dorpscentrum te wandelen. Ik pakte een reep Toblerone uit mijn zak en bood Kate het eerste stukje aan.

'Die koude berglucht doet wonderen,' zei ze terwijl ze een diepe teug inademde. 'Ik heb zelfs weer een piepklein beetje zin in een drankje.'

We passeerden een groepje mensen die met hun koffers naast een knalrode touringcar stonden.

'Barbara?'

Ik draaide me om. 'Ja?' Vlug probeerde ik de chocola van mijn voortanden te vegen.

'Waarom ben je zonder gedag te zeggen weggegaan? We hadden het zo leuk samen.'

Ik vroor vast aan de grond. De kusman. Hij streek met zijn hand door zijn lichtbruine haar. Hij had perfect haar. Dik, met een lichte slag, dat net boven zijn schouders viel. Haar dat altijd goed zat, weer of geen weer. Hij keek me afwachtend aan.

Mijn ogen dwaalden af naar zijn volle lippen. Ik bleef een moment stil, krampachtig zoekend naar een geloofwaardige uitleg. En zei het stomste wat ik had kunnen zeggen. 'Het spijt me, ik was zo misselijk van al die flügels dat ik over je heen had gekotst als ik was gebleven.'

Kate gaf me een gemene por in mijn zij. 'Zoiets zeg je toch niet?' sneerde ze terwijl ze haar kaken stijf op elkaar hield.

De kusman keek eerst naar Kate, toen weer naar mij en barstte vervolgens in een bulderende lach uit. Als een verloren schaap lachte ik mee.

'Helaas vertrekt mijn vliegtuig over een paar uur, *runaway lady*. Wil je me je telefoonnummer of e-mailadres geven? Ik vind het leuk om contact met je te houden.' Hij zocht in zijn jaszak en bood me zijn visitekaartje aan.

Nieuwsgierig keek ik naar zijn naam. STAN WARNINGS, MANAGER ING BARINGS LONDEN.

Stan pakte het kaartje weer uit mijn handen, draaide me een kwartslag en borg het veilig op in mijn kontzak.

Ik viste op mijn beurt het omhulsel van de Toblerone uit mijn jaszak en probeerde de kreuken eruit te strijken. Nadat ik mijn naam en e-mailadres had opgeschreven, gaf ik het papiertje aan mijn kusman.

'Barbara Muller, beloof me dat we elkaar nog eens zien.'

8

2002

Frank trok me aan mijn arm naar binnen en drukte me tegen zich aan. Hij kuste me in mijn hals. 'Ik heb je zo gemist. Ik laat je nooit meer zo lang weggaan.'

Voorzichtig maakte ik me los uit zijn omhelzing. Al de hele dag had ik een wee gevoel in mijn buik. Een gevoel dat nu naar een hoogtepunt werd geleid. Ik had het altijd al moeilijk gevonden een ander te kwetsen. Het gevoel dat diegene pijn had door of om mij vond ik moeilijk te verkroppen. Maar ik moest doorzetten en eerlijk zijn, tegen mezelf en tegen Frank. Mijn gezicht stond strak van de spanning. 'Ik moet je wat vertellen,' begon ik.

Frank keek me glimlachend aan en trok een nieuwsgierige wenkbrauw op.

'Ik heb met een ander gezoend.'

Hij deed een stapje achteruit, sloeg zijn armen over elkaar en keek me net zo lang aan tot ik mijn ogen neersloeg. Alle kleur was uit zijn gezicht getrokken.

Schuldbewust beet ik op mijn lip, en wachtte op een reactie.

'Met wie dan en wat heb je allemaal met hem gedaan? Zeg me alsjeblieft dat je niet met hem naar bed bent geweest.' Afwachtend zette hij zijn handen in zijn zij.

Met mijn ogen op de grond gericht vertelde ik over de kusman.

'Je laten zoenen door iemand die je helemaal niet kent.' Frank haalde zijn neus op en trok een vies gezicht. 'Ik word er misselijk van.'

Nerveuzig trok ik aan een lok die uit mijn staart was gevallen. 'Het is natuurlijk niet voor niets gebeurd. Onze relatie is niet gelijkwaardig, dat moet jij toch ook voelen? Jij bent veel verder dan ik. Het liefste zou je samenwonen, kinderen krijgen en oud met me worden. Hoe vaker je dat met me deelde, hoe meer afstand ik nam.'

Frank vocht tegen zijn tranen.

'Dit was nooit gebeurd als ik nog verliefd op je was,' fluisterde ik.

Zijn neusgaten werden breder. 'Verliefdheid is het meest vage begrip dat ik ken,' schamperde hij. 'Ieder mens heeft er een andere definitie voor, zonder echt uit te kunnen leggen wat ze werkelijk bedoelen. Verliefdheid is een illusie waar veel te veel ophef over wordt gemaakt, waardoor men uit het oog verliest waar het werkelijk om draait.'

Ik keek hem verwachtingsvol aan.

'Dat je ongedwongen blij bent met elkaar,' benadrukte hij. 'Zonder er te veel bij na te denken wat er allemaal niet goed is. Als je dat namelijk wel doet, creëer je overtuigingen die vaak nergens op gebaseerd zijn, maar waar je wel naar gaat handelen. Jij bent daar het perfecte voorbeeld van.' Frank kwam recht voor me staan en keek me met een ijskoude blik aan. 'Leg jij mij nu maar eens uit wat verliefdheid dan wel is.'

Ik haalde mijn schouders op, overvallen door zijn vraag. Het was namelijk best een tijd geleden dat ik echt verliefd was. Zo verliefd dat ik ervan overtuigd was dat ik zonder hem geen bestaansrecht had.

Zijn naam was Victor Vos. Hij was bijzonder grappig en had de mooiste ogen die ik ooit had gezien. Iedere keer dat hij naar me keek, leek het alsof zijn lange zwarte wimpers een buiging voor me maakten. Het was een tijd waarin we onze liefde via de post probeerden te verdiepen. Gsm, e-mail en internet waren ons nog niet bekend.

Urenlang zat ik aan mijn bureautje, kauwend op mijn pen, om mijn gevoel voor Victor om te zetten in woorden. Zelden was ik tevreden met het resultaat. Ik leerde dat het moeilijk was om verliefdheid te vangen in woorden. Het was zo'n prachtige en meeslepende emotie dat elk woord dat ik op papier zette, tekortdeed aan mijn eigenlijke gevoel. Ik bestond in die tijd alleen nog maar uit verlangen. Verlangen naar zijn tong die verkennend langs mijn lichaam gleed, naar zijn adem op mijn huid, naar zijn jas aan mijn kapstok, naar zijn alles. Ik was negentien en onze relatie duurde op de kop af drie jaar. Mijn langste relatie ooit. Maar met ieder jaar dat verstreek, nam ook mijn verliefdheid voor Victor af. Zijn grapjes kende ik inmiddels wel. Ik kon het niet langer aanzien dat hij voor het slapengaan onder zijn teennagels pulkte en gelukzalig aan zijn vangst snuffelde (wat ik aan het begin van onze relatie best aandoenlijk vond, simpelweg omdat de verliefdheid mijn logisch denkvermogen weggevaagd had). Op het moment dat er een andere man voorbijkwam, die dezelfde kriebels bij me teweegbracht als die ik drie jaar daarvoor had gevoeld, maakte ik het uit. Nachtenlang huilde ik mezelf in slaap, verteerd door een overweldigend schuldgevoel. Ik had Victor verraden door onze verbinding te verbreken. Hoe vaak had ik hem niet geschreven dat mijn liefde voor hem voor eeuwig was?

Voor Victor kwam mijn boodschap dan ook als een donderslag bij heldere hemel. Wekenlang bezocht hij op zondag mijn ouders om bij hen uit te huilen en navraag te doen of er misschien nog een kans was dat we bij elkaar zouden komen. Totdat mama hem op een zondag voor Kerstmis voorzichtig meedeelde dat diezelfde avond mijn nieuwe vriend langs zou komen om zich voor te stellen. De kalkoen draaide al een paar uur aan het spit. Het was de laatste keer dat ze Victor Vos gezien hadden.

Vele mannen volgden, maar het gevoel van die eerste verliefdheid was nooit meer teruggekomen.

Ik zakte in Franks fauteuil en sloeg mijn benen over de rand. 'Echte verliefdheid legt beslag op mijn ziel,' begon ik mijn betoog. 'Verliefdheid betekent voor mij dat ik niet meer kan eten van de spanning of ik hem wel of niet zal zien die dag. Dat ik vurig hoop dat hij mij net zo leuk vindt als ik hem. Dat ik uren voor de spiegel sta, mezelf afvragend waarin hij mij het liefste ziet. Dat ik hem aan mijn bed vast wil ketenen omdat ik geen minuut zonder hem wil zijn.' Ik voelde mijn wangen kleuren. 'De drang om hem te ontdekken, hem volledig in te ademen, omdat me dat nog dichter bij hem brengt. En natuurlijk weet ik dat dit beginnersverliefdheid is. Geen mens zou dat een leven lang vol kunnen houden. Maar wanneer houden van om de hoek komt kijken, betekent dat niet dat de verliefdheid direct op de brandstapel gaat om voorgoed uitgerookt te worden. Op de gekste momenten kan het gevoel weer in je vezels binnendringen.' Met vochtige ogen keek ik Frank aan en ik zuchtte wanhopig. 'Ik ben het bij jou al een tijd kwijt. En het ergste is, ik kan het nergens terugvinden. Zonder dat gevoel kan en wil ik niet doorgaan.' Ik wreef in mijn betraande ogen en keek hem lange tijd zonder iets te zeggen aan. 'Het is over, Frank,' fluisterde ik uiteindelijk. 'Ik ga alleen verder en dat staat los van die kus in Oostenrijk.'

Frank keek me spottend aan. 'Jij leeft in een sprookjesbos. Het is geen wonder dat jouw relaties, voordat ze überhaupt kans krijgen te rijpen, beëindigd worden. Je bent gewoon bang om jezelf te geven aan iemand die vanuit zijn hart voor jou kiest. Want daar hoef je geen moeite meer voor te doen.' Met een woest gebaar gooide hij zijn armen in de lucht. 'En geloof mij, mevrouw Muller, zo iemand als ik ga jij nooit meer tegenkomen. Knoop dat maar in die vervelende oren van je.' Frank draaide zich om en liep met gekromde schouders naar de keuken. Hij pakte de afwasborstel van het aanrecht en begon de gootsteen te schrobben. Van boven naar beneden, met als centraal punt het putje waar hij kleine rondjes omheen draaide. Zijn blauwe v-halstrui werd vochtig door de rondvliegende spetters.

Voorzichtig nam ik de borstel uit zijn hand. 'Het is echt beter zo, Frank. Jij verdient iemand die helemaal voor je gaat. Iemand die net zoveel van jou houdt als jij van haar.'

Met zijn vlakke hand sloeg hij op het aanrecht. 'Ik kan zelf wel bedenken wat goed voor me is,' schreeuwde hij. 'Hoe durf je dat voor me te bepalen.' Hij stak zijn wijsvinger dwingend op. 'Met jou gaat het nooit meer iets worden in de liefde. Het zal nooit goed genoeg zijn. Eigenlijk heb ik gewoon medelijden met je.' Frank beende de keuken uit, trok zijn jas aan en liet de deur hard in het slot vallen.

Ik bleef achter en ging op zijn witgelakte keukentafel zitten. Zuchtend zette ik mijn voeten op het witleren stoeltje en schrok toen ik zag dat mijn voetafdruk erop bleef staan. Ik liet me van de tafel glijden, pakte het vochtige vaatdoekje en wreef de grijze vlekken van de stoel. Ik kon beter gaan. Als je geliefde het net had uitgemaakt, was het niet bepaald leuk om diegene weer in je huis aan te treffen. Ik pakte mijn jas van de chromen kapstok en draaide me nog een keer om. Dit zou waarschijnlijk de laatste keer zijn dat ik zijn strak ingerichte woonkamer inkeek. De laatste keer dat ik onze foto's op het dressoir zag staan. Hij zou ze weghalen en op zolder opbergen. Tussen alle brieven en foto's van zijn vroegere vriendinnen leggen. Ik voelde me verdrietig voor wat ik hem aandeed en tegelijkertijd ook opgelucht dat ik eerlijk was geweest. Het was beter zo. Zachtjes liet ik de deur in het slot vallen en wandelde ik naar huis. Frank liep nu ook ergens in deze stad. Boos, verdrietig en verraden.

Thuis aangekomen legde ik mijn yogamatje op de grond en ging in de kaarsenstandaard staan. Na een halve minuut kreeg ik er zware hoofdpijn van. Mijn benen ploften terug op de mat en ik kwam langzaam omhoog. Het leek of mijn hart steeds sneller ging kloppen. Iedere poging om tot rust te komen zou nu mislukken.

Terwijl ik Kates nummer intoetste, pakte ik een fles wijn en nestelde me, dik ingepakt met winterjas en shawl, op mijn Franse balkonnetje. Ik nam een slokje en liet de wijn door mijn mond glijden. Ik had er nooit veel aan gevonden, in mijn eentje drinken. Maar vandaag voelde het als een warme deken van troost. Hoe zou ik het vinden, helemaal alleen? Zonder man. Zou ik Frank gaan missen? We zijn hoe dan ook een jaar samen geweest. Boven mij vormden zich donkere wolken die een dreigende regenbui aankondigden. 'Dit is de voicemail van Kate Lohman, spreek alstublieft een bericht in na de piep en ik bel u zo spoedig mogelijk terug.' Ik had geen zin om in te spreken. Vlug tikte ik een sms'je: Heb je nodig, bel me ajb.

Ik wilde Lisa niet storen, die had vanavond een date met een man die ze via Relatieplanet had ontmoet. Nadat de 'magische magneetman' na de tweede afspraak niets meer van zich had laten horen, was ze klaar met de mannen uit de kroeg. Ze ruilde hen in voor het net. 'Niets is spannender dan vanuit je luie stoel de ware uitzoeken,' had ze me verzekerd.

De hemel was inmiddels opengebarsten. Ik volgde de straaltjes die langs mijn luifel naar beneden stroomden. Toen de laatste druppel uit de fles was ging ik naar bed.

Vier nieuwe berichten, las ik op de display toen ik wakker werd:
1. Wat is er aan de hand? Zo laat nog sms'en? Was met Jules uit eten. Hoor het wel, Kate.
2. Nu word ik nieuwsgierig, laat even wat horen.
3. Ik weet het, je hebt het verteld!
4. Ik word pot. Lisa
Geen bericht van Frank.

9

2006

Ik heb er speciaal een nieuw setje voor gekocht. Een zwarte Marlies Dekkers. Maar het lukt me eerder een zeepaardje op te winden dan mijn eigen vriend. Ik ga voor hem staan en streel mijn borsten. Max ziet niets, is alleen maar op zijn geslacht gefocust. Ik draai mijn rug naar hem toe en ga op zijn knie zitten. Met mijn billen beweeg ik zachtjes over zijn dij. Succes verzekerd.

Maar dat was vóór dit plastische rukmoment. Vlak voor het hoogtepunt duwt Max me met een geweldige zet van zich af.

Ik weet me nog net staande te houden en kijk, zittend op mijn hurken, of hij goed spuit. Max mikt perfect in het potje.

Een gevoel van trots trekt door mijn lijf. 'Knap gedaan, lief,' zeg ik terwijl ik mijn duim omhoogsteek.

Max knikt bevestigend en draait het rode dekseltje op de plastic pot.

We kleden ons vliegensvlug aan. Ik verberg zijn zaad veilig tussen mijn bh en trek mijn kasjmier trui er overheen aan. Samen rijden we naar het ziekenhuis en leveren het potje af.

Weer wachten.

Een week later loop ik Pol binnen. Aan de bar staan bierdrinkende studenten. Ik steek mijn hand op naar Bart, die achter de bar staat.

Hij blaast een handkus mijn kant op en wijst naar achteren. Daar zitten Kate en Lisa op de donkerbruine chesterfield. Ze stoppen direct met praten en kijken me nieuwsgierig aan.

'900.000 zaadcellen,' zeg ik terwijl ik tussen hen in plof. 'Dat betekent dat we direct in aanmerking komen voor een ivf-behandeling.'

Vlug kijken ze naar elkaar, dan weer naar mij.

'Weet je wel zeker dat je dit wilt doen? Het schijnt heel zwaar te zijn. Mijn secretaresse heeft nu al acht mislukte pogingen achter de rug. En neem van mij aan, die is echt zichzelf niet meer de laatste tijd.' Kate rolt met haar ogen. 'Ik moet zo voorzichtig zijn met wat ik tegen haar zeg. Om het minste of geringste barst ze in een genadeloos snikken uit. Laatst is ze tijdens een bespreking kwaad weggelopen omdat ik vroeg of de notulen diezelfde dag verwerkt konden worden.' Kate schudt niet-begrijpend haar hoofd. 'Die hormonen zijn heftig, weet waar je aan begint.' Ze neemt een slokje Baileys en er verschijnt een meelevende glimlach op haar gezicht. 'Je gaat een emotioneel traject in. Want een vruchtbaarheidsbehandeling geeft je de hoop slechts één medische ingreep van een zwangerschap te zijn verwijderd. Iedere poging weer. Van tevoren is moeilijk in te schatten waar je aan begint.'

'Tja,' reageert Lisa bedenkelijk. 'Dat is natuurlijk wel zo, maar als Barbara graag zwanger wil worden, is dit blijkbaar de enige manier.'

Ik haal mijn schouders op. 'Ik wil het ondergaan omdat ik er alles voor overheb om een kindje te krijgen. En omdat elke andere mogelijkheid daartoe uitgesloten is.'

Bart buigt zich naar me toe en vraagt wat ik wil drinken.

Dankbaar kijk ik hem aan. 'Een mojito met extra munt graag.' Ik kijk naar de bezorgde gezichten van mijn vriendinnen en glimlach hen bemoedigend toe.

Lisa maakt draaiende bewegingen met haar glas waardoor de ijsklontjes zachtjes tegen de rand tikken. 'Eigenlijk is het niet eerlijk dat Max geen behandeling hoeft te ondergaan. Hij is toch verminderd vruchtbaar. En jij moet je volspuiten met hormonen,' vindt ze.

Daar ben ik het eigenlijk wel mee eens. 'Er bestaat helaas geen vruchtbaarheidsbehandeling voor mannen,' verzucht ik.

'900.000 zaadcellen, dat zou toch genoeg moeten zijn?' vraagt Lisa zich af.

'Gemiddeld heeft een man 150 miljoen zaadcellen per zaadlozing,' leg ik uit. 'Dus Max komt er zo'n 149 miljoen tekort.'

Haar ogen worden groter. 'Vanwaar die enorm overdreven hoeveelheid terwijl er maar één gebruikt wordt? Dat betekent dat de rest nutteloos is, afval.' Ze maakt een denkbeeldige prop. 'Wij vrouwen hebben een eisprong waarvan gemiddeld één à twee eitjes perfect zijn voor bevruchting. Ze wacht geduldig op de knapste zaadcel die de race naar haar huisje probeert te winnen. Ze kan hem opslokken of tot zich nemen, al naar gelang haar smaak.'

Lachend kijken we haar kant op. Lisa is een ster in het visualiseren van haar gedachten.

'Het is voor mij ook moeilijk te begrijpen dat zijn zaad niet in staat is mijn eitje te bereiken,' antwoord ik. 'Zo lang ben ik niet. Max wel, dat scheelt dan ook weer in routeaflegging, zou je denken.'

Kate pakt een handvol geroosterde amandelen. 'Dan moet je met je benen in de lucht gaan liggen om zijn zaad een handje te helpen.'

Ik schud mijn hoofd. 'Volgens onze dokter kan ik op mijn kop gaan staan tot ik een ons weeg. De kans dat wij via de natuurlijke weg een kindje kunnen krijgen, is minder dan een half procent.'

10

2006

Uit praktische overwegingen ondergaan we de behandeling in een ziekenhuis bij ons in de buurt. Het enige nadeel van dit kleine buurtziekenhuis is dat hier wel de punctie, maar niet de terugplaatsing wordt verricht. Omdat ze daar niet de juiste apparatuur voor hebben. Voor ons betekent dit dat we direct na de punctie naar het medisch ziekenhuis in Rotterdam moeten rijden. Met de eitjes en het zaad. Het is een fijne bijkomstigheid dat het buurtziekenhuis dicht bij kantoor ligt, waardoor mijn werk er niet te veel onder lijdt.

Ook al werk ik nu alweer drie jaar bij Homecare, toch vind ik het vervelend wanneer ik zomaar vrij moet nemen of me straks misschien zelfs ziek moet melden omdat ik niet lekker ben. Voor iets wat ik zelf ben aangegaan. Dus heb ik het mijn collega's verteld. Stel dat ik me vreemd ga gedragen; in tranen uitbarst als iemand te lang naar me kijkt of erger... ga bijten, slaan of aan haren ga trekken. Ze kunnen maar beter voorbereid zijn op het feit dat ik bij momenten wel eens anders kan reageren dan ze van me gewend zijn.

De collega's en mijn directeur Eric Schultz reageerden zoals je zou verwachten in de zorg. Warm, aandachtig en betrokken.

In de wachtkamer probeer ik de lange wachttijd op te vullen door de 'infertiliteiters' eruit te pikken. Het pijnlijke in veel Nederlandse ziekenhuizen is namelijk, dat ze de blije zwangere niet scheiden van de verminderd vruchtbare bezoekers, die snakken naar zo'n dikke buik. Het zijn de vrouwen die in plaats van blaadjes als *Ouders van nu* en *Kinderen* de *Metro* en de *Story* lezen. De vrouwen die bijna altijd met hun wederhelft, in plaats van hun moeder of schoonmoeder komen. Het eenvoudigst zijn ze te herkennen aan hun platte buik waar geen gemoedelijke arm op rust. Een onbestemd gevoel bekruipt me. Ik voel me ineens lotgenoot der onvruchtbaren en dat is frustrerend, alsof ik incompleet ben. Niet in staat zelf een kind te verwekken.

We nemen plaats in de kamer van fertiliteitverpleegkundige Emma. De kamer ziet er in de basis uit zoals iedere ziekenhuiskamer er in Nederland uitziet. Een vierkant, door tl-buizen verlicht kantoor, een bureau met een grijs blad, een buigzame stoel voor de dokter en twee ongemakkelijk ogende stoeltjes voor de patiënt en zijn naaste. Aan een van de witgestuukte muren hangt een foto van onze koningin. Je komt zelden een persoonlijke touch tegen. Emma is de spreekwoordelijke uitzondering. Ze heeft er een knus kamertje van gemaakt, bedenk ik tevreden, terwijl ik mijn vingers in elkaar vlecht. Op het opgeruimde bureau staan een paar fotolijstjes die ik net niet kan zien. Aan het prikbord hangen twee tekeningen. Een van een boom, de ander van een poppetje op een rode step. Daaromheen tel ik dertien geboortekaartjes.

Emma neemt uitgebreid de tijd om uit te leggen welk traject voor ons ligt. 'Een ivf-behandeling duurt gemiddeld zes weken. De eerste drie weken spuit je hormonen, daarna heb je een paar dagen rust. Dan volgt de punctie met op dezelfde dag de zaadproductie. Zaad- en eicellen worden samengebracht en hopelijk ontstaan er embryo's. Deze worden op kweek gezet. Vier dagen later is de terugplaatsing en dan twee weken wachten. Die laatste weken worden vaak als het zwaarst ervaren. Je kunt zelf niets meer doen, alleen maar afwachten. Al met al is het een pittig traject, daar moeten jullie je van bewust zijn.' Emma kijkt naar Max. 'Voor jou is het hele traject ook zwaar, hoor.' Haar ogen staan serieus. 'Juist omdat Barbara het moet ondergaan. Jouw enige taak is het zaad te produceren. En haar bijstaan gedurende het proces.'

Eerlijk gezegd ben ik van mening dat de zwaarte van die taken best meevalt, maar goed. Ik wil haar natuurlijk niet direct al afvallen.

Max en ik kijken elkaar aan. Hij pakt mijn hand en knijpt er zachtjes in.

'Ik heb me erop voorbereid. Het is natuurlijk wel even slikken, maar er zijn in ieder geval mogelijkheden om samen een kindje te krijgen. Het liefst willen we zo snel mogelijk starten,' benadruk ik.

Emma pakt haar planning erbij en plant ons voor de volgende maand in. Vlinders vliegen onrustig in mijn buik. 'Volgende maand al? Dat kan betekenen dat ik over twee maanden zwanger ben. Wat spannend.'

Emma zet een vinkje bij alle punten die ze besproken heeft. 'Hebben jullie verder nog vragen?'

Ik knik en pak het lijstje uit mijn tas.

1. Zijn hormonen slecht voor mijn lijf?
2. Word ik er chagrijnig van?
3. Hoe groot is de slagingskans?
4. Als het mislukt, hoelang moet ik dan wachten tot de volgende poging?
5. Word ik dik van hormonen?

Emma buigt voorover en vouwt haar armen over elkaar. 'Iedere vrouw reageert weer anders, dat is van tevoren niet in te schatten. De slagingskans ligt rond de twintig procent. Het gebeurt wel eens dat het gewicht van de vrouw tijdelijk toeneemt. Dat wordt in de meeste gevallen veroorzaakt door vocht. Raak je zo weer kwijt. Je moet je lichaam minstens een maand rust geven na een mislukte poging. Tot slot hebben de hormonen weinig invloed op je humeur. Het is meer de spanning eromheen.'

Ik ga er bijna zin in krijgen. Op het moment dat ze de spuit laat zien, verdwijnt dit kortstondig enthousiasme als sneeuw voor de zon. Emma neemt mijn ontwijkende blik waar en geeft vol trots aan dat zij er altijd binnen het uur in slaagt de vrouw in kwestie te laten proefspuiten.

'Dan wordt dit de eerste keer dat het u niet lukt,' verzeker ik haar. 'Het zit namelijk zo, hij gaat voor mij spuiten. Leg het maar goed aan hem uit.' Ik prik Max dwingend in zijn zij.

'Even goed opletten nu.'

Max trekt wit weg rond zijn neus terwijl Emma verwoed haar hoofd schudt.

'Dat is absoluut niet handig,' reageert ze. Ik vind haar ineens veel minder aardig. 'Je moet namelijk op een vast tijdstip spuiten, bij voorkeur in de avond,' gaat ze gedreven verder.

Hier ziet Max zijn kans. Met dankbare ogen knikt hij haar toe. 'Tja,' zegt hij terwijl hij betuttelend in mijn knie knijpt. 'Ik ben natuurlijk niet elke avond thuis, dan zou je moeder langs moeten komen om de spuit te zetten. Maar dat zal ze met alle liefde voor je doen.' Met tegenzin geef ik me gewonnen. Dat zou voor beide partijen onhandig zijn.

Met een tevreden gezicht staat Emma op en loopt naar de metalen kast die achter haar staat. Uit een kartonnen doos pakt ze een spuit. Ze haalt het plastic eraf en duwt hem in mijn hand. 'Hier meis, dit is hem. Bekijk hem maar eens goed.'

Ik kijk naar het gevaarte alsof het een dampende drol is.

'Je mag de naald nu zelf in je vlees zetten.'

Het zweet breekt me uit. Paniekerig kijk ik naar Max die me een bemoedigend knikje geeft. Ik moet doorzetten, de eerste keer is vast het zwaarst. Vier keer duw ik de naald voor een gedeelte in mijn huid, om hem er vervolgens resoluut weer uit te trekken. 'Ik durf het echt niet,' jammer ik. Mijn handen beven. Het is onnatuurlijk om mezelf pijn te doen. Maar er is geen weg terug, ik moet dapper zijn. Met mijn ogen stijf gesloten duw ik de naald in mijn huid. Het prikmoment is even naar, daarna valt het wel mee. Ik ben trots op mezelf. Trots als een kind dat voor het eerst alleen naar de supermarkt mag om een boodschapje te doen. Met rode wangen van opwinding kijk ik naar Max. 'Het is gelukt,' verzucht ik.

Arm in arm lopen we het ziekenhuis uit. De eerste stap is gezet, de eerste stap naar ons kindje.

11

2002

Voor me op het hardstenen keukenblad lag de fax van *Bruid &*
Bruidegom. Opgewonden las ik de tekst.

'*Van je trouwdag maak je graag een onvergetelijke dag. Maar hoe*
bedenk je een origineel idee? Op je lijf geschreven en ook nog
eens uitvoerbaar binnen je budget? Dat is nou precies waar Bar-
bara Muller en Lisa Meuldijk van Before You Kiss the Bride goed
in zijn. Zij bedenken originele weddingconcepten, tot in detail
voorbereid en perfect uitgevoerd...'

'*Een trouwerij heeft wel wat weg van een film. Het kan sprook-*
jesachtig zijn, maar er kan ook heel wat mislopen. Vandaar dat
Barbara en Lisa regisseren en niets aan het toeval overlaten. Het
mooiste event van je leven toveren zij om tot een creatieve en
unieke belevenis...'

'*Het is bijzonder om een bepaald thema als een rode draad door*
de dag te laten lopen. Dit begint al bij een originele uitnodiging. On-
langs organiseerden Barbara en Lisa een trouwerij in James Bond-
stijl. Terwijl 007 op het filmscherm de achtervolging inzette, reed
het bruidspaar in een glimmende bolide door het witte doek om
vervolgens het feest met een spectaculaire dans te openen. Onder-
tussen genoten de gasten van een Martini, 'shaken, not stirred'...'

'Dankzij Before You Kiss the Bride kunnen bruid en bruidegom tenminste ook zelf genieten van een onvergetelijke dag. En dat is toch wat ieder bruidspaar wil?'

'Wat een leuk artikel,' reageerde ik vol trots toen Lisa ons kantoor binnenliep.

Ze hing haar jas op en trok de fax uit mijn handen. 'Leuk,' mompelde ze nadat ze het stuk vluchtig had doorgelezen. Ze liep direct door naar de keuken om de waterkoker aan te zetten.

'Ik heb het uitgemaakt,' zei ik met een brok in mijn keel.

Lisa zette de paarse theemokken voor zich op tafel. 'Dat zat er wel aan te komen.' Ze haalde een pakje Barclay uit haar tas en ging op mijn bureau zitten. Met een verbaasde blik bekeek ik het pakje. Het was meer dan een jaar geleden dat ze haar laatste sigaret had gerookt. 'Ik vind het dapper van je,' antwoordde ze mijn blik negerend. 'Jullie passen gewoon niet bij elkaar, dat is inmiddels wel duidelijk. Hoe reageerde Frank?'

Ik sloeg mijn ogen neer. 'Hij liep woedend zijn huis uit en ik heb hem sindsdien niet meer gesproken. Ik vind het zo erg dat ik hem gekwetst heb.'

Lisa stopte het pakje terug in haar gele Mulberry-tas. Maandenlang had ze voor die tas gespaard. Op het moment dat hij voor de helft van de prijs in de etalage lag, sloeg ze toe. Sindsdien droeg ze hem bij iedere gelegenheid. Ze ging achter haar bureau zitten en voerde haar inlogcode in. 'Je kreeg het natuurlijk niet voor niets benauwd van hem. Als je echt gek op iemand bent dan heb je dat gevoel niet,' zei ze resoluut terwijl ze haar sigaret aanstak. Ze schoof een dampende theemok mijn kant op. 'Daarbij, ik had het nooit lang uitgehouden bij een man die Onze-Lieve-Heer aanroept als hij klaarkomt.'

Ik schoot in de lach. Lisa's droge humor had vaak een kortstondig ontnuchterend effect op mijn emoties. Op het moment dat mijn blik langs haar gezicht gleed, viel het me op hoe donker de randen onder haar ogen waren. 'Was het zo erg gisteren?' vroeg ik wijzend naar haar sigaret en wallen.

Lisa inhaleerde diep en blies de rook in kleine kringetjes de lucht in.

Ik keek ernaar en zag hoe ieder rondje zijn weg naar de kroonluchter vond.

'Herman Hoefnagel,' verzuchtte ze. 'Ik was zo nerveus toen hij binnenkwam. Hij zag er nog beter uit dan op de foto. Heerlijke kuiltjes in zijn wangen, daar ben ik gek op. Hij droeg een lichte Levi's-spijkerbroek, een zwart overhemd met glimmende manchetknopen en zwarte Adidas-sneakers. De man was bijna twee meter, want ik moest op mijn tenen staan om hem te kussen. Ik had kriebels.

Tot het hoofdgerecht. Hij nam een hapje zeeduivel. Mijn ogen werden naar zijn neus getrokken. Een grote snottebel piepte er voorzichtig uit. Bij het inademen zoog hij naar binnen. Bij het uitademen floepte hij naar buiten. Ik wist niet waar ik kijken moest.' Lisa trok een gezicht vol afgrijzen.

'Na een paar minuten veegde hij langs zijn neus. Goddank, dacht ik. Hij heeft het gevoeld, situatie gered. Ik nam een slokje wijn, zette het glas neer en keek hem tevreden aan. Waar waren we, vroeg ik hem, zijn gezicht aftastend. Een stroomstoot schoot door mijn benen. De bulk was naar zijn wang verhuisd. Eens een grote bel, nu een veegje slijm. Er kleeft iets aan je wang. Met mijn wijsvinger wees ik naar de plek des onheils.

Herman wreef erover, schraapte het snot eraf en keek nieuwsgierig naar de vangst. Het propje schoot hij naar de houten vloer. Zo, daar heeft niemand meer last van, zei hij met een brede grijns. Onverstoorbaar at hij verder.

Mijn verliefde gevoel was direct vervlogen. Nog voor het nagerecht ben ik opgestapt. En ik had het kunnen weten, daten met een man die Herman Hoefnagel heet,' eindigde Lisa haar verhaal.

Ik keek haar verbluft aan. 'Dit had je droomman kunnen zijn, de vader van je kinderen. Die wimpel je toch niet af vanwege een snottebel?'

Lisa trok haar wenkbrauw op. 'Kom op, Barbara.' Met een verbeten blik drukte ze haar sigaret uit. 'Binnen het uur al afknappen. Dat had nooit meer goed kunnen komen.'

Ik schudde mijn hoofd. 'Laten we het draaiboek van Robert en Marja doornemen en onderzoeken wat we nog moeten doen,' besloot ik met een zucht.

12

2002

Na mijn breuk met Frank waren er ineens avonden dat ik niets te doen had. Wanneer ik alleen thuis was, kwamen de muren op me af. Alleen zijn maakte me onrustig en ik kon maar weinig boeiends bedenken om me thuis mee bezig te houden. Dus zat ik avonden bij Kate of Lisa en gooiden ze me tegen twaalven hun huis uit. Het liefst bleef ik bij hen slapen. De gedachten aan mijn lege huis en dat koude bed waren allerminst aanlokkelijk.

'Een man moet een aanvulling in je leven zijn, geen opvulling,' zei Lisa tijdens een van mijn vele bezoekjes. 'Het gaat je niet om Frank, het gaat je erom zekerheid te hebben dat er altijd een man is op wie je terug kunt vallen. En dan ook nog alleen als jij hem nodig hebt. Het liefst plan je hem in op jouw momenten. Kate, je werk en ik hebben altijd voorrang en zo hoort het niet te zijn.'

Ik vond deze analyse best scherp voor een vrouw die nog nooit langer dan een paar weken een man aan zich had kunnen binden. Toen Kate me een paar dagen later eveneens ernstig toesprak, ging ik me afvragen of ik geen professionele hulp nodig had voor mijn kwaal. 'Zo kan het niet langer,' verzekerde ze me. 'Jules en ik vinden het best gezellig dat je zo vaak langskomt, maar gezond is het natuurlijk niet. Alleen-zijn is onderdeel van mens-zijn.

Je hebt het nodig om tot rust te komen. Dat ga je op deze manier alleen maar uit de weg.'

Mijn vriendinnen hadden gelijk, het werd tijd dat ik op mezelf leerde te vertrouwen. Dat ik rust leerde te vinden in het alleenzijn. En zo gebeurde het dat ik een afspraak maakte met een psycholoog.

Ik liep zijn praktijk binnen en groette hem met een stevige handdruk. 'Dag, ik ben Barbara, Barbara Muller.'

Drs. Nicolai had grijs haar en doortastende blauwe ogen. Ik schatte hem begin vijftig. Hij was van top tot teen gekleed in het zwart en droeg leren Prada-gympen, wat ik heel hip vond voor een man van middelbare leeftijd.

Nieuwsgierig keek ik in zijn kamer rond. Ik hoopte vurig dat hij een echte chaise longue had, zoals je die in films ook wel zag. Een waar ik eens lekker op kon gaan liggen en hysterisch op mocht huilen. Hij zou mij op zijn beurt wat tissues aanreiken, zoals een goede psych behoorde te doen.

Helaas werd het een sober zwartleren stoeltje waarin ik plaats moest nemen. In de verte rook het naar wierook. Ik keek naar buiten en zag een kleine vijver met in het midden een fonteintje in zijn achtertuin. Een bronzen visje spuwde vrolijk water in de lucht. Ineens werd ik overspoeld door zenuwen. Het was voor het eerst in mijn leven dat ik een psycholoog bezocht. Ik had geen idee wat ik me erbij voor moest stellen. Hij zou mijn ziel uitwringen tot de laatste druppel eruit was. Mijn hart bonsde in mijn borstkas.

Drs. Nicolai legde zijn schrijfblok op schoot en draaide de dop van zijn vulpen. 'Vertel eens Barbara, waar kom je voor?' Hij had een warme, prettige stem die me langzaam ontspande.

Ik sloeg mijn ogen naar hem op en nadat ik diep had ingeademd, maakte ik hem deelgenoot van mijn probleem. 'Sinds ik me kan herinneren ga ik het uit de weg om alleen te zijn. Nu ben ik voor het eerst sinds lange tijd vrijgezel en zorg ik ervoor dat ik elke avond wat te doen heb. Ik kom laat thuis, ga slapen en de volgende dag ga ik weer vroeg op pad. Ik heb yoga geprobeerd om meer tot rust te komen, maar dat werkt niet. Ben ik bij de ene man, dan denk ik dat de volgende toch zeker wel de eigenschappen moet hebben, die ik bij deze mis. Alleen zijn voelt voor mij als een marteling. Ik eet nog liever mijn schoen op dan dat ik een avondje in mijn eentje thuis ben. Hoewel, mijn schoen.' Ik wierp een verliefde blik op mijn rode Manolo Blahnik-pump. 'Dat zou ook weer zonde zijn. Mijn grote teen, dat is beter.' Ik gniffelde om mijn eigen grapje.

Drs. Nicolai glimlachte beleefd terug.

'Ik had altijd het idee dat ik een man in mijn leven nodig had,' ging ik verder. 'En het liefst zou ik nu weer op zoek gaan naar de volgende, maar dat zou allerminst verstandig zijn. Een relatie moet een aanvulling zijn, geen opvulling van de tijd dat ik alleen ben. En ik kan pas aanvullen als ik weet wat ik zelf in huis heb. Ik ben erachter dat ik mijn alleenstaande leven ook waardevol wil maken. Tot mezelf leren te komen en weten wie ik ben en wat ik werkelijk wil. Daarna kan ik mijn leven pas weer met iemand delen.' Met een verlegen glimlach op mijn gezicht sloeg ik mijn benen over elkaar. 'Dat was het wel. Mijn schaduwzijde in een notendop.' Het viel me alles mee mijn ziel aan hem bloot te geven. Verwachtingsvol keek ik hem aan. 'Wat denkt u, rijp voor het gekkenhuis?'

Drs. Nicolai legde zijn pen neer. 'Ik denk dat we een halfjaar nodig hebben om daar te komen waar jij wilt zijn. Mits je twee keer per week een afspraak inplant.'

Niet-begrijpend knipperde ik een paar keer met mijn ogen en rekende ik het aantal behandelingen uit. 'Tweeënvijftig sessies?' reageerde ik waarna ik mijn adem inhield. Toen snapte ik het. De man maakte een grap. Ik wierp mijn hoofd naar achter, begon te lachen en sloeg mezelf vervelend hard op mijn been.

Drs. Nicolai lachte niet, zelfs een sociaal wenselijk lachje bleef uit.

Ik rechtte mijn rug en staarde hem met open mond aan. Dat

moment kreeg ik door dat het geen grap was. De man was bloed-serieus. 'Tweeënvijftig sessies?' fluisterde ik.

Hij knikte. 'Misschien zelfs wel meer,' mompelde hij bedacht-zaam.

We maakten een afspraak voor de komende maanden. Iedere dinsdag- en donderdagmiddag. Drie kwartier therapie. Drs. Nicolai gaf huiswerk mee. Ik mocht twee avonden per week geen afspraken maken. Alleen thuis, mobiel en laptop uit. Makkie, dacht ik nog.

Maar de eerste avonden leek ik wel een junk met cold turkey. Onrustig ijsbeerde ik door de woonkamer, deed mijn gordijnen dicht. Opende ze vervolgens weer omdat ik dan nog wat te zien had buiten. Ik keek naar de auto's die voorbijreden en wist zeker dat ze allemaal het centrum inreden om naar de kroeg of naar de bios te gaan. Meerdere malen had ik mijn telefoon in de hand om iemand te bellen voor een gezellig gesprek of zelfs stiekem bij me uit te nodigen. Eén keer won de obsessie het van mijn psycholoog en belde ik Lisa om te vragen of ze langs wilde komen. 'Je moet leren alleen te zijn, dat is goed voor je,' antwoordde ze en ze meende het, want ze verbrak direct daarna de verbinding. Ze had dit afgestemd met Kate, want die reageerde precies hetzelfde.

Maar na een paar weken ging ik het prettig vinden en keek ik zelfs uit naar die twee avonden rust. Direct uit mijn werk ging ik hardlopen en als ik thuiskwam draaide ik de deur op slot. Een kleine psychologische stok achter de deur. Ik ging boeken lezen en uitgebreid voor mezelf koken.

Langzaamaan kwam ik weer dichter bij mezelf. Ik kwam er-achter dat mijn angst gebaseerd was op onwetendheid. Ik dacht altijd dat ik geluiden nodig had om te leven. Waardoor ik vergat hoe het was om in alle rust alleen te zijn. Het voelde zo goed om niet de hele dag te praten en anderen aan te horen. In die stilte leerde ik naar mezelf te luisteren. Naar mijn eigen, krachtige stem die me vertelde dat ik helemaal geen bevestiging van een man nodig had om leuk te zijn. Het voelde een miljoen keer beter dan yoga. Mijn ademhaling kwam tot rust en ik sliep zelfs weer goed. Ik leerde te genieten van niets. Mijn reis naar Australië kwam op het perfecte moment. Het laatste duwtje in mijn rug naar totale zelfstandigheid. Als het ontbrekende puzzelstukje.

13

2006

Laatste ontwikkelingen:
- Max, Sophie en ik gaan samenwonen.
- Ik ben ivf-deskundige geworden.
- Mijn nieuwe deurbel gaat.

Ik kan moeilijk zien wie er voor de deur staat omdat de persoon in kwestie een torenhoog pakket bij zich draagt. 'Mevrouw Muller?' murmelt een vrouwenstem. Nadat ik bevestigend antwoord, duwt ze me het enorme pakket in mijn armen. Een klein vrouwtje met een enorme bos grijzend piekhaar komt tevoorschijn. 'Ik ben van Fertizorg.' Opgelucht kijkt ze me aan. 'Uw medicijnen. Geluk ermee!' Het mevrouwtje verdwijnt weer net zo snel als ze gekomen is.

'Dit kan niet waar zijn,' roep ik met overslaande stem als ik met de dozen in mijn armen naar binnen loop. 'Moet deze hoeveelheid in een periode van drie weken in mijn gezonde lijf gespoten worden?' Rillingen lopen over mijn rug.

Max perst er een nerveus lachje uit. 'Misschien lijkt het erger dan het is?'

Ik schud mijn hoofd. 'Nee Max, dit is serious business.' Nadat ik van de eerste schrik bekomen ben, scheur ik nieuwsgierig de doosjes open om de bijsluiters te lezen. Had ik niet moeten doen. Ik word spontaan niet lekker. Al lezend begrijp ik dat ik het merendeel van de medicijnen op een koele plek moet bewaren. Zelfs de groente- en fruitbak van de koelkast zijn nodig om de doosjes in kwijt te kunnen. Er past geen pak melk meer bij. In het begin van de avond druk ik de eerste spuit uit de plastic verpakking. Het gaat beginnen, dit wordt de eerste dag van ons ivf-traject. In het ziekenhuis kreeg ik hulp van Emma, nu sta ik er alleen voor. Ik hoop dat ik de moed vind om de spuit in mijn buik te duwen. De naald houd ik rechtop. Ik tik er een paar keer tegenaan en spuit een druppel decapeptyl in het luchtledige. Het ziet er best professioneel uit. Max houdt zijn ogen stijf gesloten. Ik pak een stukje buikvlees en zet de naald erin. De vloeistof duw ik er langzaam uit. Mijn gezicht betrekt. 'Met vloeistof is het veel pijnlijker, dat had Emma er wel even bij mogen zeggen,' piep ik.

Max wrijft over mijn wang. 'De eerste keer is vast de ergste. Het zit erop voor vandaag. Ik ben trots op je dat je het zelf durft.'

Eén vraag heeft onze Emma duidelijk verkeerd beantwoord. 'Je voelt waarschijnlijk niets van de hormonen. Deze hebben weinig invloed op je humeur.'

Tijdens de behandeling wil ik haar met terugwerkende kracht vermoorden. Het is dag vier. Nadat ik Sophie naar bed heb gebracht, werp ik mezelf totaal ontredderd op de lichtbruine chaise longue.

'Wat is er?' vraagt Max geschrokken.

Goed bedoeld, ik weet het, maar het toontje waarop hij het vraagt irriteert me. Zoals alles me vandaag irriteert. Toch probeer ik in alle vriendelijkheid te antwoorden. Hij kan er immers ook niets aan doen dat de hormonen mijn werkelijke ik doen wegvagen. 'Het lijkt wel of mijn hersenen niet meer door mij bestuurd worden,' zeg ik zacht. 'Alsof ik geen controle meer heb over mijn gedachtegang en dat voelt zo beangstigend.' Ik sluit mijn ogen en klem mijn handen om mijn oren. Zo blijf ik een tijdje zitten. Langzaam beweeg ik op en neer, als een boze kleuter die zich bewust voor zijn moeder afsluit. 'Het voelt alsof ik in een eindeloze tunnel vastzit. Een duistere, afgesloten plek waar het muf ruikt en waar geen einde aan komt.' Ik open mijn ogen, mijn blik onwillekeurig op mijn nagels gericht. 'Mijn hoofd is een vergiet, ik vergeet belangrijke afspraken en ik mis deadlines. Als ik in gesprek ben, weet ik een paar minuten later niet eens meer wat ik gezegd heb. Het is afschuwelijk, ik ken mezelf niet meer terug.'

Max neemt mijn ontredderde gezicht tussen zijn handen en kijkt me aan. 'Misschien helpt het als ik zeg dat het tijdelijk is?'

Mijn onderlip maakt een trillende beweging. Dan barst ik in huilen uit. Max drukt mijn hoofd tegen zijn schouder. 'Zo, dat lucht op,' fluister ik na tien minuten. Ik wrijf mijn behuilde ogen uit. Maar ik voel dat ik nog niet klaar ben met mijn klaagzang, er moet nog meer uit. 'Ik erger me eigenlijk aan dingen waar ik me normaal gesproken nooit aan erger,' ga ik gedreven verder. 'Als Sophie op tijd op school en ik op mijn werk moet zijn en jij dan als eerste de douche in gebruik neemt, begint mijn bloed al te koken.' Ik kijk Max aan alsof hij me het met een twinkeling in zijn ogen heeft verteld dat hij spetterende seks heeft gehad met Lisa.

Hij deinst voorzichtig naar achteren.

'En als jij dan ook nog héél rustig en ontspannen op het toilet de krant leest, je agenda doorneemt en tijd maakt voor een kopje koffie en je gevulde koek, terwijl ik het vuur uit mijn sloffen loop om alles in goede banen te leiden.' Ik hap naar lucht. 'Dan kan ik je wel hartstikke doodslaan.'

Max staat vlug op en loopt naar de keuken. Ik veronderstel uit angst om bij me in de buurt te blijven. Hij pakt een grote Blond-mok die hij onder de Quooker houdt. Nadat hij een zakje kamille-thee uit de la heeft gepakt en in de mok laat verdwijnen, rusten zijn vingertoppen op het betonnen keukenblad. 'Weet je, Bar, we hebben het misschien niet helemaal handig aangepakt. Een ivf-behandeling terwijl je net met Sophie bij mij ingetrokken bent, een drukke baan. Het blijkt te veel voor je te zijn.' Hij loopt de woonkamer weer in, pakt een onderzetter en zet de mok voor me op tafel. 'Ivf doe je er natuurlijk niet zomaar bij, daar moet je tijd voor maken en rust voor vinden.'

Met een venijnig gebaar sta ik op, mijn handen zijn gebald tot vuisten. 'Dit is de druppel,' bries ik. 'Ik ga naar bed. Niemand begrijpt mij en jij al helemaal niet. Trouwens, dankzij jou voel ik me nu zo rot. Als jouw zaad niet zo sloom was, had ik me nu een stuk beter gevoeld. Je wordt bedankt.' Stampvoetend loop ik de brede trap op en duik in bed. Het roomwitte dekbed trek ik tot net boven mijn neus. Van mijn ene zij rol ik naar de andere. Uiteindelijk draai ik op mijn rug en leg mijn handen op mijn navel. Bij het inademen buik uit, bij het uitademen buik in. Langzaam word ik rustiger.

Inmiddels zijn mijn ogen aan de duisternis gewend en kijk ik mijn nieuwe slaapkamer in. Naar de donkerbruin gestoffeerde gordijnen die tot aan de grond reiken. Het gedempte licht van de straatlantaarn schijnt door een piepklein spleetje naar binnen, waardoor de orchidee die mama voor ons heeft gekocht monsterlijke schaduwen over de houten vloer werpt. Ik kijk naar de silhouetten van de uit verschillende hoogten bestaande paarse kaarsen die op mijn nachtkastje staan. De hele kamer ruikt naar de lavendelzakjes die ik een paar weken geleden gekocht heb. 'Het is belangrijk dat je een nieuw huis eigen maakt met geur en kleur,' drukte Kate me op het hart. Het kost me moeite, maar ik moet er met mijn hoofd bij blijven.

Max en ik wilden dolgraag samenwonen. Vlak voor de eerste behandeling leek ons beiden het moment bij uitstek. Ik stond er helemaal niet bij stil dat het wel eens een allesbehalve romantisch begin kon gaan worden. Misschien omdat het allemaal zo soepel verliep. Sophies gezichtje straalde toen we haar vertelden dat we samen gingen wonen. Het duurde niet lang voor ze gewend was op haar nieuwe school en sinds een paar weken neemt ze nu ook vriendinnetjes mee naar huis.

Mijn eigen huis was in een mum van tijd met flink wat overwaarde verkocht. De helft van het geld heb ik op de spaarrekening van Sophie gestort, de andere helft heb ik geïnvesteerd. Een diepte-investering, al zeg ik het zelf. Max heeft een inloopkast die zo groot is dat zelfs mijn garderobe er armoedig in afstak. Kate, Lisa en ik zijn een heel weekend bezig geweest die prachtige ruimte op te vullen. In Antwerpen. We hebben gewinkeld op de Schutterhofstraat en de Steenhouwersvest, gegeten bij restaurant Lux en geslapen in De Witte Lelie. Dankzij onze inspanning wordt ieder plekje van de kast nu optimaal en respectvol benut. Max moest weliswaar uitwijken naar de kast in de logeerkamer, maar hoefde daar zelf geen moeite voor te doen. Kate, Lisa en ik hebben al zijn spullen netjes overgeheveld. Kate heeft zelfs nog een nat doekje door de kast gehaald.

Mijn ogen worden langzaam zwaarder. Misschien ga ik wel wennen aan de overdosis hormonen in mijn lijf. Ik wil proberen een lieve moeder te blijven en een leuke vriendin te zijn om mee samen te wonen. Hopelijk is het allemaal van korte duur. Ik heb het er natuurlijk ook voor over. Als ik mezelf maar mag blijven. Het is zo'n naar gevoel om de controle kwijt te raken. Maar het komt goed, de eerste keer is het vast raak.

* Decapeptyl: zorgt ervoor dat mijn lichaam geen natuurlijke eisprong meer aanmaakt.
Frequentie: 21 x spuiten, één keer per dag.
Mogelijke bijwerkingen: opvliegers – stemmingswisselingen – hoofdpijn – moeheid – huiduitslag – misselijkheid – duizeligheid – sterke stimulans eierstokken, als je het samen met Gonal-f gebruikt.
Het enige waar ik geen last van krijg is huiduitslag.

*Gonal-f: bevordert de groei van de follikels (eiblaasjes).
Frequentie: 14 x spuiten, één keer per dag.
Mogelijke bijwerkingen: hoofdpijn – cysten – reacties op plaats

van injectie – ovariële hyperstimulatie syndroom (misselijk, buikpijn, overgeven, gewichtstoename).
Behandeling stopt als de follikels voldoende gegroeid zijn om opgezogen te worden. Het enige waar ik geen last van krijg zijn de
cysten.

14

2006

Ivf is een onzeker en spannend traject. Mijn gezonde lichaam wordt vol hormonen gepompt, ik onderga soms nare en pijnlijke onderzoeken en zweef zo'n beetje de hele behandeling ergens tussen hoop en wanhoop. Terwijl ik niet weet of de behandeling succesvol zal zijn. Daarom vind ik het jammer dat ik iedere keer weer door een andere dokter geholpen word.

Dit keer is het een oude grijze man op bruine Piedro-schoenen. Zijn kalende hoofd is aan de zijkanten bedekt met korte dons-haartjes. Ik schat in dat hij niet ver meer van zijn pensioen af zit. Zonder me aan te kijken vraagt hij hoe het met me gaat.

'Mijn buik doet zeer en voelt opgeblazen aan,' antwoord ik terwijl ik een opkomende opvlieger wegpuf.

'Juist ja.' Hij rolt zijn stoel naar achteren en komt moeizaam overeind. 'Doe je broekje maar uit, dan kijk ik even naar de ont-wikkeling van de follikels.' De dokter heeft me nog steeds niet in mijn ogen gekeken.

Ik kleed me uit en ga in de gynaecologische stoel zitten. Max staat naast me en legt zijn hand op mijn schouder. Mijn gezicht betrekt. Zelfs het echoapparaat dat naar binnen wordt geschoven doet pijn.

'Aha, dat verklaart een hoop. Je zit tegen overstimulatie aan. Er zijn te veel follikels gegroeid. Jouw eierstokken reageren blijkbaar heel heftig op de hormonen.' De dokter kijkt naar het beeldscherm. Zijn mond valt open. Hij doet me denken aan een verschrikt konijn dat in een koplamp kijkt. 'Het lijken wel ballonnen, zo groot zijn ze.' Ik heb zijn interesse gewekt. De man is tot leven gekomen vanwege de luchtballonnen in mijn buik.

'Dat klinkt goed, veel follikels,' zeg ik trots. We hebben oogcontact, de gynaecoloog en ik.

'Dat is helemaal niet goed,' besluit hij met een zuinig lachje. 'De follikels hebben geen ruimte meer om te groeien. De kleine kunnen dus niet verder ontwikkelen en de grote worden te groot en ploffen.'

Mijn trots maakt plaats voor ongerustheid. 'Wat kunnen we daaraan doen?' vraag ik.

De dokter haalt zijn schouders op. 'Niets.' Achteloos haalt hij de vibratorlookalike uit mijn binnenste en begint hem te desinfecteren. 'Gewoon doorspuiten,' zegt hij al poetsend. 'Onze afdeling is in het weekend gesloten, dus je mag zaterdag pas de pregnylprik zetten en dan kom je maandag voor de punctie.'

Ik kijk hem niet-begrijpend aan. 'Dat is ook gek, opgezwollen eierstokken, veel te veel follikels waar ik niets mee kan. Dat voelt niet helemaal goed.' Ik kijk naar Max, die het ook niet meer lijkt te volgen.

'Als je nu stopt met gonal-f dan storten je eitjes als een plumpudding in elkaar, daarom moet je doorgaan met spuiten.' De dokter tikt met twee dikke wijsvingers een verslagje van mijn komst en schudt ons een gehaaste hand. 'Goedemiddag.'

De komende dagen neem ik veel rust om mijn buik zo min mogelijk te belasten. Na twee dagen mag ik de pregnyl-spuit zetten. Deze stof zorgt ervoor dat mijn follikels tot volle rijpheid kunnen komen. Kennis van scheikunde is van waarde op dit moment.

Ik heb twee ampullen in mijn hand. Een met een pil, de ander met vloeistof.

Max maakt de injectienaald gebruiksklaar. De ampullen moeten we zelf openbreken. Max mengt de vloeistof met de pil, zuigt deze met de naald weer op en spuit het geheel in een volgende injectiespuit. Hij doet me denken aan professor Barabas.

Ik ben van tevoren gewaarschuwd dat het een pijnlijke prik is. Schijnt te maken te hebben met de dikke vloeistof. Met een benauwd gevoel bekijk ik de naald. 'Kunnen ze die nou niet dunner maken?' Ik laat het dikke gevaarte tussen mijn duim en wijsvinger glijden. 'Jij mag hem zetten,' besluit ik na enige overpeinzing.

Max ziet dat ik het meen. 'O nee, wat erg,' jammert hij.

Ik zet mijn handen in mijn zij en vernauw mijn ogen. 'Wat erg? Jij hoeft alleen maar te prikken en te drukken. Hoe erg kan het zijn?'

Max voelt goed aan dat weigering staat voor oorlog en gaat overstag. Met zijn ene hand trekt hij aan mijn vlees en met zijn andere hand duwt hij de naald in mijn huid. Dan wendt hij zijn gezicht af.

'Au,' roep ik.

Zonder te kijken volbrengt Max de klus.

'Dit was de laatste spuit. Het zit erop,' verzucht ik met een bezwete bovenlip. Ik kijk opzij.

Max zoekt steun op mijn schouders. In een reflex gooit hij zijn neus tussen zijn benen. Het duurt even voordat hij weer bij is.

15

2002

De rustmomenten deden wonderen, hoewel het vreemde wonderen waren.

- Ik viel als een blok in slaap, terwijl ik altijd een slechte slaper was. Ik werd zelfs niet meer wakker om te plassen.
- Ik kocht opvallend minder kleding en schoenen, maar dat kon ook komen doordat ik maandelijks een piepklein beetje geld opzijzette voor mijn reis.
- Mijn eetpatroon veranderde. Ik kon geen koffie en jus d'orange meer verdragen en mijn flakes verruilde ik voor bruine boterhammen met pindakaas.
- Mijn borsten groeiden.

Nog een paar dagen voordat we naar Oxford gingen. Lisa werkte die ochtend thuis aan de laatste voorbereidingen, ik was op kantoor. Nadat ik mijn *to do*-lijst had afgewerkt, liep ik naar de kapstok. Ik trok mijn lichtblauwe colbert aan en wandelde naar de Etos. Het miezerde. De miezer sloeg al snel om in een gigantische hoosbui en mijn haar werd kleddernat. Sommige mensen konden dat hebben, ik niet. Ik ging eruitzien als een natte cavia.

Pal voor de winkel klopte ik het water van mijn jasje en kneep ik het vocht uit mijn haar. Mijn mandje vulde ik met make-upremover, een borstel, drop en tampons. Nadat ik eerst goed om me heen had gekeken of er geen bekenden in de buurt waren, durfde ik de vraag te stellen. Hij spookte al een tijdje door mijn hoofd, maar ik joeg hem steeds weer weg. 'Hebt u voor mij een zwangerschapstest?' vroeg ik met gedempte stem.

'Wilt u er één of twee?' wilde de caissière weten.

'Eén moet genoeg zijn,' antwoordde ik met een krampachtige glimlach. Ik kuchte, keek om en zag de rij groeien.

'De Clearblue, de Predictor of ons eigen merk?'

Ongeduldig hield ik mijn adem in. Hoeveel vragen kon deze dame nog bedenken? 'De meest betrouwbare graag.'

De caissière haalde haar schouders op. 'Ze zijn allemaal even betrouwbaar. Het verschil zit in de prijs,' zei ze afgemeten.

'Doe de Predictor maar. Dank u wel.'

Met dit grote geheim op zak liep ik terug naar kantoor. Ik bekeek mezelf in de spiegel. Met mijn wijsvinger probeerde ik de uitgelopen mascara weg te halen. Nadat ik mijn haar met een handdoek had gedroogd en gekamd, richtte ik me op het doosje voor me. Aandachtig las ik de bijsluiter en ik liep naar de keuken waar ik een theemok pakte, medelijden hebbend met Lisa. We wasten op kantoor nog altijd met de hand af. Ik ging naar het toilet en hing boven de mok die ik in een mum van tijd vol plaste. Met de grootste precisie hield ik het staafje er enkele seconden in. Eén, twee, drie, vier, vijf, zes.

Met de test in mijn broekzak ging ik achter mijn laptop zitten. Over vijf minuten wist ik meer. Vijf minuten konden lang duren. Ik staarde naar het beeldscherm. Zeven nieuwe berichten in mijn inbox. Mijn vingers zweefden boven het toetsenbord zonder ze aan te raken. Na twee minuten hield ik het niet meer en trok ik de test uit mijn broekzak. Nu goed opletten. Er bevonden zich twee vakjes op de test waar ik op moest letten. Het linkervenster kon een stip tonen, dan was het voor mij foute boel. De rechterstip liet zien of ik de test goed had uitgevoerd.

Beide vakjes lachten me bevestigend toe.

16

2002

Ik zat muisstil op mijn stoel. Er ontstond een glimlach op mijn gezicht, ongetwijfeld een zenuwtrek. De glimlach verdween net zo snel als hij gekomen was en maakte plaats voor paniek. Grote paniek. Zwanger, ik, wat nu? Het was gedaan met mijn leven, ik kon inpakken en wegwezen. Het einde van mijn vrijheid, mijn jeugd, mijn onbezonnen leven, mijn reis naar Australië, uitslapen, mijn slanke lijf, schone kleding zonder spuugvlekken. Het was over en uit, finito, schluss. Ik zou moeder worden, huisvrouw, mijn voeten in Mephisto's steken en een stoppelige kin krijgen. Gehuld in een donkerblauw tuinpak zou ik voortaan door het leven gaan. Ze konden me net zo goed nu al in laten slapen. Het was over. Voorbij.

Ik draaide rondjes op mijn buigzame groene stoeltje en ging net zo lang door tot ik misselijk werd. De kamer draaide door, nadat ik met mijn voeten de stoel weer tot stilstand had gebracht. Met mijn ellebogen op tafel sloeg ik mijn handen voor mijn ogen, vervolgens voor mijn mond en gooide ik met een klap mijn hoofd op de tafel. Het ergste van alles, ik had geen relatie meer.

Ik keek naar de foto van Kate, Lisa en mij, die een jaar geleden in Barcelona genomen was. We zaten op rode badlakens op het Barcelonetastrand en keken lachend en onbezorgd naar de camera. Ook over, voorbij, verleden tijd, bedacht ik verdrietig. Mijn ticket naar Australië. Over vier maanden zou ik gaan. Eindelijk alleen op reis. Maar met een dikke buik?

Ik zou het vruchtje niet weg laten halen. Hoewel ik geen kinderen wilde, was ik tegen abortus. Verteerd door schuldgevoelens zou ik door het leven gaan. Mijn hele verdere leven zou ik denken hoe hij of zij geweest zou zijn. En in welke omstandigheid ik ook was, ik zou het altijd kunnen verzorgen. Als ze het in kansarm Afrika konden, kon ik het ook.

Ik staarde een tijdje onbenullig naar de telefoon voor ik hem oppakte. Frank, ik moest Frank bellen. Hij was immers medeverantwoordelijk voor de stip. Na die bewuste avond bij hem thuis had ik hem nog één keer gezien. Hij kwam wat kleding ophalen. Binnen vijf minuten was hij weer weg. Stilzwijgend slofte hij met gekromde schouders door mijn huis. 'Je hebt me heel erg gekwetst,' liet hij me weten voordat hij de deur weer achter zich dichttrok.

De eerste keren kreeg ik zijn voicemail. Na vier keer bellen nam hij op.

'Frank, met mij, Barbara. Ik moet je iets vertellen. Iets waar ik zelf even geen raad mee weet. Ik ben, hoe moet ik het zeggen. Ik ben zwanger.'

Stilte.

'Jezus,' was zijn eerste reactie, 'Jezus,' herhaalde hij, 'Jezus.' Had hij nu niets beters te zeggen? 'Over een uur moet ik naar de notaris voor een overdracht, daarna kom ik direct naar je toe.'

Gedachteloos stak ik een dropje in mijn mond. 'Kom maar niet naar mijn werk, ik kom vanavond bij jou langs. En ik koop straks nog een test. Misschien is er iets misgegaan.'

Er kwam niets meer uit mijn vingers. Mijn gedachten vulden zich met rampscenario's.

1. Alleenstaande moeder worden en de baby alleen opvoeden.

2. Alleenstaande moeder worden en co-ouderschap aangaan.
3. Het goedmaken met Frank en bij hem intrekken.
4. De komende maanden steeds dikker worden en vanaf de zijlijn alle spannende belevenissen van Kate en Lisa aanhoren.
5. Mijn ticket annuleren.

Mijn lichaam voelde ijskoud aan. Ik moest naar buiten, had frisse lucht nodig. Ik schakelde de telefoon door en sloot de deur. Kate en Lisa wilde ik nog niet bellen. Eerst moest ik mijn zwangerschap zelf verwerken.

'Ik ben zo gelukkig,' verzuchtte Frank toen hij de deur opende en me in zijn armen sloot. 'Ook al was ik boos op je, ik heb je vreselijk gemist. Dit kindje gaat alles weer goedmaken.'

Zijn woorden gleden langs me heen. Ik wurmde me los uit zijn omhelzing en liep met de test in mijn hand naar het toilet. Dit keer las ik de bijsluiter nog aandachtiger. Het kon ook zonder mok. Het teststaafje enkele seconden onder mijn urinestraal houden moest genoeg zijn om erachter te komen of ik zwanger was. Na een paar minuten hingen we samen boven de test. 'Weer diezelfde stip,' riep ik wanhopig nadat ik de test uit mijn handen had laten vallen.

Frank tilde mijn lamgeslagen lichaam op en zwierde het in het rond. 'We krijgen een baby,' jubelde hij. 'Lieverdje, dit moest gebeuren om ons weer samen te brengen. Ik wist dat we bij elkaar hoorden.' Zijn ogen twinkelden van zelfvertrouwen. 'Ik wist het gewoon.'

Met zijn laptop onder mijn oksel schoof ik de witte schuifpui open en liep de tuin in. Frank zijn tuin grensde aan het water. Links en rechts van het kiezelpad dat naar het water leidde, was de tuin bedekt met gras. De reusachtige eik die het terras in de zomer grotendeels overschaduwde, stond er kaal bij. Het was inmiddels droog. In kleermakerszit ging ik op de teakhouten stoel zitten en voelde hoe mijn spijkerbroek langzaam het vocht van de regen opnam. Ik zette de computer op schoot en klapte hem open. 'Zwangerschapsverschijnselen' tikte ik in. 'Uitblijven menstruatie, grotere en gevoeligere borsten, vermoeidheid, last van misselijkheid en eventueel braken, last van de hormoonhuishouding, schommelend humeur, duizeligheid, veel plassen, voorkeur of afkeer voor bepaald eten/drinken, constipatie.' Symptoom voor symptoom nam ik in me op en ik moest jammerlijk toegeven dat ik een score had van minimaal 95%. Mijn stoelgang was prima. 'Ik ga mijn ouders bellen, ik wil dat zij het weten,' zei ik tegen Frank die een stoel naast de mijne schoof.

Met een handdoekje wreef hij hem eerst droog, waarna hij me zijn mobiel aanbood.

Mijn vingers trilden toen ik het nummer intoetste.

'Met Maartje Muller.'

'Mam, met mij.' Een vreemd geluid ontglipte mijn keel.

'Wat heerlijk dat je belt, schat. Hoe gaat het met je? Had je een fijne dag op je werk?' Op de achtergrond hoorde ik het zoemende geluid van de afzuigkap.

'Ik bel je om iets met je te delen mam,' haperde ik waarna ik een stilte inlaste. 'Ik ben zwanger.' Het bleef zeker een halve minuut stil aan de andere kant van de lijn. 'Mam,' doorbrak ik de stilte. 'Ik kan me voorstellen dat je net zo geschrokken bent als ik. Ik weet gewoon niet meer wat ik moet doen.' Met betraande ogen keek ik naar Frank die me nauwgezet in de gaten hield.

'Kindje toch, paps en ik komen er direct aan. Ben je thuis?'

Ik schudde mijn hoofd. 'Ik kom liever bij jullie langs, je ziet me snel verschijnen.' Zonder mama's reactie af te wachten drukte ik haar weg en gaf de telefoon terug aan Frank.

'Ik ga met je mee,' zei hij resoluut.

Ik kwam overeind en liep het huis in. Frank volgde me op de voet. 'Dat ik zwanger ben betekent niet zomaar dat ik bij je terugkom. Ik heb tijd nodig om te beslissen hoe het nu verder moet.'

Frank legde zijn hand tegen mijn buik en maakte kleine draaibewegingen met zijn vingertoppen. 'Dat begrijp ik. Maar ik weet zeker dat we geweldige ouders zullen zijn,' fluisterde hij.

Een halfuur later belde ik aan, zonder Frank.

In de tussentijd hadden pap en mam een fles wijn nodig gehad om weer rustig te worden. In de gang sloot mama me in haar armen. 'Meisje van me, we wisten helemaal niet dat jullie weer samen waren, laat staan bezig waren om zwanger te raken.' Ze liet me los en tastte met nieuwsgierige ogen mijn gezicht af.

'Dat zijn we ook helemaal niet, mam. Het is nog steeds uit en ik slik iedere dag trouw de pil.'

Papa stond in de deuropening van de hal en keek net zo onthutst als mama. 'Kindje, wat moet dat een schok voor je zijn,' reageerde hij. 'Kom binnen, trek je jas uit en schuif maar lekker aan. We eten zuurkool.'

Ik knikte stilzwijgend en liep naar de tafel.

'Ik kan het bijna niet geloven, ik word oma,' zei mama terwijl ze de worst in plakjes sneed en met haar roestvrijstalen mes minimaal de helft van de plakken op mijn bord schoof.

'Mam, ik eet al zestien jaar geen vlees meer, weet je nog?'

Ze steunde met haar hand op tafel en boog voorover. 'Lieverd, vlees zou heel goed voor je zijn, nu je zwanger bent. Vitamine B en ijzer zijn belangrijke bouwstoffen voor je kindje en voor jou.'

Mijn moeder probeerde me vanaf de dag dat ik weigerde vlees te eten op andere gedachten te brengen. Ik was dertien en keek naar een programma over het slachten van dieren ten behoeve van de vleesindustrie. Een bruin-wit gevlekte koe met gitzwarte ogen, krulwimpers en een vochtige snuit, richtte haar blik naar de camera. Onwetend op weg naar een gruwelijke dood. Door drie man sterk werd ze in een hoek gedreven. In een handomdraai werd haar heup aan een ijzeren haak geslagen. Het volgende moment werd het beest de lucht in getakeld. Een van de mannen sneed haar nek door en deed een paar passen achteruit. Het bloed spoot op de betonnen vloer. In het begin probeerde de koe zich te verzetten door met haar poten te trappelen. Haar romp maakte schokkende bewegingen. Het duurde lang voor ze zich kon overgeven aan haar lot. De laatste beelden zouden nooit meer van mijn netvlies verdwijnen. De moegestreden koe die aan de haak bungelde. De plas bloed die de hele vloer in beslag leek te nemen. Het onregelmatige knipperen van haar ogen, tot het moment dat het knipperen ophield en de koe glazig in het luchtledige staarde. Met een immens gevoel van woede en machteloosheid sloeg ik mijn handen voor mijn ogen en de tranen drupten door mijn gespreide vingers. Vanaf dat moment beloofde ik mezelf, mijn ouders en alle dieren op de wereld dat ik nooit meer vlees zou eten.

Mama was het niet met me eens. 'Dieren zijn er om opgegeten te worden,' propagandeerde ze maar al te vaak. 'Zo zit de natuur nou eenmaal in elkaar.' Als ik moe was of griep had, was het mijn eigen schuld. Had ik maar vlees moeten eten.

Ik schoof de worst op papa's bord en prikte onwillekeurig in de stamppot.

'Wat ga je nu met je ticket doen? Als zwangere lijkt het me niet verstandig om alleen op reis te gaan,' probeerde mama op luchtige toon. Zonder mijn reactie af te wachten ging ze verder. 'Je kunt natuurlijk samen met Frank gaan. Lijkt me een goede manier om elkaar weer te vinden en jullie voor te bereiden op het ouderschap.'

Ik legde mijn bestek neer en keek van papa naar mama en weer terug. 'Ik heb dat ticket geboekt om een tijd helemaal op mezelf aangewezen te zijn. Frank zou de laatste zijn met wie ik dat avontuur wil delen.'

Met een moedeloos gebaar bracht mijn moeder de met zuurkool gevulde vork naar haar mond. 'Ik vind dat Frank een kans verdient. Het is toch geen slechte man?' Haar ogen schoten dwingend naar mijn vader, op zoek naar versterking.

'Misschien ga ik de baby wel zelf opvoeden, zonder man.'

Mama stopte met kauwen. Het ongeloof was van haar gezicht

af te lezen. 'Maar lieverd, zou dat nou wel verstandig zijn? Jullie baby heeft toch recht op een vader én een moeder? Je draagt een grote verantwoordelijkheid met je mee,' zei ze, wijzend op mijn buik. 'Een verantwoordelijkheid die jullie samen dragen.'

Papa pakte zijn servet om zijn mond af te vegen. 'Maartje, je stelt vragen waar Barbara op dit moment nog geen antwoord op kan geven. Als de mist in haar hoofd weer is opgetrokken, is ze vast weer in staat om helder te denken. Dan komen de antwoorden vanzelf.'

Ik zag hoe mama's wangen begonnen te gloeien. 'Rob, je weet inmiddels hoe impulsief ze is. Voor je het weet vliegt ze naar de andere kant van de wereld en blijft ze daar omdat ze een nieuwe vader voor haar kind heeft gevonden. En dan zien wij haar nooit meer terug.'

Lamgeslagen schudde ik mijn hoofd. Wat bezielde me ook weer om bij mijn ouders langs te gaan? Het enige waar ik naar verlangde waren de geruststellende woorden dat het hoe dan ook goed zou komen, ongeacht de keuzes die ik uiteindelijk moest maken.

Mijn vaders ogen vernauwden zich. 'Ik denk dat Barbara heel goed zelf kan beslissen wat goed voor haar is. Als ze onze hulp daarbij nodig heeft dan vraagt ze daar zelf wel om.' Zijn vertrouwde knipoog maakte me warm vanbinnen. 'Geloof me, we vinden het geweldig dat je zwanger bent van ons eerste kleinkind. Als je ons nodig hebt, zullen we er voor je zijn,' besloot hij.

Mama legde haar handen op haar gezicht en begon te snotteren. 'Ik ben zo bang dat je straks als alleenstaande moeder eindigt. Dat gun je toch niemand? Ik kom ze maar wat vaak tegen hier in het dorp, verlaten door hun man en afhankelijk van de bijstand.'

Ik gooide mijn armen in de lucht en liet ze vervolgens slap langs mijn lichaam vallen. 'Ik heb gestudeerd, ben zelfstandig ondernemer en zal nooit afhankelijk worden. Niet van de bijstand en al helemaal niet van een man. Waar is je vertrouwen in mij gebleven?'

Mama haalde haar neus op. 'Ik zeg het alleen maar uit liefde voor jou. Het laatste wat ik wil, is dat je een zwaar leven krijgt doordat je er alleen voor staat. Je had een man die stapelgek op je was en volgens mij nog steeds is, de vader van je kind. Frank kan je zekerheid en veiligheid bieden. Ik gun je de warmte van een harmonieus gezin.'

De radeloosheid die in mijn moeders stem doorklonk, ontroerde me. Ik pakte haar hand en streelde over haar vingers. 'Mam, het komt echt wel goed, al weet ik nog niet hoe. Het is lief dat je zo bezorgd bent, maar dat is niet nodig. Voor mij is het belangrijk die zekerheid en veiligheid in mezelf te vinden. Dokter Nicolai helpt me daarbij. Mede dankzij zijn hulp vind ik het tegenwoordig heerlijk om alleen te zijn. Dat ga ik toch niet om zeep helpen door halsoverkop samen te gaan wonen met een man van wie ik niet genoeg hou?'

'Maar liefje,' hielp mijn moeder me uit de droom. 'Je bent niet meer alleen.'

Die nacht kon ik niet in slaap komen. Het lukte me maar niet om rustig te worden. Al die tijd had ik gedacht dat ik zonder kinderen door het leven zou gaan, maar mijn toekomst had van de ene op de andere dag een andere invulling gekregen. Zonder mijn toestemming. En ik voelde me ook nog eens schuldig dat ik niet blij kon zijn. Het laatste wat ik wilde was de baby met prenatale stress opzadelen. Van mijn ene zij rolde ik op de andere, totdat ik zeker wist dat ik niet meer in slaap zou vallen.

Zuchtend stapte ik uit bed, schoof mijn slippers aan mijn voeten en liep naar de keuken. Ik goot wat melk in een pannetje, zette het vuur hoog en keek hoe de melk na verloop van tijd naar boven kroop. Toen hij bijna over de rand heen kwam, zette ik het vuur af, waarna het schuim weer naar beneden zakte. Ik deed er een anijsblokje bij en roerde in de mok. Dokter Nicolai verzekerde me dat ik in plaats van yoga beter kon gaan hardlopen of kon schrijven. Een goede manier om mijn gedachten te structureren en weer overzicht te krijgen. Toen ik pen en papier had gevonden, ging ik op de bank zitten en sloeg een wollen deken om mijn schouders.

Lieve Uk,

Ik schrijf je een brief omdat ik heel erg van slag ben. Want vanaf nu zal alles anders zijn. Het spijt me dat ik nog niet blij kan zijn. Je komt op een moeilijk moment. Ik ben eindelijk alleen en dat bevalt me goed. Jouw vader en ik zijn niet bepaald een goede match, waardoor er weinig kans is we bij elkaar zullen komen. En het is toch veel leuker om in harmonie bij je vader én moeder op te groeien? Dat geeft veel minder gedoe.

Uk, neem van mij aan dat je echt het minst geschikte wezen op aarde hebt uitgekozen om je moeder te zijn. Ik bied je geen structuur en ik vergeet je ongetwijfeld op te halen van school. Ik stuur je met twee verschillende schoenen en de nutella nog op je gezicht het huis uit. Ontbijt eet je staand of in de auto op, want ik leid een gehaast leven. En reken er niet op dat ik een hulpmoeder op school word, ik ben namelijk te dol op mijn eigen werk. Ik ben geen moeder die elke dag vers fruit en groente voor je in de blender gooit, ik hou van gemak, dus van potjes. Ik kom er, als de winkels al dicht zijn, achter dat ik geen luiers meer in huis heb. Ik sleep je overal mee naartoe, om zelf maar niets te hoeven missen. Rust en regelmaat ga je bij mij niet vinden, nog in geen honderd jaar. Reinheid weer wel, ik hou namelijk niet van stank en viezigheid.

Uk, deze vrouw is echt niet gemaakt om mama te zijn. Ik mis alle essentiële vereisten. Om te beginnen ben ik wispelturig, grillig en slordig. Ik vergeet verjaardagen, waarschijnlijk ook die van jou. Ik moet je bekennen dat ik kinderen eigenlijk alleen leuk vind op foto's. Daarbij drink ik te veel wijn en ik hou van verre landen. En dan weet je waarschijnlijk nog niet eens van mijn reis naar Australië. Het zou zo goed voor me zijn om die helemaal alleen te ondernemen. Met een baby in mijn buik kan dat toch niet meer? Tel daar tot slot nog eens bij op dat ik veel waarde hecht aan mijn nachtrust en dat kinderen daar geen boodschap aan hebben. Dan begrijp je vast dat dit geen kenmerkende eigenschappen voor een aanstaande moeder zijn en ook geen eigenschappen die jou gelukkig gaan maken.

Zeg nou zelf, je kunt in mij met de beste wil van de wereld nog geen moeder ontdekken. Moeder, ik, mama. Het spijt me, ik geloof dat ik heel erg moet wennen. Geef me alsjeblieft wat tijd?

Liefs,
Mama? Barbara

Ik legde de brief op mijn ticket die in het dressoir lag en dacht aan de secretaresse van Kate. Binnenkort zou ze met haar eerste ivf-poging beginnen. Zij was meer dan klaar voor een kindje. Het kamertje stond er bij wijze van spreken al. De natuur had een bijzondere manier van uitkiezen. Zachtjes aaide ik over mijn buik. Hij was nog zo plat dat ik me niet voor kon stellen dat er een baby in leefde. Ik nam een laatste slok en kauwde op het velletje van de melk.

Terug in bed leek het alsof ik de grip op mijn leven voorgoed kwijt was.

17

2006

Ik zal het maar eerlijk zeggen, ik ben bang!

In veel Nederlandse ziekenhuizen wordt de punctie niet verdoofd. En ik ben bijzonder vruchtbaar. Dat blijkt uit de veertig follikels (het gemiddelde ligt op tien) die zijn ontstaan uit deze behandeling. Alle veertig moeten aangeprikt en opgezogen worden. Zonder verdoving.

Achter het omkleedrekje doe ik langzaam mijn hakken, broek en slipje uit. Eigenlijk durf ik er niet achter vandaan te komen. Uit angst voor wat komen gaat. Drie mensen die me in mijn blote kont gaan zien. Mijn baarmoeder die nu al zo pijnlijk aanvoelt. Met klamme handen wrijf ik over mijn T-shirt. Ik neem een flinke teug zuurstof en schuifel naar de gynaecologische stoel. Mijn benen leg ik in de beensteunen. Het liefst hou ik ze nog even bij elkaar.

De voor ons nieuwe dokter stelt zich voor en neemt plaats op het krukje voor me. Ze heeft een bleek gezicht, lichtblond haar en een dikke, doorlopende streep wenkbrauwen. 'Het is zo gebeurd, hoor, over een halfuur sta je weer buiten.'

Ik krimp ineen. Haar goedbedoelde woorden komen niet zalvend over. Een halfuur in een behandelkamer is gevoelsmatig veel langer dan een halfuur in de kroeg.

De dokter giet een koud goedje over mijn binnenste, waardoor mijn onderlijf een schokkende beweging maakt. 'Ik desinfecteer je vagina met steriel water. Voelt koud aan, hè?'

Ik knik bevestigend.

Het volgende moment duwt ze een holle naald door mijn vaginawand, bestemming baarmoeder. Op zoek naar follikels.

Ik raak in een blinde paniek van de pijn. In een impuls werp ik mijn hele onderlijf op.

'Billen naar beneden drukken en ontspannen,' hoor ik haar kalm zeggen, terwijl ze mijn bekken terug in de stoel duwt.

Ik bijt op mijn onderlip totdat ik bloed proef. Hoe kan ik in hemelsnaam ontspannen als ik zonder verdoving gespietst word, vraag ik me badend in het zweet af. Ik voel me een levend kippetje dat in een oververhitte oven aan het spit draait.

De dokter glimlacht en duwt de naald nog wat dieper naar binnen. 'Niet zo angstig kijken, blijf rustig ademen en zorg ervoor dat je billen tegen de stoel gedrukt zijn. Spanning geeft juist meer pijn.'

De twee decimeter lange spies is nu in zijn geheel naar binnen. Op het moment dat ik mijn billen naar beneden druk, geeft de spies weerstand. Ik grijp de stoelleuningen vast en knijp ze bijna doormidden.

Dan begint ze met aanprikken. Follikel voor follikel prikt ze aan en zuigt ze op. Elke prik voelt alsof mijn ingewanden er met weerhaakjes uit worden getrokken. Het bloed trekt uit mijn gezicht. Ik word licht in mijn hoofd en ben bang dat ik moet spugen.

Max wrijft over mijn haar.

'Op het echobeeld kunnen jullie zien hoe de follikels worden aangeprikt. Ze verdwijnen in speciale flesjes, die naast de stoel staan,' hoor ik de assistente zeggen. Ik kijk niet mee, houd mijn ogen stijf dicht.

Na tien minuten trekt de dokter de holle naald weer uit mijn vagina.

Als een slappe pop zak ik terug in de stoel.

'Het is achter de rug, goed gedaan, hoor,' zegt Max, terwijl hij me liefdevol in mijn klamme arm knijpt.

De dokter schudt haar hoofd, de wenkbrauwstreep beweegt naar boven. 'We zijn nog niet klaar, nu is de linkereierstok aan de beurt.' Het moet haar opvallen dat mijn krijtwitte hoofd kersenrood aanloopt. 'Heb je het temazepammetje vanochtend niet genomen?' vraagt ze met een stem die harder klinkt dan daarnet. Vergis ik me of hoor ik een verwijt doorklinken?

Ik knik en voel een zenuwtrek door mijn wang schieten. 'Ik ben doodsbang dus ik vrees dat deze rustgever zijn werking voorbij gaat.' Voorzichtig kom ik omhoog. 'Waarom verdoven jullie deze ingreep eigenlijk niet? Een mens hoeft tegenwoordig toch geen pijn meer te lijden?'

De dokter knijpt haar smalle lippen op elkaar. 'Daarom niet,' antwoordt ze kortaf. 'Dat is het beleid van dit ziekenhuis. En we horen van veel vrouwen dat de ingreep best meevalt,' voegt ze er fijntjes aan toe.

Die vrouwen zijn dan te verdoofd van de pijn om überhaupt nog iets uit te kunnen brengen, bedenk ik. Of het zijn superhelden.

De dokter knikt naar haar assistente en pakt de gesteriliseerde spies weer op.

Ik zak terug in de stoel en probeer moed te vinden om mijn benen weer te spreiden. Weer die ijzige messteek door het meest gevoelige plekje van mijn lijf. Ik zuig mijn wangen naar binnen en zet mijn tanden in mijn vlees. Mijn ogen maken een draaiende beweging door de steriele kamer. Ik probeer aan gezellige dingen te denken, maar dat gaat me verdraaid slecht af. Geluk bij een ongeluk, de linkerkant heeft minder follikels.

Als een stokoud omaatje probeer ik uit de stoel te komen. Max helpt me mijn kleding weer aan te trekken.

De flesjes met de eicellen moeten in een metalen koffer naar het andere ziekenhuis vervoerd worden. Door ons.

Maar eerst moet Max masturberen. 'Mag ik alstublieft thuis het potje vullen? We zorgen ervoor dat we op tijd in het ziekenhuis zijn,' belooft hij.

'Alleen als je binnen een halfuur bij het ivf-laboratorium kunt zijn,' antwoordt de wenkbrauw.

Max knikt dankbaar.

Thuis aangekomen neemt hij geen enkel risico. Hij hangt de neus van zijn stijve geslacht in het potje op het moment dat hij klaarkomt. De witte substantie spuit erin. Max draait de dop erop en schudt zijn sperma heen en weer. 'Het lijkt wel minder geworden,' concludeert hij zorgelijk.

Op het parkeerterrein van het ziekenhuis haalt Max een rolstoel voor me. Ik heb zo'n buikpijn dat ik niet meer kan lopen. Met de koffer diep in mijn schoot gedrukt en het zaad tussen mijn borsten racen we naar het lab. Precies op tijd geven we onze productie af. Het aantal zaadcellen wordt opnieuw geteld, net als mijn follikels. Een halfuur wachten voor we de uitslag krijgen. Opnieuw zenuwen. Wat als er geen levende zaadcellen gevonden worden. Wat als de follikels te hard geschud zijn, *scrambled eggs*.

Terwijl we zenuwachtig op onze stoeltjes heen en weer schuiven, komen we erachter dat we tegenover het looskamertje zitten. Ineens is het wachten wat aangenamer, we hebben vruchtbare afleiding. In een halfuur tijd kan er veel mogelijk nazaat gefabriceerd worden, is onze conclusie.

Drie heren schuifelen ongemakkelijk na elkaar het kamertje binnen. Het zaadpotje angstvallig onder hun kledij verstopt. Er is duidelijk verschil in behendigheid. Waar de een de klus in twee minuten klaart, heeft de ander er een kwartier voor nodig. De deur wordt voorzichtig geopend. De man in kwestie staart gegeneerd naar de grond. Vermijdt elke vorm van contact. Het potje is nergens te bekennen.

Max haalt opgelucht adem en brengt zijn mond naar mijn oor. 'Ik ben zo blij dat dit me bespaard is gebleven, ik had er geen druppel uitgekregen.'

'Mevrouw Muller?'

We vliegen overeind (wat in mijn geval zeer doet) en lopen naar de balie waar het geluid vandaan komt. 'Dat ben ik,' zeg ik hijgend. 'Ik ben Barbara Muller.' Het zweet staat in de palm van mijn handen. Vanaf hier hebben we geen invloed meer.

'Hallo,' zegt een jonge vrouw met auberginekleurig kort gekapt haar. Ze biedt ons uitnodigend haar hand aan. 'We hebben de uitslag, hoor. Excuses voor het lange wachten, het is een gekkenhuis vandaag.'

Met strakgespannen gezichten kijken we haar aan. In alle rust bladert ze door mijn dossier en stopt halverwege. Vanachter een vuurrode bril kijkt ze eerst naar mij, vervolgens naar Max. Ik kan de woorden wel uit haar trekken. 'In jullie geval is het zaad te slecht voor ivf. Waar Max twee maanden geleden nog 900.000 zaadcellen had, zijn het er nu 500.000.'

'Hoe kan dat nou?' vraagt hij, overrompeld door het bericht dat in een paar weken tijd de helft van zijn zaadcellen verdwenen is.

'Dat kan aan veel factoren liggen. De kwaliteit en hoeveelheid zaad verminderen wanneer je koorts hebt gehad, te veel alcohol hebt gedronken of flink hebt gerookt.'

Ik kijk argwanend naar Max die verwoed zijn hoofd schudt. 'Ik heb de afgelopen weken als een Boeddha geleefd.'

'Een tekort aan vitamine C kan ook nog van invloed zijn,' schiet ze hem te hulp.

Max haalt zijn schouders op. 'Ik heb juist extra vitaminepreparaten geslikt.'

'Maar wat betekent dit precies voor ons?' onderbreek ik het stel.

'De ivf-grens ligt bij een miljoen. Bij ivf worden circa honderdduizend spermacellen met één eitje samengebracht. De snelste zaadcel dringt in het eitje. Omdat Max ver onder het miljoen zit en zijn zaad ook nog eens traag is, werkt ivf niet. De kans dat er embryo's tot stand komen is te klein.' Ze glimlacht even. 'Dus gaan we icsi toepassen. Een techniek waarbij de zaadcel direct in de eicel geïnjecteerd wordt.'

'Is dat niet gevaarlijk voor de baby, een naald door het eitje prikken?' vraag ik bezorgd. Het lijkt me eerlijk gezegd nogal wat, een scherpe naald die mijn eicel doorboort.

'De kans op een kindje met een afwijking is bij icsi één op tweehonderd. Er is dus een klein risico.'

Max legt zijn arm om mijn schouder en trekt me naar zich toe. 'Hebben we bij deze techniek meer of minder kans op embryo's?' wil hij weten.

'Bij icsi is die kans groter, omdat je de zaadcel een handje helpt.' Opgelucht halen we adem.

'We bellen jullie over drie dagen om aan te geven of er embryo's tot stand zijn gekomen.'

God, dat kan ook nog gebeuren. U hebt om precies te zijn nul embryo's, mevrouw Muller. Het spijt ons, volgende keer beter. 'Komt het wel eens voor dat er geen embryo's ontstaan?' vraag ik voorzichtig.

'In zes procent van de gevallen komt er geen embryo tot stand, maar dat betekent niet automatisch dat het de volgende keer weer niet gaat lukken.'

'Wat een aardige vrouw,' zeg ik tegen Max als de liftdeuren sluiten. 'Net wat je nodig hebt op dit soort momenten.'

De rest van de dag heb ik vrij genomen. Veertig kleine wondjes vanbinnen. Goed voelbaar. Ik zet mijn computer aan en zie dat Kate een kaartje via Hallmark heeft gestuurd. Sterkte vandaag Barbertje, nog een paar dagen, hou vol. Dikke kus J en K.

Wat lief. Ik stuur haar direct een mail terug. Dank jullie wel! De punctie was pijnlijk, het leek wel een slachting. Ik loop nog krom. Wat ben ik blij dat het achter de rug is. Vanaf nu wordt het alleen nog maar leuk en spannend. Als het allemaal goed gaat word ik over vier dagen bevrucht en twee weken later kan de test positief zijn. Dan ben ik zwanger, dat zou toch geweldig zijn? Gekke gedachte, vind je niet? Over vier dagen bevrucht worden met behulp van de dokter in plaats van mijn geliefde. De hormonen gieren door mijn lijf, ik voel me nu al zwanger. Ik hoop dat de buikpijn snel minder wordt. Zoen van mij.

Drie dagen later gaat om stipt negen uur de telefoon. Mijn hart bonst bijna mijn borstkas uit. Ik kan nog net mijn naam uitspreken. Dan stop ik met ademen.

18

2006

'Gefeliciteerd, van de achttien geschikte eicellen zijn twaalf embryo's tot stand gekomen.'

Ik druk de telefoon dichter tegen mijn wang. 'Een heel elftal met een reservespeler,' fluister ik. Klaar voor een heel jaar. Twee embryo's terugplaatsen, de rest in de vriezer. Stel dat het nu niet lukt, dan kan ik maandelijks een bevroren embryo terug laten plaatsen. Geen vervelende injecties, geen horrorhormonen meer in mijn lijf en vaarwel onverdoofde puncties. 'Oh,' stamel ik en de tranen rollen over mijn wangen. 'Ik ben zo gelukkig, dank u wel voor het bellen.' Ik haal mijn neus op en zucht diep.

'Dat kan ik me goed voorstellen. Je hebt ook je best gedaan. Over een week mag je bellen of er invrieswaardige embryo's tot stand zijn gekomen.'

Ik blijf even stil. 'Ik dacht dat we twaalf gezonde embryo's hadden,' reageer ik vertwijfeld.

'Dat klopt. Als als ze over een paar dagen nog steeds van goede kwaliteit zijn, zijn ze invrieswaardig. Morgen om 09.00 uur staat de terugplaatsing gepland. Vergeet niet dat je met een volle blaas moet komen, dan kan de dokter goed zien waar hij de embryo's plaatst.'

Een jonge arts schudt ons de hand. Een positief naar boven afgeronde inschatting geeft hem vierentwintig lentes. Geen zorgen. Dit is vast een briljante, hyperintelligente studiebol, die in plaats van de fysieke anatomie van de vrouw, de anatomie van de mens vanuit de boeken bestudeerde. Een stoffige, puisterige student die zelden buiten kwam, enkel en alleen om zo nu en dan met zijn studievrienden te schaken en te brainstormen over de oneindigheid van het heelal. Dat is de reden dat hij zo snel is afgestudeerd.

Ik doe mijn best ontspannen in de stoel te gaan liggen. Dit wordt een moment waar ik van wil genieten. Na alle narigheid zijn we eindelijk op dit punt aangekomen.

Maar mijn ontspanning lijkt van korte duur. Olivier heeft er moeite mee de embryo's terug te plaatsen. 'Moeilijk moeilijk,' mompelt hij. 'Kun je dokter Freser omroepen? Geef aan dat het spoed is.'

Zijn assistente vliegt de gang op, op zoek naar dokter Freser.

'Wie is dat en waarom lukt het niet zonder haar?' vraagt Max argwanend. Het kost me inspanning om mijn gezicht in de plooi te houden. Ik was er al bang voor, deze jongeman is te jong om zich met zoiets belangrijks als onze embryo's bezig te houden. Ik bestudeer zijn rimpelloze gezicht, de sproeten rond zijn neus, zijn kleine grijsblauwe ogen.

Olivier glimlacht onwennig. 'Dokter Freser is een ervaren gynaecoloog en ik wil dat ze naar je baarmoeder kijkt. Ik zie donkere vlekjes waar ik meer over wil weten. Als het veel vocht is, wordt de terugplaatsing bemoeilijkt. Dan kunnen de embryo's wegspoelen.' Met een onderzoekende blik focust Olivier zich weer op het scherm.

Op de gang hoor ik het zachte monotone geluid van mensenstemmen. Twintig minuten lig ik nu wijdbeens te wachten op de dokter die meer duidelijkheid over mijn baarmoeder moet geven. Met een felle lamp op mijn vagina gericht en een blaas die inmiddels op knappen staat.

Eindelijk zwaait de deur open. 'Goedemorgen,' echoot het in

de kleine kamer. Dokter Freser schudt ons de hand en gaat naast Olivier staan.

'Hier zie ik vlekken in de baarmoeder,' zegt Olivier wijzend naar het scherm dat links van mij hangt. 'Het ziet er onrustig uit, vindt u niet?'

Freser concentreert zich op het scherm en haalt uiteindelijk haar schouders op. 'De embryo's kunnen gewoon teruggeplaatst worden.' Ze tikt met haar vinger tegen het beeldscherm. 'Wat je hier ziet is een kleine hoeveelheid vocht, niets aan de hand. Mijn voorstel is de embryo's helemaal boven in de baarmoeder te plaatsen.' Fresers blik dwaalt af naar de assistente die voor de stoof staat. Daar liggen onze embryo's (op lichaamstemperatuur) te wachten voordat ze mijn baarmoeder in mogen. 'Ze zijn toch nog wel in de stoof?' vraagt ze en haar ogen schieten onrustig via Olivier naar de stoof en weer terug. Dit gesprek bevalt me niets.

'Nee.' Hij probeert zeker te klinken, maar de lichte zenuwtrilling in zijn stem ontgaat me niet. Olivier buigt voorover naar haar oor. 'Die zitten al in de katheter,' fluistert hij.

Ik heb ze ineens door, die twee. Ze doen net alsof het in orde is, maar het is verre van goed. Er ontstaat een knoop in mijn maag die almaar vaster draait. Ik ben bang dat onze prachtige embryo's, die ontzettend hun best hebben gedaan zich in meerdere cellen te delen en eindelijk groot en sterk genoeg zijn om in hun moeder teruggeplaatst te worden, niet meer in leven zijn.

'Dokter,' mijn stem klinkt hees van onmacht. 'Jullie lijken niet zeker van je zaak en daar zou ik normaal niet zo'n moeite mee hebben. Maar na drie weken hormonen spuiten, een bijna-dood-ervaring tijdens de punctie en nu eindelijk het moment van terugplaatsing van onze embryo's, vind ik het niet te verkroppen.'

Max knijpt in mijn arm. Ik weet dat hij zich schaamt, maar dat interesseert me niet. Het gaat hier wel om mijn tweeling.

'Niets aan de hand, Barbara. Het gaat allemaal volgens protocol. Geen zorgen.' Freser geeft een geruststellend klopje op mijn been, dat nog steeds in de beugel hangt.

'Zal ik ze nu dan toch maar even terug in de stoof doen?' stelt Olivier voorzichtig voor.

Freser trekt haar wenkbrauw op en schudt zichtbaar geërgerd haar hoofd. 'Nee, dat zou ik nu niet meer doen. Plaats ze maar direct in de baarmoeder.'

Nu is het genoeg. Ik hijs mijn benen uit de beugels en stap uit de stoel. Mijn zelfbeheersing is in rook opgegaan, ik moet mijn tweeling beschermen. Met schichtige ogen bekijk ik de mensen om me heen. Stilzwijgend neemt iedereen me van top tot teen op. Dan loop ik op blote voeten naar de stoof en druk ik mijn handen tegen de glazen raampjes. 'Waar zijn mijn embryo's?' roep ik en ik hoor hoe radeloos mijn stem klinkt.

De assistente steekt schuchter één hand in de lucht. 'Hier,' stamelt ze. 'Die zitten veilig in dit slangetje opgeborgen. Kom, ga maar weer rustig zitten.' Ze pakt me bij mijn arm en duwt me onder lichte dwang naar de stoel.

Ik probeer diep in te ademen door mijn neus en uit door mijn mond. Buik uit, buik in. Het geeft me geen enkele rust.

Max probeert de situatie te redden. 'Ze is zichzelf niet meer,' zegt hij verontschuldigend. 'Hormonen,' fluistert hij er nauwelijks hoorbaar achteraan.

Pas wanneer ik ga zitten heb ik door dat ik geen broek en ook geen onderbroek draag. Een krachtige opvlieger dient zich aan. Een die zich niet zo makkelijk weg laat puffen. 'Dit heeft niets met hormonen te maken,' sis ik. 'Ik wil voorkomen dat mijn embryo's door jullie fout niet meer levensvatbaar zijn. Ik heb gelezen dat embryo's maar een paar seconden buiten de stoof mogen. Volgens mij zitten ze al die tijd al in de katheter. Wie kan mij verzekeren dat ze nog leven?'

Het wordt beklemmend stil in de behandelkamer. Olivier krabt op zijn hoofd.

'We weten hier echt wel wat we doen,' zegt Freser uiteindelijk om de situatie te redden.

Ik kijk naar Olivier. 'Het spijt me ontzettend voor je jongen, maar ik heb liever dat jij van onze embryo's afblijft. Als iemand ze terug gaat plaatsen is het dokter Freser.'

Olivier laat zijn armen langs zijn pezige lichaam vallen. Zijn ogen blijven steken op zijn donkerblauwe Crocs.

Met een opgetrokken wenkbrauw kijk ik naar dokter Freser. Ze knikt, waarna de assistente met trillende handen de katheter aanreikt.

Ik zak terug in de rugleuning en til mijn benen weer in de beugels. Een vertoning als deze zullen ze niet eerder meegemaakt hebben, bedenk ik met het zweet in mijn handen. Ik heb geprobeerd me in te houden, maar het idee dat dit terugplaatsteam er een potje van maakte, zorgde voor kortsluiting in mijn hoofd. Langzaam kom ik tot bedaren.

Max biedt me zijn hand aan, waar ik gretig in knijp.

Het buisje met daarin de embryo's wordt zachtjes naar binnen geduwd. Het duurt maar een paar seconden. De katheter wordt teruggetrokken en door Freser aan de assistente overhandigd.

'Weet u zeker dat ze nog leven?' vraag ik. 'De situatie van daarnet heeft me erg onzeker gemaakt.'

Er verschijnt een professionele glimlach op Fresers lippen. 'Vertrouw me maar, de terugplaatsing is goed verlopen.' Ze pakt een potlood uit de binnenzak van haar witte jas en wijst ermee naar het scherm. 'Zie je deze luchtbelletjes? Dat zijn de embryo's die teruggeplaatst zijn. Nu gaan ze hun weg zoeken en hopelijk houden ze zich vast aan je baarmoederwand.'

Ik kom omhoog uit de stoel en knijp mijn ogen samen. Max kijkt over mijn schouder mee. Het enige wat we zien is een zwart beeld met vlokjes. Freser neemt plaats achter een bureau. Met haar linkerhand bedient ze de muis, klikt op enter waarna er een zwart-witfoto uit de printer rolt. 'De eerste foto van jullie mogelijke kindje. Of kindjes,' vult ze zichzelf lachend aan.

Ik druk de foto tegen mijn hart en sluit mijn ogen. Heb ik me vergist? Ben ik paranoïde? Mogen we oprecht hopen dat de behandeling is gelukt?

Dokter Freser heeft een recept voor nieuwe medicatie meegegeven. Driemaal daags moet ik twee progestan-tabletten vaginaal inbrengen. Dit om mijn baarmoederslijmvlies dikker te maken, zodat de embryo's geholpen worden goed in te nestelen. De volgende bijwerkingen zijn op mij van toepassing:

- Een onbedwingbare vermoeidheid steekt vrijwel direct nadat ik de pillen heb ingebracht de kop op.
- Een dikke witte drab drupt onafgebroken in mijn slipje (het beschermingshulsje wordt niet opgenomen, dus dat sijpelt er gewoon weer uit).
- Ik voel me er vreselijk zwanger door waardoor ik in constante euforie verkeer. Mijn borsten zijn gevoelig en ik ben misselijk.

Als ik de vijfde dag na de terugplaatsing wakker word, realiseer ik me dat ik al bijna op de helft ben. Nog negen dagen voor de test. Nadat ik de zetpillen naar binnen heb geduwd, stap ik uit bed om naar het toilet te gaan. Het lijkt of ik blijf plassen. Ik druk het licht op de felste stand en kijk om. Het bloed dat zich vermengt met het water is lichtrood van kleur. Verstijfd van schrik zit ik op de toiletbril. Het begint me te duizelen. Hoe kan dat nou? Ongesteld kan ik toch nog niet worden?

19

2002

Terwijl ik achteloos op mijn computer inlogde, sprong zijn e-mail eruit. 'Stan Warnings'. Als uit de dood herrezen sprong ik uit mijn stoel. Ik bracht mijn gezicht dichter bij de computer. Mijn ogen plakten bijna tegen het scherm. De kusman mailde, hij had geen slechter moment uit kunnen zoeken.

Hij schreef dat hij steeds aan onze bijzondere ontmoeting moest denken. *Ik nodig je uit om naar Londen te komen. Je kunt bij me blijven slapen. Ik droom ervan om je dicht bij me te voelen.*

Mijn adem stokte. Stan, Londen, avontuur! Voor een moment vergat ik dat er een baby in mijn buik groeide. Ik klampte me vast aan mijn overtuiging dat niets voor niets gebeurde en dat ik maar uit moest gaan vinden waarom Stan precies op dit moment in mijn leven op mijn pad kwam.

Beste Stan, wat dacht je van aanstaande vrijdag? Wij organiseren zaterdag een trouwerij in Oxford. Dan neem ik mijn vriendin Lisa mee. Ik hield mijn adem in. Zou ik op verzenden drukken of heel snel vergeten met wat voor belachelijk plan ik bezig was en verder gaan met mijn zwangere leven in Nederland? Met de muis ging ik tergend langzaam van verzenden naar annuleren en van annuleren naar verzenden. Avontuur/baby. Baby/avontuur. Vliegensvlug klikte ik op verzenden. Het zou waarschijnlijk mijn laatste avontuur in dit leven zijn, ik vond dat ik het verdiende.

Vijf minuten later mailde Stan. *Je maakt me de gelukkigste man ter wereld. Zal ik jullie van de luchthaven halen?*

Ik antwoordde snel voordat ik weer aan het werk ging. *Laten we elkaar in de avond ontmoeten. Ik reserveer een hotel. Bel je als we er zijn. Liefs, Barbara.*

Nu moest ik Lisa nog zien over te halen. Ik pakte de telefoon en toetste haar nummer in.

'Ik sta in de Hema en ben over tien minuten op kantoor. Kan het niet even wachten?'

'Liever niet. Ik zal het kort houden. We gaan een dag eerder naar Engeland.'

Het bleef even stil. 'Waarom? We hebben toch al tickets voor zaterdagochtend?'

Ik knikte. 'Die ga ik op mijn kosten omboeken. We gaan namelijk mijn kusman opzoeken in Londen, slechts een uurtje bij Oxford vandaan.' Mijn vingers hield ik gekruist. 'We schakelen de telefoon door, dan kan het werk gewoon doorgaan,' ging ik overtuigend verder.

Lisa klakte met haar tong. 'Heeft hij je gebeld?'

'Dat vertel ik je zo wel. Maar we moeten snel zijn, het is overmorgen al.'

Weer stilte. 'Goed, ik zie namelijk nu al enorm op tegen die belachelijk vroege vlucht van zaterdag. Maar ik ga mee op één voorwaarde. Jij zorgt ervoor dat die knappe kusman van jou een nog leukere vrijgezelle vriend meeneemt. Ik moet er niet aan denken om als vijfde wiel aan de wagen met jullie mee te steppen.'

Ik sprong op uit mijn stoel en stompte van blijdschap mijn vuisten in de lucht. 'Ik beloof plechtig dat ik mijn best voor je ga doen, liefste Liesewies.' Opgelucht drukte ik haar weg. Met spanning in mijn buik wijzigde ik de datum van de heenreis. Ik vertelde Lisa onderweg naar Schiphol wel over mijn spontane zwangerschap.

We leken net twee dolle tieners op weg naar hun eerste afspraakje. Tot we vlak bij Schiphol waren. Ik drukte de muziek uit en draaide me naar haar toe. 'Ik moet je wat vertellen.' Mijn ogen volgden een grote groene Jeep die ons in rap tempo inhaalde. Ik keek naar de steeds kleiner wordende nummerplaat. 'Ik ben zwanger,' fluisterde ik en ik wreef zenuwachtig over mijn witlinnen broek.

Lisa trapte op de rem, gooide het stuur om en reed naar de vluchtstrook.

'Wat doe je?' gilde ik, terwijl ik mijn handen voor mijn ogen sloeg. 'Je rijdt levensgevaarlijk!'

Met piepende banden kwam de auto tot stilstand. Lisa's wangen gloeiden en ik bespeurde kleine zweetpareltjes boven haar lip. 'Je laat me zo schrikken dat ik onmogelijk verder kan rijden,' hijgde ze. Ze trok een gezicht alsof ze moest poepen. 'Wie is de vader?' vroeg ze nadat ze een tijdje voor zich uit had gestaard.

Mijn wenkbrauwen trokken samen. 'Frank natuurlijk, er is toch niemand anders in de tussentijd geweest?'

Ze keek me verwonderd aan. 'Sinds wanneer zijn jullie dan weer samen?'

Ik schudde mijn hoofd. 'Dat zijn we niet. Ik moet dus al even zwanger zijn.'

Lisa's ogen straalden een en al ongeloof uit. 'Heb je dan helemaal niets gemerkt?'

Ik haalde met een hulpeloos gebaar mijn schouders op. 'Ik was de laatste weken moe en niet helemaal lekker, maar dan denk ik natuurlijk niet direct aan een zwangerschap.'

'Je slikt toch de pil?'

Ik sloeg mijn ogen neer en het voelde alsof alle spanning van de afgelopen dagen in één keer naar mijn hoofd trok. 'Ik ben een van die honderd waar je wel eens over leest.'

Lisa trok aan een blonde krul die langs haar gezicht hing en sprak met een stem die stukken zachter klonk dan daarnet. 'Wat zal dit heftig voor je zijn,' fluisterde ze.

Mijn onderlip begon zo te trillen dat ik de woorden nauwelijks uit kon spreken. 'Ik ben heel erg van slag en weet totaal niet meer hoe het verder moet met mijn leven.' Het volgende moment begon ik onbedaarlijk te huilen. De eerste tranen na de test. Schokschouderend wierp ik me in haar armen. Voor mijn gevoel lag ik daar uren. Lisa's blouse was in ieder geval goed nat.

Na een tijdje veerde ze op en keek ze op haar horloge. 'Het spijt me, maar we moeten nu echt verder rijden. De incheckbalie sluit over een kwartier.'

'Het lijkt me geen handig moment om die kusman op te zoeken, denk je wel?' zei Lisa bedenkelijk toen het vliegtuig opsteeg.

Mijn mondhoek krulde zich om tot een glimlach. 'Ik ben gewoon nieuwsgierig naar hem. Natuurlijk ben ik niet op zoek naar een nieuwe vader voor mijn kind. Alsof hij daarop zit te wachten. Maar ik wil nog één keer iets avontuurlijks meemaken, voordat mijn leven een stuk serieuzer wordt.'

Met haar vingers streek Lisa over de glanzende cover van de nieuwe *Cosmopolitan*.

'En het kwam natuurlijk bijzonder goed uit dat we dit weekend al in Engeland waren. Twee vliegen in één klap.'

Lisa slaakte een zucht die diep uit haar borst kwam en keek langs me heen naar de wolken. 'Heb je er al aan gedacht om het vruchtje weg te laten halen?'

Ik schudde vastberaden mijn hoofd. 'Dat zou ik nooit kunnen. Hoewel ik waarschijnlijk de meest ongeschikte moeder op aarde ben. Zonder relatie en zonder kinderwens. Dit kindje is er niet voor niets en heeft het recht om te groeien en geboren te worden.'

Ze keek me verontschuldigend aan en kneep zachtjes in mijn hand. 'Ik vind je dapper. En wat er ook gebeurt, ik sta achter je.' We bestelden twee cola en een muffin bij een steward die volgens Lisa naar mottenballen rook. 'Weet Kate het eigenlijk al?' vroeg ze met een schuin oog op de modeplaatjes in het glossy blad.

'Nee, ik vertel het haar als we terug zijn uit Oxford. Maandag heb ik met haar afgesproken.'

Lisa bladerde verder en toen ze op de laatste pagina was tikte ze opgewonden met haar vinger op een stukje tekst. 'In augustus in *Cosmopolitan*: "Bijzondere beroepen".'

Het Egeton Hotel was het kleinste hotel dat ik ooit had gezien. Het lag in de levendige wijk Knightsbridge. Ik had net de laatste kamer kunnen reserveren, met dank aan een annulering.

'Je zou niet zeggen dat we nu in hartje Londen zijn,' zei ik, genietend van al het groen om ons heen.

'Het is jammer dat we morgen al vroeg naar Oxford moeten,' mijmerde Lisa. 'Harrods is maar vijf minuten rijden met de taxi.'

We checkten in en keken naar de grote goudkleurige klok die achter de receptie hing. 'We hebben nog een uur om ons op te frissen,' rekende Lisa uit. Op de eerste verdieping aangekomen stak ze de sleutel in het slot en keek me van opzij aan. 'Je ziet er moe uit. Ga jij maar eerst, daar knap je van op. Ik douche vanavond wel.'

Dankbaar keek ik haar aan. 'Ik ben ook moe en een beetje misselijk.'

Lisa gaf me een knuffel waarna ze direct de MTV-zender opzocht. 'Denk jij maar even aan jezelf en aan je baby.' Terwijl ze dat zei keek ze me verschrikt aan. 'Dat klinkt wel heel erg gek, jouw baby,' grinnikte ze. Ze schopte haar schoenen uit, gooide haar handen in de lucht en danste op Madonna.

In bad dompelde ik mijn hoofd onder water en ik bleef op de bodem liggen totdat ik zuurstoftekort kreeg. Op de achtergrond hoorde ik Lisa meezingen met 'Like a Virgin'. Ik blies mijn laatste lucht naar de oppervlakte en keek hoe de ronde belletjes hun weg naar de oppervlakte vonden. Happend naar adem kwam ik weer boven. Ik droogde me af, smeerde mijn lichaam in met bodylotion van Clarins en trok een zwart halterjurkje met idioot hoge hakken aan. Mijn nieuwe zwangerschapsborsten kwamen er verleidelijk in uit, bedacht ik tevreden. Ik krulde mijn haar en bekeek de blonde plukjes die de kapper erin had gedaan. Het zag er fris uit, lentefris. Ik deed meer poeder en rouge op dan normaal, om mijn witte gezicht te verbergen. Met een mosgroen kohlpotlood zette ik mijn ogen dik aan en tot slot bracht ik lipgloss op.

Lisa was ondertussen ook omgekleed en zag er oogverblindend uit. Ze had een lichte skinny jeans, een witte blouse en witte halfhoge laarsjes aan. Ze kneedde een paar keer in d'r haar, draaide haar hoofd van links naar rechts, waarna het geweldig viel.

'Het is een godsgeschenk als je met dat haar geboren wordt,' zei ik watertandend. Het zou mijn grootste cadeau zijn om één dag in mijn leven met zulk haar wakker te worden. Haar dat nooit bewerkt hoeft te worden om charmant voor de dag te komen. We knikten naar de piccolo die voor de ingang van het hotel stond. Hij hield een gele taxi aan die ons via Bompton Road naar de Thames bracht. De eerste minuten keken we met een gelukzalige blik naar de winkels waar we langsreden. Hoge etalages, die voornamelijk uit glas bestonden met daarachter de meest prachtige winterkleding waar menig vrouw haar vingers bij afgelikt zou hebben. 'Het is maar goed dat we morgen geen shoptijd hebben. Deze winkels zijn dodelijk voor mijn portemonnee,' verzuchtte ik.

Naarmate de locatie dichterbij kwam, kregen we klamme handen. We hadden afgesproken bij een vrijdagmiddagborrel op een boot aan de Thames. Lisa was nerveus omdat Stan mij ervan overtuigd had dat zijn beste vriend, een fervent surfer en wereldreiziger, sinds drie weken weer vrijgezel was en wel zin had in een leuke dubbeldate. Voor de achtste keer in twintig minuten vroeg ze of ze d'r haar toch niet beter op kon steken, omdat ze vond dat haar kaaklijn dan beter uitkwam. Aan de andere kant werd de pukkel op de rechterkant van haar kin dan weer beter zichtbaar, gaf ze met een hopeloos gebaar aan.

'Je ziet er prachtig uit, ik denk dat hij bij de eerste aanblik direct op zijn goed gevormde surfknieën valt om je ten huwelijk te vragen.' Ik op mijn beurt was nerveus omdat ik Stan slechts een paar uur had gezien, waarvan ik grotendeels in kennelijke staat verkeerde. Met nog een verschil. Toen had ik nog geen baby in mijn buik.

We betaalden tien pond en wandelden het dek op. 'Wat een mensenmassa,' riep ik boven de muziek uit. 'Hoe gaan we die mannen in godsnaam tussen al deze mensen herkennen?' We veroverden een plekje aan de bar en namen plaats op twee hypermoderne krukken. Het hele interieur van de locatie was wit en de wanden waren bekleed met witleren kussens met nopjes. De bar had een glimmend zwart blad en aan beide kanten stonden grote vazen met witte lelies. De barmannen droegen zwarte pakken met ton sur ton overhemden en zagen er allemaal top uit.

'Dit zou een geweldige locatie zijn voor een trouwfeest,' kraaide Lisa.

Op het moment dat ze een mojito en een cola light bestelde, voelde ik een warme hand op mijn blote rug. Ik draaide me om en keek verrast naar Stan, die direct zijn hand in de mijne vouwde.

'Dag schoonheid, eindelijk kan ik je weer in je ogen kijken.'

Voor een moment kromp mijn maag ineen. Hij was nog net zo aantrekkelijk als de laatste keer dat ik hem gezien had en hij was ook nog eens goed gekleed.

Ik wreef met mijn hand over zijn donkergrijze krijtstreep pak. 'Goed om je te zien, Stan.'

Lisa nam de drankjes van de barman aan en voor ze zich naar ons omdraaide, had ze de helft van haar mojito al naar binnen gewerkt. Ze keek verbaasd naar Stan. 'Is dit hem?' gilde ze in mijn oor, terwijl ze met haar wijsvinger zijn kant op wees. Ik knikte en haar gezicht klaarde op. 'Wauw.' Ze gaf hem drie ferme kussen, waarna ze nerveus om zich heen keek, op zoek naar zijn vriend Matthew.

Stan legde een arm om haar schouder en zei dat Matthew wat later kwam en met z'n drieën proostten we op onze ontmoeting.

Anderhalf uur later werd Stan enthousiast begroet door een jongen. Ik keek naar zijn gedrongen lijf en mijn oog bleef steken bij zijn goed gevulde Engelse bierbuik. Ik schatte hem maximaal 1 meter 65, omdat ik dankzij mijn hakken zeker tien centimeter boven hem uittorende. Zijn dunne haren waren strak in een scheiding naar links gekamd, een verwoede poging om zijn vergevorderde staat van kaalheid te verhullen. Toen de twee vrienden waren uitgeknuffeld, zei Stan: 'Mag ik jullie voorstellen aan mijn beste vriend Matthew?'

Het werd stil en alle ogen waren op de kleine man gericht. Ik keek verschrikt van Lisa naar Matthew en herhaalde dat een keer of vier. Om niet onbeleefd over te komen vermande ik mezelf en begroette ik hem. 'Leuk je te ontmoeten,' hakkelde ik. Daarbij gaf ik aan dat ik al veel over hem gehoord had. 'Niets dan goede verhalen uiteraard.'

Matthew lachte met een vrolijk gezicht zijn kleine tandjes bloot.

Lisa schraapte paniekerig haar keel en gaf aan dat ze nodig naar het toilet moest. Ze gaf Matthew een slap handje en snelde richting wc.

'Excuseer me even,' zei ik op mijn allervriendelijkst, terwijl ik Stan hard in zijn zij porde en me ook richting toiletten begaf.

'Lisa, waar zit je?' Aan de rode streepjes op de sloten zag ik dat alle toiletten bezet waren.

Lisa kenmerkte zich door stilzwijgen.

Ik zuchtte, keek in de spiegel en moest jammerlijk toegeven dat ik er moe uitzag. Zwanger zijn, de kusman opzoeken in Londen en morgen een trouwerij organiseren, het was misschien wat veel.

Op mijn hurken ging ik alle toiletten af, op zoek naar witte laarsjes. Bij het derde toilet vond ik haar. Ik leunde met mijn hoofd tegen de deur. 'Ik zweer je dat ik hier niets van af wist. Het spijt me enorm dat je je verheugd had op jouw *gift to women*, maar wie weet is hij wel heel aardig.' Ik kon een zachte gniffel niet onderdrukken.

'Rot op,' antwoordde ze. 'Ik ga niet meer terug naar die pluizige dwerg en als jij hem zo leuk vindt, dan ruilen we toch gewoon?' Ze trok het toilet door.

'Doe niet zo kinderachtig, hij is niet de enige man op deze borrel. Verman je en kom die wc uit!'

Lisa opende de deur en stak haar verhitte hoofd om het hoekje. We keken elkaar aan en schoten in een lach die zacht begon en steeds hysterischer werd. Nadat we de tranen van ons gezicht hadden gedept, liepen we terug naar de mannen, die galant met een volgend drankje in hun handen stonden te wachten.

Op het moment dat het intiemer werd en Stan me wilde kussen, vertelde ik van mijn zwangerschap. Dat deze niet gepland was en dat ik van slag was.

'Nu begrijp ik waarom je niet bij mij slaapt,' zei hij, terwijl hij een lok achter mijn oor streek.

Ik sloeg mijn ogen naar hem op. 'Weet je Stan, ik vind je leuk.' Ik verstrengelde mijn vingers met de zijne. 'In de categorie heel erg leuk, zeg maar.'

Hij keek me met een verlegen blik aan en boog zich voorzichtig naar me toe.

'Maar ik kan er niets mee. Ik bedoel, ik ben zwanger. Dan moet ik me gaan gedragen, een serieuze moeder en vrouw worden, begrijp je?'

Stan schoot in de lach en drukte zijn lippen op mijn mond.

Mijn onderbuik tintelde, mijn ogen straalden. Ik wilde hem, vandaag en misschien nog wel veel langer. Stel dat we geweldig bij elkaar zouden passen. Als een stel dat altijd plezier had en nooit op elkaar uitgekeken raakte. Waar de verliefdheid een leven lang in hun relatie verweven bleef. Verstokt aan elkaars lichaam, geur en ziel. Dan zou ik dat toekomstbeeld nu ruïneren vanwege een zwangerschap.

Onze lippen waren versmolten. Zijn geur bedwelmde me. Het was de nieuwste Gucci; kruiden vermengd met frisse citrusvruchten.

Stans tong gleed bij me naar binnen. Kort, maar lang genoeg om te weten dat deze man wel eens verslavend kon zijn.

Ik sloot mijn ogen. Plotseling zag ik mezelf over vier maanden. Als een opgezet nijlpaard. Mijn uitgezette voeten in Birkenstocks gestoken. Zwanger van een andere man. Het zou een verkeerde start zijn. De gloed in mijn ogen doofde langzaam.

'Het spijt me, ik wil je dolgraag. Niets liever op dit moment, maar het kan gewoon niet.' Mijn vinger gleed over zijn gladgeschoren wang. 'Wat moet jij met een zwangere vrouw? Daarbij zou het niet goed zijn als ik me nu opnieuw in de armen van een man stort.'

Stan hield zijn hoofd een beetje schuin en lachte een onweerstaanbare glimlach die me direct week maakte.

Mijn lichaam trilde. Waar was ik in godsnaam mee bezig? In een ander leven was ik vanavond met hem meegegaan naar huis en hadden we een magische nacht beleefd. Het had bij één nacht kunnen blijven of het begin kunnen zijn van iets moois. Maar daar zouden we nooit meer achter komen.

Stan kwam iets dichterbij en nam mijn gezicht in zijn handen. Hij keek me liefdevol aan. 'Ik begrijp je, Barbara. Je wilt graag zuiver blijven voor je kindje en dat maakt je nog mooier. Maar we kunnen toch contact houden? Wie weet wat de toekomst ons brengt.' 'I'm walking on sunshine' schalde uit de boxen. Op de achtergrond hoorde ik mensen aanstekelijk meezingen.

'Mag ik haar even lenen?' gilde Lisa om boven het geluid uit te komen. Zonder zijn antwoord af te wachten trok ze aan mijn arm en duwde me naar de dansvloer. 'Je moet met hem meegaan, Bar, ik ga wel alleen naar de hotelkamer.' Aan haar blik te zien was ze bloedserieus.

'Lies, ik vind het erg leuk om Stan nog een keer ontmoet te hebben. Maar ik realiseerde me net dat het niet goed zou zijn om hem vaker te zien. Te gecompliceerd. Over een paar maanden ben ik dik. En word ik alleen maar dikker. Ik ga een nieuwe levensfase in. Eén waar Stan in ieder geval niet in past.'

Ze haalde haar schouders op. 'Dan neem ik hem,' grapte ze, waarna ze een rondje om haar as draaide. 'Het zou een doodzonde zijn als deze man vannacht alleen slaapt.'

Voor middernacht vertrokken we naar het hotel. Stan en ik hadden samen gedanst. Elkaar vastgehouden. Ik had zijn geur opgesnoven. Ieder moment had ik goed in me opgenomen en ik had ervan genoten, omdat ik diep vanbinnen wist dat het de laatste keer zou zijn dat ik met hem samen was.

In de taxi kreeg ik een pijnscheut in mijn buik. Met mijn vingers draaide ik masserende rondjes om mijn navel om de kramp tegen te gaan.

'Komt vast omdat je zo moe bent. Je hebt de hele avond gedanst.' Verwonderd schudde Lisa haar hoofd, wijzend naar mijn schoenen. 'Op die hakken.'

In de badkamer kleedde ik me langzaam uit. Uitgeblust ging ik op het marmeren toilet zitten. Voordat ik door wilde trekken, draaide ik me om en keek in de toiletpot. Ik werd koud en warm tegelijkertijd.

20

2002

'Lisa, kom eens kijken.'

Lisa kwam achter me staan, leunde op mijn schouder en sloeg met een gil haar hand voor haar mond. Samen keken we naar de dikke stolsels die zich mengden met het wc-water. Het dieprode bloed transformeerde langzaam naar roze en werd steeds lichter.

Geschrokken trok ik door. 'Ik denk dat ik een miskraam heb.'

Lisa keek me bezorgd aan en wreef over mijn arm. 'Zal ik de receptie bellen en vragen of ze een dokter willen sturen?'

Ik ging op de rand van het bad zitten en wreef met mijn handpalm langs mijn klamme voorhoofd. 'Doe maar niet, ik zal toch af moeten wachten' antwoordde ik. 'Ik ben alleen zo moe en mijn buik doet pijn.' Mijn armen hingen slap langs mijn lijf. Ik voelde me verward. Leefde mijn kindje of werd het afgestoten? Van schrik begon ik te huilen.

Lisa nam me in haar armen en wiegde me langzaam heen en weer. 'Lieverd, een beetje bloed hoeft nog niets te zeggen. Ik hoor wel vaker dat zwangere vrouwen bloedverlies hebben. De baby nestelt zich op dit moment misschien wel in.'

'Maar ik voel me zo schuldig,' snikte ik. 'De afgelopen dagen ben ik alleen maar van streek geweest. Nog geen moment heb ik genoten van die positieve test. Ik heb alleen aan mezelf gedacht, wilde mijn leven vooral houden zoals het was, draaiend om mezelf.'

Met haar wijsvinger veegde Lisa een traan onder mijn oog vandaan. 'Je moet niet zo streng zijn voor jezelf. Je hebt alle reden om van slag te zijn, dat betekent toch niet dat je niet van je kindje houdt? Een alleenstaande vrouw zonder kinderwens, die ineens zwanger blijkt te zijn. Ik was hysterisch gaan gillen in jouw situatie, zou me werkelijk geen raad weten. En dat terwijl ik op een dag best kinderen zou willen. Mocht ik ooit nog eens een man ontmoeten.' Lisa glimlachte voorzichtig en streek mijn haar naar achter. Ze pakte haar tas die bij de wasbak lag en haalde er een strip pillen uit. 'Hier,' zei ze terwijl ze twee tabletten uit de verpakking drukte. Ze vulde een glas water. 'Tegen de buikpijn.'

Ik slikte de paracetamol door en wreef met trillende vingers in mijn vermoeide ogen.

Lisa kuste me op mijn voorhoofd. 'Je moet gaan slapen, rust zal je goeddoen. Wie weet valt het allemaal wel mee.' Ze liep de slaapkamer in om mijn pyjama te pakken.

Via de antieke spiegel keek ik naar mijn buik. Hoewel een kindje helemaal niet in mijn planning lag, was ik verdrietig. Natuurlijk had ik alles tegen om op dit moment zwanger te raken, maar toch. Zachtjes tikte ik op mijn buik. 'Hoi lieve Uk, ben je na mijn brief geschrokken en op zoek gegaan naar een andere mama? Ik kan je geen ongelijk geven.' Ik rechtte mijn rug en haalde diep adem. 'Het is misschien wat laat, maar ik wil je laten weten dat je welkom bent.' Ik trok mijn pyjama aan en stapte naast Lisa in bed. Vrijwel direct viel ik in slaap.

De volgende ochtend was de buikpijn weg. Ik stond op en werd direct misselijk. Toch kon ik alleen nog maar aan eten denken. Ik omarmde mijn buik. 'Uk, ben je daar nog?'

Onderweg naar Oxford namen we in de taxi de planning samen door. Voor de laatste keer keken we naar de werkverdeling. Wie welke taak op zich nam. De tijdstippen waarop de gasten, de taart, de lakeien en de hoornblazers, de paarden en de bloemen zouden arriveren. Een generale repetitie op afstand.

Tien maanden waren we met de voorbereidingen bezig geweest. Twee keer waren we naar Engeland afgereisd. Samen met het bruidspaar. Om de sfeer te proeven, de locaties te bekijken en op basis van de wensen van het bruidspaar het concept verder uit te werken tot een unieke trouwdag.

Robert en Marja ontmoetten elkaar vijftien jaar geleden op de universiteit in Oxford. Robert studeerde rechten, Marja medicijnen. Het was hun droom om hun liefde te bezegelen op de plek waar ze elkaar voor het eerst gekust hadden. In de Botanische universiteitstuinen. Het had wat voeten in aarde gehad om de vergunningen te regelen, maar uiteindelijk was het ons gelukt.

De trouwerij werd een groot succes. Zoals altijd waren er gasten die (om iedere mogelijkheid om te laat te komen uit te sluiten) om halfelf al arriveerden. We waren daarop voorbereid en hadden de conciërge bereid gevonden hun een rondleiding door de tuinen te geven.

Voor onze gemoedstoestand was het beter geweest wanneer de diskjockey op tijd achter haar draaitafels had gestaan. We waren een zenuwinzinking nabij, omdat we geen gelijkwaardig alternatief hadden. Een halfuur voor het feest begon, arriveerde dj Isis. 'Technisch mankement,' zei ze schouderophalend terwijl haar assistent ons met twee zilveren koffers in zijn handen voorbijliep.

Het duurde even voordat we weer rustig waren. Het bruidspaar had er gelukkig niets van gemerkt. De hele dag had ik eten nodig om mijn misselijkheid te onderdrukken. Mijn buik voelde ondanks het vele bewegen weer rustig aan.

De gasten vertrokken om halftwee naar hun slaapplaats, waarna Lisa en ik om 03.00 uur uitgeput ons bed indoken. Ik pakte mijn laptop en begon met de uitwerking van de dag. We hadden Karin van *Cosmopolitan* beloofd het draaiboek met aanvullende informatie direct op de mail te zetten, omdat er korte tijd tussen het uitwerken en drukken van het artikel zat.

Lisa was tot niets meer in staat. Die had ter afsluiting (op het moment dat alle gasten vertrokken waren) met twee barmannen tequila gedronken.

Redactie Cosmopolitan
T.a.v. Karin Louwers
Betreft: Draaiboek trouwerij Robert en Marja
Datum: Zaterdag 15 juni 2002
Plaats: Oxford – Engeland

Beste Karin,
Zoals afgesproken mail ik je het draaiboek met een aanvullende, samenvattende tekst. De bruiloft was spectaculair. Wanneer je vragen hebt, kun je me op mijn mobiele nummer bereiken.

Thema dagprogramma: Ridders en Jonkvrouwen
Thema avondprogramma: Glitter & Glamour
13.45: Ridder Robert en zijn getuigen kwamen te paard aan op het universiteitslandgoed. Robert trok de teugels aan en haalde zijn rechterbeen uit de beugel. Met een elegant gebaar zwiepte hij zijn been over de billen van het paard en sprong op de grond. Hij droeg een handgemaakt aluminium harnas met een helm, die hij na het afstijgen schuin op zijn achterhoofd schoof. Hij pakte zijn lans en speelde een schermspel met zijn getuigen. Er volgde een groot applaus onder de gasten. Lisa begeleidde Robert naar het altaar. De paarden werden door de eigenaar van de manege opgevangen en in een trailer begeleid…
19.15: Robert en Marja kwamen aan in een Aston Martin uit 1955 en stapten voor de ophaalbrug uit. Beiden gehuld in dezelfde wit-glanzende pakken. Een strakke broek met daarboven een nauw getailleerd jasje. Marja droeg een laag uitgesneden top en zilveren naaldhakken. Haar donkerbruine haar hing sluik langs haar prachtig

opgemaakte gezicht. Smokey eyes, veel rouge en een transparante lipgloss. Robert droeg een blouse die expres iets te ver openstond en had zijn voeten in zilveren puntschoenen gestoken. Beiden droegen aan de rechterhand een ring met *on top* een grote paarse edelsteen.

19.20: De hoornblazers en lakeien begeleidden het bruidspaar met muziek via het grindpad naar het diner in het eeuwenoude kasteel. De lakeien strooiden rozenblaadjes…

21.50: De gasten werden naar de feestzaal begeleid. Het licht was gedoofd.

Twee gedimde spots sprongen aan. Het zachte licht bescheen twee percussiespelers.

Het stel trommelde een opzwepende beat die binnen vijf minuten naar een hoogtepunt werd geleid. Toen sprong de Saturday Night Fever-dansvloer aan. Een verlichte dansvloer, bestaande uit blokken van vier bij vier meter. Robert en Marja stonden op de blokken, met hun rug naar de gasten toe. Hand in hand, hun silhouetten verlicht. De heupen bewogen tegelijkertijd van links naar rechts en hun vrije arm wees naar het plafond. In hun hand droegen ze een microfoon.

De trommelaars stopten en dj Isis draaide direct aansluitend het nummer voor de openingsdans. 'We are family' van Sister Sledge. Robert en Marja draaiden zich tegelijkertijd om en begonnen te zingen. Vier maanden hadden ze aan de act gewerkt en samen hadden ze de choreografie bedacht. Het zag er bijzonder indrukwekkend uit.

De gasten voegden zich bij het bruidspaar en dansten om hen heen. Ze klapten in hun handen en zwaaiden enthousiast met hun armen in de lucht…

01.45: Vuurwerk.

Een kleine tienduizend euro aan vuurwerk is de lucht ingeschoten. Onder twee voorwaarden: er mochten alleen vuurpijlen worden afgeschoten en het personeel moest het afval voor het eind van de nacht opgeruimd hebben.

Ik geeuwde diep vanuit mijn buik en herlas de tekst. Daarna voegde ik de tien mooiste foto's bij het bestand en drukte ik op verzenden. Robert en Marja waren (net als wij) supertrots dat hun trouwerij in de *Cosmopolitan* gepubliceerd werd.

Ik keek opzij en zag dat Lisa al sliep. Mijn benen voelden loodzwaar aan. Met mijn handen streelde ik mijn blote buik. Door de drukte had ik vandaag nauwelijks aan mijn zwangerschap gedacht. Wat zou de oorzaak zijn geweest van dat bloed van gisteren? Zou ik überhaupt nog zwanger zijn? Maandag moest ik direct maar een afspraak maken bij de huisarts. Zou Stan nog aan me denken? Wat een goddelijke man. Langzaam dwarrelden al mijn vragen naar de achtergrond en viel ik in een diepe slaap.

21

2006

Het is nog aardedonker en zo mag het van mij vanaf nu blijven. Ik wil even geen licht meer. Het liefst zak ik weg in een diepe kuil, schep aarde eroverheen en klaar. Beverig kruip ik tegen Max aan, die nog ligt te slapen. Ik wil hem niet wakker maken, wil hem de hoop niet ontnemen. Nog even niet. Ik sluit mijn ogen en probeer te doen alsof dit niet gebeurd is. Ik wil blijven geloven in het sprookje dat in mijn buik groeide. De baby die over negen maanden in ons gezin geboren zou worden.

Max begint te bewegen en draait zich naar me toe. Hij opent zijn ogen en kijkt me slaperig aan. 'Hoe gaat het vandaag met jullie?'

Ik kom omhoog en steun met mijn elleboog op het matras. Door mijn tranen heen probeer ik hem aan te kijken. 'Slecht. Er is geen jullie meer.'

Max is direct klaarwakker en gaat rechtop zitten. 'Wat bedoel je, we zitten nog maar op dag vijf?' Met de knokkels van zijn handen wrijft hij in zijn ogen.

Sophie is inmiddels ook wakker en kruipt tussen ons in. Meneer de beer in haar vuistje geklemd. We hebben haar bewust niet verteld dat we ons best doen een kindje te krijgen. Het zou sneu zijn als ze zich nu al zou verheugen, wie weet lukt het nooit.

'Liefje, ga jij lekker douchen, mama komt zo.' Ik wrijf over d'r haartjes en huppelend vertrekt ze richting douche. Sophie huppelt liever dan dat ze loopt.

'Het klopt gewoon niet. Ik krijg menstruatieremmers, dan kan ik pas na twee weken ongesteld worden.' Ik stap uit bed, zet een warm bad aan en giet er een scheut lavendelolie in. Mijn buik doet pijn en het bloed stroomt in droevige lijntjes langs mijn benen. In bad gebruik ik het water om mijn tranen mee weg te spoelen. Als ik afgedroogd ben, loop ik met mijn badjas nog aan naar beneden en rooster ik twee boterhammen.

Max roert door de havermoutpap van Sophie. 'Meld je vandaag ziek. Je hebt buikpijn en je bent verdrietig. Gun jezelf wat tijd.'

Ik kijk hem vanachter mijn mok aan. 'Dat kan niet. Ik heb een paar belangrijke afspraken. En misschien is wat afleiding juist goed voor me.'

In de auto probeer ik iemand te bereiken die verstand heeft van icsi en van veel te vroege bloedingen. Omdat ik vind dat ik in een noodsituatie verkeer, bel ik het noodnummer. De vruchtbaarheidsafdeling is alleen tussen twaalf en twee telefonisch bereikbaar.

'Wat vervelend voor je, maar nog geen man overboord. Het komt zelden voor dat iemand zo snel al ongesteld wordt. Het kan zijn dat het een innestelingbloeding is. Dan moet het bloed donkerrood van kleur zijn en met mate vloeien.'

Onzeker voel ik aan mijn kruis en bekijk ik mijn lichtrood doordrenkte vinger. 'Met mate, eens even kijken. Nee, ik kan niet spreken van enige vorm van mate. Ik lijk de watervallen van Schaffhausen wel.' Maar ik wil hoop houden. Ik heb een dikke strohalm nodig om vast te grijpen, een kleintje is eigenlijk ook goed. Ik wil dat de dame aan de andere kant van de lijn me geruststelt. Dat ze me verzekert dat mijn kindje (of kindjes) op dit moment alles op alles zet om te groeien in mijn baarmoeder. Dat ze dat meer dan zeker weet. Ineens schiet me te binnen dat ik de eerste maanden van mijn eerste zwangerschap ook nog ongesteld werd. Het kan dus zijn dat mijn cyclus zo sterk is dat ze door alle menstruatieremmers heen gaat.

'Zou zeker kunnen, hoor,' antwoordt ze. 'Maar zeker weten doe je het pas over negen dagen, dan kun je pas testen. Sterkte ermee. We horen het wel hè?'

Weg vertrouwde stem. Ik berg mijn mobieltje op en haal een paar keer diep adem. Ik ben zo bang dat de embryo's door deze sterke bloeding wegspoelen. Toch heb ik ook hoop, omdat ik een geboren optimist ben en omdat hoop simpelweg een stuk prettiger voelt dan deze pijn.

Vanavond vieren we mama's verjaardag. Papa heeft Sophie vanmiddag van school gehaald. Op de dagen dat ik werk, halen mijn ouders Sophie op van school. Buitenschoolse opvang zal ongetwijfeld hartstikke gezellig zijn voor kinderen, maar ik kan het niet over mijn hart verkrijgen om Sophie na een lange schooldag ook nog eens tot zes uur bij een volgende opvang onder te brengen.

Als ik het pad naar mijn ouderlijk huis oploop, denk ik terug aan het moment dat ik als kind uit de grote boom in de bosjes voor ons huis was gevallen. Ik probeerde de top te bereiken, maar toen ik er bijna was, gleed mijn sandaaltje van een mossige tak. Mijn jurkje en ik bleven aan een tak hangen. Ik spartelde driftig met mijn beentjes en krijste om hulp. Omdat ik een bolle kleuter was, won de zwaartekracht het van de tak. Van grote hoogte landde ik op de grond. Ik krabbelde op en bekeek mijn knieën. Kleine steentjes staken uit mijn blote vlees. Gillend rende ik naar mijn moeder, die me snel in haar armen nam en mijn pijn wegtoverde. Het was als kind al genoeg wanneer ik daar lag, met mijn betraande gezichtje veilig op mama's borst. Haar handen troostend door mijn haren. De gekleurde pleister op mijn knie. Nog een laatste kus erop.

Vandaag ben ik niet te troosten. 'Gefeliciteerd, mam.'

Mijn moeder kijkt me aan en ik zie het medelijden in haar ogen doorschijnen. Ze drukt me stevig tegen zich aan. 'Max heeft het ons net verteld. Hij belde om te zeggen dat hij wat later komt.'

Ik wilde het zo graag leuk en droog houden vanavond, maar wanneer ik naar mijn moeder kijk, hou ik het niet meer. 'Waar is Sophie?' vraag ik door mijn tranen heen. 'Ik wil niet dat ze me zo ziet.'

Mama maakt een wapperend gebaar met haar hand. 'Geen zorgen,' zegt ze. 'Die is met je vader in de achtertuin aan het schommelen.'

Ik loop de trap op en laat de tranen in de badkamer komen. Mama hobbelt achter me aan. Samen zitten we op de badrand. Mijn benen voelen kleverig aan door het bloed dat opdringerig door mijn tampon vloeit. Mijn spijkerbroek is doordrenkt. De krampen in mijn buik vertellen me dat ik wel eens een kind kan gaan baren vanavond. 'Ik denk dat we geen eerlijke kans hebben gehad. Dat de vruchtjes levenloos naar binnen zijn gegaan. En het moeilijke is dat ik me door alle hormonen zo zwanger voel.'

Mama zegt niets, streelt zachtjes mijn hoofd dat op haar schouder rust.

Voorzichtig kom ik omhoog. 'Mam, wil je me alleen laten? Ik wil nog even uit de grond van mijn hart huilen en dan raap ik mezelf weer bij elkaar en kom ik beneden. Ik wil dat jij een gezellige verjaardag hebt,' snif ik terwijl ik met mijn mouw mijn gezicht droog dep.

'Dat is wel het minst belangrijke,' zegt ze terwijl ze een kus op mijn haar drukt. Ze laat mijn hand los en sluit de deur.

Voor de spiegel bekijk ik mijn rood gezwollen ogen. Nooit gedacht dat ik me zo verdrietig en leeg zou kunnen voelen. Ik had er wel rekening mee gehouden dat het mis kon gaan, maar niet wat voor impact dat zou hebben. En ik had me er zo op verheugd om een kindje te mogen dragen. Om voor de tweede keer mama te worden. We waren er zo dichtbij.

Nadat ik me verschoond heb, ga ik naar beneden en trek ik me terug in de leeshoek. Ik pak een tijdschrift en sla het open op een pagina over onvruchtbaarheid. Daar staat een artikel over een koppel dat na diverse mislukte ivf-pogingen de keuze heeft gemaakt naar België te gaan. Een prachtige foto van een gelukkig stel met een baby in de armen, lacht me stralend toe. Ze leggen in het artikel uit, dat het er in België heel anders aan toe gaat. Eén contactpersoon, maatwerk en een hoger slagingspercentage. Professor M. is de man die hen geholpen heeft.

Ik haal een paar keer diep adem en kijk naar buiten. Het begint schemerig te worden. Ik ben ervan overtuigd dat er in ons land heel goede ziekenhuizen zijn waar met betrokkenheid en aandacht voor de verminderd vruchtbaren onder ons gezorgd wordt. Maar het is niet voor niets dat ik dit nu op dit moment lees. Met een voorzichtige glimlach klaart mijn gezicht op. Ik schuif naar het puntje van de stoel en leg het blad terug op tafel.

'Mama,' roept Sophie die in mijn gespreide armen rent en haar natte lippen tegen de mijne drukt.

'Dag mijn lief Sophietje,' zeg ik met een zachte stem. Ik verstop mijn neus in haar blonde staart en sluit een moment mijn ogen. Toeval bestaat niet. Dit is de man die we moeten hebben. Gent, we komen eraan.

22

2007

Ten opzichte van Nederland boekt België betere resultaten door onder andere betere kweekmedia voor de embryo's, meer aandacht voor de terugplaatsingsmethode en een betere identificatie van topembryo's.

Het geeft ons een goed gevoel dat we uitwijken naar dit land. Na een anderhalfuur durende rit rijden we het terrein van het Universitair Ziekenhuis Gent op. Max houdt de deur voor me open. Geen grote hal, maar een piepkleine entree. INFERTILITEITS-AFDELING TWEEDE VERDIEPING, lezen we op een magneetbord dat aan de grijs betonnen muur hangt. We lopen door het smalle trappenhuis vier trappen op en melden ons bij de receptie, die hier 'onthaalkamer' heet. Het ziekenhuis is verouderd vergeleken met de Nederlandse ziekenhuizen, maar oogt knus.

In Gent heb je een speciale onvruchtbaarheidsafdeling waar je nevernooit dikke buiken tegenkomt. Of ze moeten opgeblazen zijn door de hormonen. In de wachtkamer observeer ik mijn lotgenoten. Ik vraag me af hoelang ze al bezig zijn zwanger te worden. Hoeveel behandelingen ze al achter de rug hebben. Hoeveel ze nog aankunnen. Gaat het überhaupt lukken of is het een zinloze marteling die ze ondergaan? Wie van ons zal als eerste zwanger zijn? Het kan zomaar gebeuren dat het volgende maand raak is. In ieder geval – statistisch gezien – organiseert een van ons vijven in minder dan een jaar een kraamfeest.

Een kleine man met een gestreept overhemd met korte mouwen schudt ons de hand. Ik schat hem zestig jaar.

'Wat een prachtige, ruime kamer hebt u,' zeg ik terwijl ik zijn tengere hand weer loslaat. 'Zoiets heb ik in Nederland nog nooit gezien. Daar zijn de meeste kamers identiek aan elkaar.' Ik neem de kamer, die is aangekleed met kleurrijke schilderijen, wanddoeken en prachtige Afrikaanse beelden, aandachtig in me op. Aan de rechterkant staat een eikenhouten boekenkast, die de totale lengte van de lange muur bekleedt. Achter het glas staan voornamelijk medische encyclopedieën. 'Koopt u deze kunst zelf?' vraag ik nieuwsgierig.

Professor M. glimlacht. 'Neen, dit zijn presentjes van mensen van over de hele wereld, die mij opgezocht hebben om hun kinderwens te vervullen.' Hij pakt een tinnen Boeddhabeeldje en kijkt ernaar alsof hij het voor het eerst ziet. 'Deze mensen wilden mij met een aandenken bedanken, omdat hun behandeling succesvol is geweest.' Een tinteling schiet door mijn buik. Succesvolle behandeling. Wie weet mogen wij hem over een maand of tien ook een aandenken geven.

Professor M. begint met het intakegesprek. Hij neemt uitgebreid de tijd voor ons. Bekwaam en vriendelijk beantwoordt hij al onze vragen en vertelt hij over de Belgische werkwijze. 'In België geschiedt de terugplaatsing van het embryo drie dagen na de punctie. Dat is een dag eerder dan in Nederland. Wij zijn van mening dat het embryo zo snel mogelijk in de natuurlijke omgeving moet zijn.' M. richt zijn wijsvinger op mijn buik. 'In de baarmoeder, daar waar het hoort.' Hij verschuift zijn leesbril tot halverwege zijn neus. 'In België plaatsen wij de eerste drie behandelingen slechts één embryo terug,' deelt hij mee terwijl hij me over zijn bril heen aankijkt. 'De wet heeft dit bepaald om het aantal vroeggeboorten van meerlingen te beperken. Dit in verband met een groter risico op lichamelijk- of geestelijk letsel van de baby's. In Nederland is deze wet nog niet van kracht.' Na elk onderwerp dat M. besproken heeft, trekt hij zijn wenkbrauwen hoog op en geeft hij een knikje. Bij wijze van controle of we zijn woorden goed begrepen hebben. De kleine man komt net boven zijn bureau uit, maar straalt zo'n kalmte en wijsheid uit dat die zijn kamer vullen met energie.

Voor ons betekent terugplaatsing van slechts één embryo een kleinere kans op een zwangerschap, maar ik kan de motivatie achter deze wet goed begrijpen.

'Hoelang mag een embryo volgens u buiten de stoof blijven?' vraagt Max en ik hoor de ernst in zijn stem doorklinken.

Professor M. legt zijn bril op mijn nog onbeschreven dossier en kijkt op. 'Niet langer dan een paar seconden. Alleen om via de katheter ingebracht te worden in de baarmoeder. Anders is het fataal.'

Max tikt me aan. 'Zie je wel,' sist hij.

De professor kijkt ons vragend aan.

Ik knik en vouw mijn hand om die van Max. Hij heeft gelijk, het is zuur dat we nu bevestigd krijgen dat het Nederlandse ziekenhuis een fout heeft gemaakt, maar ik wil vooruitkijken in plaats van terug. 'De vorige behandeling zat ik tegen overstimulatie aan,' vertel ik, zonder verder nog op het voorgaande in te gaan.

De professor maakt er een aantekening van. 'Dan mag je eerder op controle en hoef je wellicht niet lang door te spuiten. Onze infertiliteitsafdeling is zeven dagen per week geopend. Op het moment dat je klaar bent voor de punctie, hoef je niet door te spuiten om het weekend te overbruggen.'

Mijn ogen glimmen van opluchting. Deze behandeling past zoveel beter bij mijn vruchtbare lichaam. Voor het eerst heb ik het gevoel dat er serieus naar mij als persoon gekeken wordt. 'Dan heb ik nog een laatste vraag. Wordt de punctie bij jullie wel verdoofd?' Onwillekeurig schiet er een rilling door mijn schouders, bij de gedachte aan nog zo'n bloeddorstige ingreep.

M. knikt resoluut. 'Natuurlijk. Het zou onmenselijk zijn dat niet te doen.'

Er valt een zware last van me af. Ik kijk mijn professor dankbaar aan. De man die ik na één gesprek voorgoed in mijn hart sluit. 'Dit voelt goed, professor. We zijn bij u in goede handen.'

23

2002

De huisarts duwde twee vingers in mijn binnenste en keek omhoog. 'Je bent minstens drie maanden zwanger. Je baarmoeder is
al flink opgezet, dat je daar niets van hebt gemerkt.'

Mijn wangen kleurden dieprood. 'Ik ben gewoon ongesteld geworden, hoe kon ik iets merken?' vroeg ik onthutst.

De dokter wees naar mijn buik. 'Je hebt sterke buikspieren,
dan zie je de bolling minder snel,' verklaarde ze.

'Het zal toch niet zo zijn dat ik straks een paar keer pers en
een levensechte baby uitwerp?'

Mijn huisarts schoot in de lach. 'Zo ver zul je ook weer niet
zijn. Ik verwijs je met spoed door naar de gynaecoloog, dan heb
je vandaag nog antwoord.'

Buiten belde ik Frank, die direct zijn afspraken voor die ochtend annuleerde om met me mee te gaan.

'Omdat je al even zwanger bent, hoef ik geen inwendige echo te
maken, de baby is waarschijnlijk al goed te zien.' De gynaecoloog
smeerde een klodder koude gel op mijn buik en bewoog er voorzichtig met de dompel overheen. 'Jullie kunnen meekijken op het
beeldscherm,' zei ze terwijl ze het schermpje naar ons toedraaide.

Mijn handen werden steeds vochtiger en mijn hoofd voelde

warm aan. Ik keek naar de beelden van mijn baarmoeder, maar zag niets wat voor een baby door zou kunnen gaan. Het duurde even voor ze verder praatte. Met een gespannen blik keek ik van het scherm naar de dokter en weer terug. Het werd beklemmend stil in haar kamertje. Op het gezoem van het beeldscherm na hoorde ik niets.

Haar gezicht betrok. 'Het spijt me,' zei ze terwijl ze haar hand op mijn schouder legde. 'Je hebt een miskraam gehad. Hier zie je het lege vruchtzakje.' Met z'n drieën staarden we naar een klein zwart frummeltje op het scherm. Het leek op een verschrompelde druif en oogde mistroostig.

'Jeetje,' verzuchtte ik. 'Heb ik het toch goed gevoeld.' Ik keek naar Frank, die zijn tranen niet kon bedwingen. Het was voor het eerst dat ik hem zag huilen.

De gynaecoloog wreef opnieuw met de dompel over mijn buik. 'Hij is een week geleden gestopt met groeien.' Haar woorden stierven in de kamer. Toen werden haar ogen groter. Met haar muis trok ze lijntjes op het scherm. Toen ze klaar was klikte ze op enter, waarna ze een klein kneepje in mijn been gaf. 'Acht centimeter,' zei ze opgewonden. Je bent zo'n dertien weken zwanger, van harte!'

Frank sprong hoog in de lucht en klapte in zijn handen.

Ik was het spoor bijster. 'Ik begrijp het niet helemaal,' stamelde ik en ik hoorde hoe mijn stem trilde. 'Eerst heb ik een miskraam, dan een baby van acht centimeter?'

Frank pakte mijn gezicht beet en drukte er een kus op.

'Ik zal het jullie helemaal uitleggen,' zei ze en ik hoorde de opluchting in haar stem doorklinken. 'Jullie hadden een tweeling en een van de twee heeft het overleefd.'

Ik staarde perplex naar het scherm.

Frank snoof luidruchtig en veegde een traan weg.

Een tweeling, daar had ik me werkelijk geen raad mee geweten. Twee gillende wezentjes die me uit mijn slaap hielden. Een buik, zo opgerekt dat ik er een tent van kon maken. Een jaar lang dag en nacht voeden. Ik zou een schim zijn van wie ik ooit was. En vanaf het moment dat ze zouden praten zou het nooit meer stil zijn. Weg rust.

Ik zag dat de gynaecoloog mijn gezichtsuitdrukking niet helemaal kon plaatsen. 'Sorry, ik zal het proberen uit te leggen. Ik wilde tot vorige week nooit kinderen. Nu vertelt u me dat ik er tot voor kort twee in mijn buik had. Ik heb wat tijd nodig om aan het idee te wennen, dat is alles.'

De kamer vulde zich weer met stilte.

De gynaecoloog wendde zich ongemakkelijk tot Frank, die alles van de miskraam van onze baby wilde weten. Ze legde hem uit dat een miskraam het verlies is van een niet-levensvatbare vrucht. Dat het bij een twee-eiige tweeling mogelijk was dat een van de twee het niet redde. Bij een eeneiige tweeling kon dat weer niet, omdat deze dezelfde placenta deelden en beide vruchtjes dan afstierven.

De helft van wat ze vertelde ging langs me heen. Ik zag alleen nog maar een baby ter grootte van mijn allerhoogste hak voor me. Langzaam haalde ik diep adem en blies deze weer uit. Buik in, buik uit. Mijn handen rustten op mijn buik die plakkerig aanvoelde. 'Mag ik nog een keer kijken?' vroeg ik na enige tijd. Ik keek haar verontschuldigend aan.

De gynaecoloog glimlachte begrijpend naar me. 'Natuurlijk mag dat.'

Mijn blik richtte zich weer op het scherm en daar gebeurde het. Uk raakte me in mijn hart. Ik voelde een trilling door mijn lijf gaan, die in mijn buik bleef hangen. Een miniaardschok en Uk was het centrale middelpunt. Hij voelde het, want hij ging zich direct uitsloven. 'Hij is best beweeglijk voor een wurmpje van dertien weken,' gaf ik trots aan. Ik drukte mijn vinger tegen het scherm. 'Wat ben jij een wonder. Je was sterker dan de pil en hebt je niets aangetrokken van de alcohol die je moeder in deze maanden heeft genuttigd. Jij bent voorbestemd en niets of niemand heeft je tegen kunnen houden.'

In de auto trok Frank me naar zich toe. 'Het lijkt me verstandig dat je vanaf nu niet meer uitgaat en geen druppel meer drinkt. Dat je goed je rust neemt en gezond eet.' Er verscheen een diepe fronsrimpel op zijn voorhoofd. 'Het is natuurlijk ook mijn kind.'

Ik voelde weerstand opkomen en wilde net zeggen dat ik toevallig heel goed voor mezelf kon zorgen en dat ik hem daar zeker niet bij nodig had.

Frank verhinderde dat door zijn vinger tegen mijn lippen te drukken. 'Ik wil je vragen om bij me in te trekken. Zeg alsjeblieft ja.'

24

2002

Ik trok de bovenste la van mijn ladekast open en schoof de brief aan Uk opzij. Zachtjes wreef ik over het blauwwitte papier. Op het moment dat het vliegtuig vertrok, zou ik zeven maanden zwanger zijn. Ik kon onmogelijk gaan, het zou onverantwoord en daarbij ook nog eens stom zijn. Puffend en steunend de Ayers Rock bekijken, die ik niet eens kon beklimmen omdat ik daar te dik voor was. Uitgaan met een glas vruchtensap in plaats van een cocktail. En welke aantrekkelijke man had interesse in een uit de kluiten gewassen, zwangere en Mephisto-dragende toerist? Met een zucht legde ik het ticket terug.

Zittend op de bank nam ik elk stukje huis geconcentreerd in me op. Wat voelde ik me hier fijn. Niemand die aan mijn hoofd zeurde. Mensen die kwamen, gingen ook weer en ik hoefde me niet onnodig te ergeren aan de ingebakken onhebbelijkheden van een vriendje. Alleen wonen was zaligmakend en als je het mij vroeg zelfs levensverlengend. Als niet-zwangere welteverstaan. Als zwangere vond ik alleen wonen zielig. Alsof mijn vriend met de noorderzon vertrokken was op het moment dat hij hoorde dat ik zijn kind droeg. Daarbij verdiende Uk het toch ook wanneer zijn vader en ik het samen probeerden? Maar samenwonen met Frank? Het voelde alsof ik mijn ziel moest verkopen aan de duivel.

Ik zat in La Pizza toen Kate met een roodverhit hoofd binnenkwam. Vanavond had ik gekozen voor de bovenste verdieping. Vanaf het kleine houten tafeltje waaraan ik zat, kon ik zo de keuken inkijken. De kok rolde met een houten deegroller het deeg plat en toverde dit om tot een grote dunne schijf. Als een lasso zwierde hij het deeg in de lucht.

'Sorry, ik had een cliënt die niet uit zichzelf van plan was weg te gaan.' Kate trok haar blazer uit, schikte haar blouse en nam plaats op de stoel tegenover me. Zonder mijn reactie af te wachten, ging ze verder. 'Z'n vrouw is ervandoor met een andere vrouw en met zijn Lamborghini. Gisteren trof hij een leeg huis aan. Ik denk dat ze maanden bezig zijn geweest om haar vertrek voor te bereiden.' Ze schudde haar hoofd en wenkte de ober. Kate zag er zoals altijd onberispelijk uit. Van mantelpak tot broekpak, bijna altijd in het zwart.

Mijn ademhaling werd onregelmatiger. Starend naar de menukaart probeerde ik moed bijeen te rapen voor wat ik zeggen wilde. Het leek of ik me schaamde voor mijn zwangerschap. Het voelde alsof ik verantwoording af moest leggen. Het voelde als falen. *Sorry maar ik ben niet meer de vriendin die ik altijd voor jullie was. Ik krijg een baby en daarmee zal alles anders worden. Ik doorbreek onze drie-eenheid. Het spijt me dat ik jullie teleurstel.*

'Jammer dat Lisa er vanavond niet bij kon zijn,' onderbrak Kate mijn gedachten. 'Voor een afspraakje dat waarschijnlijk toch weer op niets uitloopt. Dat ze daar nooit moe van wordt.' Ze glimlachte en speelde met haar zwarte glimmende haarspeld.

'Kate?' Ik keek haar radeloos aan en moest de woorden uit mijn mond persen. Mijn lippen waren tot een smalle lijn samengeknepen en mijn vuisten gebald. 'Ik ben zwanger.'

Kate deinsde achteruit. 'Zwanger? Maar dat kan niet, je slikt de pil.'

Ik drukte mijn knieën tegen elkaar aan en legde mijn hand ertussen. 'Die heeft zijn werk niet gedaan,' fluisterde ik. 'Vanmiddag heb ik een echo gehad, het vruchtje is al dertien weken oud.'

In een handomdraai manoeuvreerde Kate de speld tussen haar blonde lokken. Toen sloeg ze haar hand voor haar open mond. Die pose hield ze even aan. 'Ach lieverd, wat zie je er ontredderd uit,' zei ze uiteindelijk.

Moeizaam slikte ik mijn wanhoop weg. 'Toen ik de baby op het beeldscherm zag, vond ik het zo bijzonder. Hij is al helemaal compleet, er zitten zelfs al vingertjes en teentjes aan zijn lijfje. Er schoot een diep gevoel van liefde door me heen toen ik hem zag bewegen. Eenmaal thuis sloeg de paniek weer toe. Wat heb ik dit kindje nou te bieden? Ik bedoel, we hebben het wel over mij.' Ik tikte tegen mijn borst en hoorde hoe ontredderd mijn stem klonk.

Kate pakte mijn hand. Haar ogen straalden niets dan warmte uit. 'Lieverd, wij zullen je steunen waar we kunnen. Jouw kind krijgt dan wel een heel aparte moeder die absuut afwijkt van haar collega-moeders, maar wel een die bijzonder lief is. En daarbij krijgt hij of zij ook nog eens de leukste tantes die het zich maar kan wensen.'

Ik glimlachte door mijn tranen heen. 'Dank je, dat is lief.'

Kate gaf een kneepje in mijn hand, waarna ze hem losliet. 'Heb je het al met drs. Nicolai besproken?' wilde ze weten.

Ik knikte. 'Ik had vanmiddag na de echo een extra consult. Hij zei dat het, ondanks de paniek die nu overheerst, belangrijk is de baby te laten merken dat hij welkom is. Dat ik de afgelopen maanden veel over mezelf heb geleerd en dat dit straks alleen maar in mijn voordeel kan werken.'

Kate goot een scheut olijfolie op een stukje zuurdesembrood en strooide er wat zout over. 'En Frank? Wat vindt hij ervan?'

Vermoeid rolde ik met mijn ogen. 'Die zweeft in een andere dimensie van blijdschap. Hij wil dat ik bij hem kom wonen. Hij is al bij mijn ouders langsgegaan om steun te vragen. Mijn moeder belt me om het uur om te zeggen dat ik hem een kans moet geven. Omwille van ons kind. Ik word er niet goed van.'

Kate ademde hoorbaar uit.

'Weten jullie al wat het wordt vanavond?' De serveerster hield haar handen op haar rug, boog voorover en keek met een brede glimlach naar Kate.

'Gegrilde gamba's met knoflook vooraf en de pasta met gorgonzola, rucola en pijnboompitten als hoofd alsjeblieft.' Kate knikte me bemoedigend toe.

Ik pakte de menukaart die ik normaal gesproken uit mijn hoofd kende. Mijn afwezige blik dwarrelde langs de gerechten. 'Voor mij de tomatenbasilicumsoep en de gegrilde aubergine met parmezaan uit de oven,' antwoordde ik na langdurige overpeinzing.

De serveerster pakte de menukaarten van ons over. 'Zelfde wijn als altijd?'

Ik slikte. 'Voor mij geen wijn vanavond. Ik hou het bij water.'

Het wijnglas werd in één vloeiende beweging voor mijn neus weggehaald.

'Doe mij maar hetzelfde,' opperde Kate loyaal. 'Met een schijfje citroen.' Ze leunde samenzweerderig over de tafel. 'Dat doe ik maar één keer, hoor.' Toen zakte ze weer terug tegen de leuning en keek me een paar tellen bedenkelijk aan. 'Weet je, Bar, voor dit kindje begint het leven bij voorbaat al heel complex. Opgroeien in twee gezinnen schijnt voor kleine kinderen best moeilijk te zijn. Zich twee huizen eigen maken en altijd een van beide ouders moeten missen. Je kunt het toch proberen met Frank? Dan heb je er in ieder geval alles aan gedaan. Wie weet krijgen jullie het wel heel leuk samen.'

Ik wreef beschermend over mijn buik. 'Mijn baby heeft absoluut een papa en een mama nodig, maar ik wil een weloverwogen beslissing nemen over de manier waarop Frank en ik het ouderschap in gaan vullen.'

Kate knikte stilzwijgend. Met haar vingers perste ze de citroen uit in haar water. 'Wanneer ga je het Lisa vertellen?'

Ik keek haar verontschuldigend aan. 'Ik heb het haar vrijdag al verteld.'

De teleurstelling was van Kates gezicht af te lezen.

'We waren het hele weekend samen, ik moest het wel vertellen. En ik wilde het jou ook persoonlijk vertellen. Dus dat werd vandaag.'

Er viel een pijnlijke stilte. Kate tikte met haar vingers tegen haar glas aan. 'Ik snap het wel,' zei ze uiteindelijk. 'Je had natuurlijk ook tijd nodig om het te verwerken. Maar wil je vanaf nu alles met me delen? De komende periode zal niet makkelijk voor je zijn en ik wil je heel graag steunen.'

Na lang woelen zakte ik weg in een onrustige droom. In een zwart glimmend joggingpak rende ik door een verlaten bos. Ik keek omhoog en zag door de toppen van de bomen donkere wolken voorbijrazen. Het krakende geluid van de takken onder mijn loopschoenen wakkerde een dreigend gevoel bij me aan.

Plotseling stak er een harde wind op. Ik verborg mijn gezicht in de kraag van mijn jasje en probeerde door te rennen. Hoewel ik mijn uiterste best deed vaart te houden, kwam ik steeds moeizamer vooruit. De wind schuurde langs mijn gezicht. De krachtige windstoten zorgden ervoor dat ik mijn ogen nauwelijks nog open kon houden. Paniekerig draaide ik een rondje om mijn as, op zoek naar een plekje om te schuilen. Met mijn vingertoppen raakte ik op de tast een tak aan. De geur van natte boomschors drong mijn neus binnen. Op dat moment ging de wind liggen. Met mijn rug tegen de boom geleund, kwam ik langzaam weer op adem. Ik moest zo snel mogelijk thuis zien te komen.

Op het moment dat ik door wilde lopen, werd ik opgeschrikt door iets hards dat tegen mijn hoofd ketste. Met een pijnlijk gezicht wreef ik over mijn haar. Ik legde mijn hoofd in mijn nek en zag zeven uit de kluiten gewassen baby's aan een tak hangen. Ze droegen katoenen luiers, wit met grote rode stippels, vastgemaakt met een enorme veiligheidsspeld. Met een kille blik in hun ogen zwaaiden ze naar beneden, waarna ze met één hand de mossige tak vastgrepen, een looping draaiden en recht op hun voeten terechtkwamen.

Mijn keel werd dichtgeknepen van angst. Een stroomstoot adrenaline zorgde voor beweging in mijn verkrampte ledematen. Met mijn rechterhand zette ik me tegen de boom af en begon ik te hollen. Het kloppen van mijn hart echode als een boemerang door het bos.

Vastberaden waggelden de baby's me achterna, totdat ze me naar een open plek hadden gedreven. Een kale cirkel met daaromheen een hoge muur van vuur.

Mijn ogen flitsten door mijn kassen, op zoek naar een uitweg. Maar ik kon geen kant meer op.

Schaterend stonden ze voor me. De opperhoofdbaby, die zeker een kop boven de rest uitstak, deelde tandenstokers aan zijn zes onderdanen uit. Hij gaf een officieel startsein, waarna ze me fanatiek in mijn lijf begonnen te prikken.

De schittering van het vuur verlichtte mijn buik, die steeds meer op leek te zwellen. Gillend smeekte ik de baby's te stoppen. Na verloop van tijd vormden ze een kringetje en dansten ze om me heen. Ik had geen enkele controle meer over mijn spieren en voelde me moederziel alleen. Op het moment dat de druk in mijn groeiende buik onhoudbaar werd, begon ik te persen. Met een knal schoot er iets uit mijn binnenste. Een reusachtig ei rolde op de grond. Op handen en voeten kroop ik er naartoe. De zeven baby's klapten in hun handen en stampten met hun voeten.

Vertederd pakte ik het ei op. Langzaam barstte het open. De schillen vielen stuk voor stuk via mijn hand op de grond. De geboorte van mijn kind. Wiebelig balanceerde hij op mijn handen.

'Dag schatje,' fluisterde ik en ik was me niet langer bewust van de rest van de aanwezigen. 'Welkom op aarde.'

Het kuiken draaide zich naar me om en knipperde een paar keer met zijn oogjes. Hij had het hoofd van Frank en droeg een toga. Uit zijn wangen staken stekelige snorharen en hij keek me met uitpuilende ogen aan. Het pluizige beest stak zijn tong naar me uit. Hij rook naar bedorven vis.

Ik glimlachte naar hem. Het was niet bepaald zoals ik me mijn kind had voorgesteld, maar ik hield van hem. Zoveel dat ik hem met alle kracht die ik in me had zou beschermen tegen deze idioten, al kostte het me mijn eigen leven. Ik tuitte mijn lippen en bracht mijn mond naar hem toe.

'Jij verdient het niet om mijn moeder te zijn,' krijste hij vlak voordat mijn lippen zijn oranje snavel aanraakten. 'Je hebt je kans gehad en verspild.'

Een diepe pijn trof me in mijn hart. Ik viel op mijn knieën en smeekte hem bij me te blijven.

Maar mijn kuikenkind stak zijn kin in de lucht en voegde zich bij de babykudde. Het opperhoofd blies in één adem het vuur uit en eensgezind dribbelden de overigen hem achterna. Een voor een sprongen ze over de smeulende as en wandelden ze het diepe donkere bos in. Mijn baby werd steeds kleiner, totdat ik alleen nog maar een stipje zag.

Met een gil schrok ik wakker en zat ik rechtop in bed. Mijn hele lichaam rilde. Op de tast zocht ik mijn mobiel. 01.25 uur. Uitgeput en vol onbeantwoorde vragen viel ik terug in het kussen. Nog een hele nacht te gaan.

25

2007

Het is aardedonker in het smalle straatje dat ons naar ons chalet leidt. Op de muur van het laatste huis staat met zwarte krulletters ARABELLA geschreven.

'Dat moet het zijn,' zegt Max al wijzend.

Over mijn schouder kijk ik naar Sophie. Haar wang drukt tegen het koude raam. Een straaltje spuug sijpelt uit haar mond en drupt via haar kin op haar trui. Een gelukzalig gevoel schiet door me heen. Vorig jaar ging ze met Frank mee op wintersport en heb ik haar enorm gemist. Ik ben er inmiddels aan gewend, om in het weekend twee nachten zonder mijn dochter door te brengen. Ik kan er zelfs van genieten, een weekend helemaal voor mezelf alleen. Op stap met Kate en Lisa. Ongegeneerd uitslapen. De hele dag in pyjama lopen. Geen paniek vanwege een lege koelkast in combinatie met gesloten supermarkten. Maar een week zonder haar lieve lach en schrille stemmetje is me te veel van het goede.

Hoewel Sophie zichtbaar geniet van de dagen bij haar vader. En dat is er alleen maar beter op geworden nadat hij Karin heeft ontmoet. Karin is net zo oud als Frank en minstens zo serieus. Ze heeft een zoontje van vier. 'Mam, ik heb een nieuw broertje, hij heet Tim,' jubelde Sophie vol trots toen ze na het ontmoetingsweekend weer thuiskwam.

Nadat ik uit de auto ben gestapt doe ik een paar rek- en strek-oefeningen.

Jules parkeert zijn auto achter die van ons. Kate en Lisa springen er tegelijkertijd uit. 'Wat een prachtige weg hiernaartoe, zagen jullie dat stuwmeer?' kraait Lisa met een brede grijns.

'En die hoeveelheid sneeuw,' vult Kate haar verrukt aan.

'Het is maar goed dat we winterbanden hebben. Dat heb ik altijd zo vreselijk gevonden, net op het laatste stukje nog even in de barre kou sneeuwkettingen omleggen,' zegt Lisa huiverend. Even heeft ze getwijfeld of ze met ons mee wilde. 'Het wordt zo langzaamaan zielig dat ik nooit iemand mee kan nemen,' bromde ze theatraal.

'Zonder jou hebben we niet half zo veel lol,' verzekerde ik haar.

'En stel je nou toch eens voor dat je net deze vakantie een leuke vrijgezelle man treft. Op vakantie en in de kroeg, dat zijn toch wel de plekken waar je ze tegenkomt,' maakte Kate onze overredingspoging af.

En daarmee ging Lisa overstag.

De stevige houten voordeur zwaait open. '*Bienvenue à Val d'Isère, je suis Amy, votre hostess.*' Een klein meisje met kort stekelvarkenshaar lacht een Efteling-achtige glimlach.

Via een smalle hal met aan de muur een opgezet hertenhoofd, lopen we de ruime woonkamer binnen. Max zoekt de eerste de beste kamer uit om Sophie in bed te leggen.

'Het is schitterend,' zwijmel ik, dwalend door de warm aangeklede ruimte die met tientallen kaarsen wordt verlicht. In het midden van de kamer is een prachtige open haard ingebouwd. Tegen een van de muren liggen houtblokken opgestapeld.

Terwijl Max en ik de medicatie vanuit de koelbox in de koelkast leggen, zoekt de rest een kamer uit.

Vandaag is de dag dat onze nieuwe poging begint. Hoewel ik een beetje angstig ben om me weer ontoerekeningsvatbaar te voelen, kijk ik ook naar deze periode uit. Ik weet waar ik het voor doe, volgende maand kan ik zwanger zijn.

'Zet 'm op,' zegt Max wanneer ik een spuit uit de verpakking druk en naar het toilet loop. Daar pak ik een stukje vlees en prik de naald erin. Het brandt even. Een opgeluchte zucht, de eerste is weer gezet. Die is altijd het akeligst, daarna went het om mezelf te prikken. Over twee dagen mag ik al beginnen met de gonal-f. De hele behandeling in België is minstens een week korter. Volgens mijn professor is het niet nodig om eerst een week decapeptyl te spuiten. Twee dagen voorafgaand aan de gonal-f is voldoende.

Onze gastvrouw Amy gooit wat houtblokken in de haard. Zet de fik in een paar kranten en wurmt deze tussen de blokken. Na enkele minuten voel ik hoe het vuur mijn gezicht verwarmt en krul ik mezelf als een spinnende poes op de bank op. Het uitzicht vanuit onze woonkamer is verbluffend. We kijken uit op een verlichte en oogverblindende vallei.

'Iedereen een glaasje rood?' vraagt Amy. Unaniem wordt er ja geantwoord.

Althans, bijna unaniem, ik schud mijn hoofd. 'Doe mij maar een tomatensap.'

Waarschijnlijk trek ik er een mistroostig gezicht bij, want Lisa reageert direct. 'Een betere plek om met de tweede poging te beginnen bestaat niet. In de bergen, met je beste vrienden om je heen.' Ze slaat haar arm om me heen.

'Zie je er eigenlijk tegen op?' vraagt Jules. Zijn donkerbruine ogen zijn rood van het autorijden.

Ik kijk naar buiten en zie de sneeuwschuivers hun werk doen om de skiërs de volgende dag een goed geprepareerde piste te geven. Ik voel me gelukkig. Gelukkig en vol goede moed. 'Een beetje wel. Ik hoop dat ik minder last krijg van de hormonen. Dat ik wat meer mezelf mag blijven. Dit keer is mijn hoofd ook meer gebogen dan de eerste keer. Ik voel me nederiger, meer afwachtend.' Dankbaar neem ik een toastje geitenkaas aan dat Kate voor me heeft gesmeerd. De lange reis heeft ons hongerig gemaakt. 'Ik ging er te gemakkelijk van uit dat de eerste keer raak zou zijn. Het is zo'n geschenk wanneer het zou lukken, er is niets vanzelfsprekends aan.'

Jules krabbelt over zijn kalende achterhoofd. Kate probeert hem al een tijdje te overtuigen dat het beter is zijn resterende haar met de tondeuse te millimeteren. Dat zijn kaalheid dan minder opvalt. Maar Jules is daar nog niet klaar voor. Het lange haar bij zijn oren en in zijn nek moeten het gemis van boven compenseren. 'Je hoort het steeds vaker, dat vrouwen moeite hebben om zwanger te worden. Iedereen kent wel iemand bij wie het niet wil lukken,' zegt hij. 'Vrouwen beginnen tegenwoordig ook steeds later aan kinderen. Eerst carrière maken, dan kijken of hij wel de ware is en tot slot nog wachten op het moment dat de moedergevoelens naar buiten komen. En met ieder jaar dat verstrijkt, wordt de vruchtbaarheid minder,' vervolgt hij schouderophalend.

'Ik las laatst dat er een mogelijk verband bestaat tussen verminderde vruchtbaarheid en de straling van mobiele telefoons. Mannen bergen die maar al te vaak in hun broekzak op, zo tegen het kruis aan,' gaat Kate verder. 'Als die straling al niet bevorderend is voor je nachtrust, zal het helemaal niet goed zijn voor het zaad.' Ze glijdt met haar rug tegen de leuning van de bruin gestoffeerde bank en vlijt haar benen tegen die van Jules.

Lisa wappert met haar handen, ongeduldig wachtend tot ze haar mond leeg heeft gegeten. 'En wat dacht je van al die stress die de werkende vrouw tegenwoordig heeft? Ze heeft een volgeplande agenda. Naast een drukke baan ook nog een studie om zichzelf verder te ontwikkelen. Ze wil een enthousiaste vriendin, geweldige minnares, lieve dochter, meelevende zus en ga zo maar even door zijn. Ze doet er werkelijk alles aan om lang jeugdig te blijven. Besteedt de spaarzame vrije tijd die ze heeft op de sportschool, shoppend of in de kliniek voor *injectables*.' Lisa negeert onze vragende gezichten en gaat gedreven verder. 'Tot ze op een dag in de spiegel kijkt en zich realiseert dat ze helemaal zo jong niet meer is. In haar spiegelbeeld ziet ze een uitgeputte, getekende vrouw van bijna veertig. Zonder baby. Dan stelt ze zichzelf de vragen: *Wil ik een kind? Ben ik daar klaar voor? En wat wil mijn partner? We zullen op moeten schieten, zoveel tijd hebben we niet meer.* In diezelfde drukke agenda's staat de volgende maand een rood kruis op de dag dat ze vermoedelijk haar eisprong heeft. De ovulatietest helpt haar daarbij. Vanaf die maand wordt nu ook de seks ingepland en blijft er geen ruimte meer over voor spontaniteit. De druk wordt groter en groter, waardoor de kans van slagen navenant kleiner wordt.' Lisa schudt bedroefd haar hoofd. 'De teleurstelling is groot als ze erachter komt dat je een baby helemaal niet kunt plannen en dat het zomaar kan gebeuren dat ze kinderloos oud zal worden.' Met een voldaan gezicht gaat Lisa in de lotushouding zitten. Ze leunt voorover en laat haar gezicht tussen haar handen rusten.

'Dat was de uitgebreide en ietwat gechargeerde versie van wat ik onder andere bedoelde,' lacht Jules.

Lisa's wangen kleuren van trots.

Max schenkt de inmiddels lege glazen van Jules en zichzelf bij. 'Er zullen vast en zeker oorzaken zijn voor de toenemende vruchtbaarheidsproblemen waar mensen tegenwoordig mee kampen. Maar bij ons ligt het toch echt alleen aan mijn hoogstaande bal,' reageert Max met een innemende glimlach. Hij trekt me dicht naar zich toe en kust mijn wang.

Genietend van dit moment bedenk ik dat er inderdaad geen mooiere plek is om met de volgende behandeling te beginnen. In de Alpen, omringd door mijn beste vrienden, mijn dochter en mijn lief.

's Ochtends is Amy druk voor ons in de weer en dringt de betoverende geur van verse koffie en croissants onze slaapkamer binnen. Als het eerste zonlicht door onze gordijnen dringt, staan we op om te douchen en trekken we onze skipakken aan. Na het ontbijt brengen we Sophie naar haar klasje, waarna we met elkaar gaan skiën. Iedere dag moeten we om zes uur thuis zijn om de injecties te zetten. De vierde dag hebben we nog steeds geen aprèsski bar vanbinnen gezien. Dat heeft er deels ook mee te maken dat ons chalet zo gezellig is dat we weinig anders nodig hebben.

Thuis aangekomen hang ik mijn glimmende, zwart getailleerde ski-jas aan de kapstok, trek ik mijn skischoenen uit en loop ik op dikke sokken naar het raam. Genietend kijk ik naar de markante berg. De laatste skiërs dalen af, op weg naar een warm bad of de kroeg. Zigzaggend banen ze zich een weg naar beneden.

'Is het niet moeilijk voor je?' vraagt Kate als ik naast haar op de bank kruip. 'Wanneer je zwanger bent, weet je waarvoor je de drank laat staan. Jij bent nog niet zwanger, maar je leeft wel als een zwangere.' Ze kijkt me van opzij aan en nipt voorzichtig van haar wijn.

Sophie kruipt bij me op schoot en zet haar roze Nintendo aan.

'Thuis heb ik er helemaal geen moeite mee, maar nu we hier met elkaar in de sneeuw zijn, vind ik het wel lastig. Vergelijk het met een eitje waar zout op moet. Zonder zout vind ik het ei niet te eten. Zonder drank vind ik de après-ski ronduit afschrikwekkend. Al die jolige mensen bij elkaar, die me dan aansporen om gezellig aan te sluiten in de polonaise. En misschien dient het een goed doel, maar ook dat is niet zeker. Ik ben al een paar maanden heel verantwoord aan het leven. Het zou best lekker zijn om weer eens ouderwets uit mijn dak te gaan.'

Lisa komt naast me zitten en slaat haar benen over de mijne. 'Vanavond ben ik jouw professor en geef ik je vrij. Je hebt het meer dan verdiend.' Ze knipoogt naar Kate. 'We gaan eens goed après-skiën en jij gaat los zoals we dat van je gewend zijn. Eén keer kan echt geen kwaad, hoor!' Ze klakt met haar tong. 'Ik denk zelfs dat het goed is. Plezier maken is goed. Het geeft jou energie en dat is weer belangrijk voor een goede kans van slagen.'

Ik kijk naar Max, die iets minder enthousiast oogt. 'Ik weet het niet. Als jij eenmaal uit bent, ken je geen grenzen. Alcohol is niet goed, dat weet je. Zeker in combinatie met de medicijnen is het gewoon niet verstandig. Wat als je hartstikke ziek wordt?'

Lisa staat op en zet demonstratief haar handen in haar zij. 'Het zal haar goeddoen. Lekker dansen zonder remmingen. Dat geeft haar juist weer nieuwe kracht om door te gaan. De komende weken zullen hoe je het wendt of keert weer zwaar worden.'

Ik knik met mijn hoofd, daar heeft ze absoluut een punt. 'Maar wie past er dan op Sophie?' vraag ik praktisch.

'Ik ben heel erg moe,' zegt Kate en ze zucht diep om haar opmerking kracht bij te zetten. Met haar vingers woelt ze door Sophies blonde haartjes. 'Ik doe haar lekker in bad, lees haar voor uit Winnie de Poeh en breng haar naar bed.'

'Ja joepie,' roept Sophie terwijl ze haar vuistjes in de lucht zwaait.

Kate knipoogt naar me, de engel. 'Zie je, hier komt het wel goed. Gaan jullie lekker met z'n viertjes.'

Opgewonden klap ik in mijn handen. 'Jullie hebben meer dan gelijk. Het is tijd voor een feestje.' Ik ga staan en doe een rondedans op de bank. Daarna geef ik een kus in de hals van mijn dochter. Ik kijk Max van opzij aan. 'Liefje, ik hou mijn grens echt goed in de gaten vanavond. Geen kater voor mij!'

De gondel brengt ons bij de berghut en mijn mond valt open van het uitzicht. La Folie Douce is de mooiste après-skitent die ik ooit heb gezien. Hij kijkt uit op een schitterende vallei. Op het platte dak staat een zangeres te zingen, begeleid door een drummer en een saxofonist. Het krioelt er van de bewegende mensen, allen gehuld in skipak. Heb ik overigens nooit begrepen. Mensen die klam van het zweet, stinkend en wel nog uit durven na een dag skiën. Als mijn sluike haar de hele dag onder een wollen muts heeft gezeten, ben ik het aanzien niet meer waard. Daarbij beweeg ik veel charmanter op mijn nieuwe hooggehakte Uggs dan op lompe maanmanschoenen.

Ik ben dus blij dat ik al lekker gedoucht heb. Ik draag een donkerblauwe Seven-spijkerbroek met daarop een strak rood coltruitje. Mijn haar zit in een nonchalant staartje. Max en Jules kopen een grote fles champagne en het ploppen van de knallende kurk bezorgt me een verrukt gevoel vanbinnen. 'Eén glaasje kan echt geen kwaad,' glimlach ik onschuldig. Voorzichtig trek ik een glas uit Jules' hand.

'Rustig aan hè! Ik ga niet de hele avond als een politieagent op je letten,' waarschuwt Max.

'Niet nodig, vertrouw me maar,' beloof ik. Ik geef hem een lange kus op zijn mond en beweeg mijn heupen op de muziek.

Lisa staat al op het podium en reikt me haar hand. Ze buigt door haar knieën en trekt me op het podium. De muziek is zo opzwepend dat we er samen helemaal in opgaan.

Een paar uur later probeert Max me van het podium te halen.

'Waarom trek je zo aan me, het feestje begint pas,' lispel ik. Ik wurm me los uit zijn greep en klim met een vastberaden blik weer terug, waarna Max me er dit keer minder vriendelijk vanaf haalt. Mijn benen spartelen driftig in het luchtledige.

'Meekomen jij, anders moet je in je eentje de donkere berg af lopen. De laatste gondel gaat nu.' Hij trekt hard aan mijn pols.

'Hou daar eens mee op en laat me los. Ik ben geen klein kind meer.' Ik probeer oogcontact te maken. 'Ik zie twee Maxen,' grinnik ik. 'Waar is Lisa eigenlijk?'

Max duwt me de gondel in. 'Die is samen met Jules een uur geleden al vertrokken. Je hebt hen nog uitgezwaaid,' bromt hij.

De deur van de gondel sluit automatisch. Het gewiebel is de genadeslag voor mijn maag. Wanneer ik mijn hoofd tussen mijn benen leg, lijkt er niets aan de hand. Maar als ik mijn hoofd optil word ik misselijk. Ik hou het droog totdat de gondel bijna in het dal is. Mijn maag draait. Het raampje zit muurvast. Dan maar naar links uitwijken. Ik sta op, wiebel heen en weer en kots. 'Heb ik je geraakt?' vraag ik met overslaande stem als ik weer omhoogkom. De zure geur die in de cabine hangt, maakt me nog zieker.

'Getverdemme, Barbara! Ik heb het helemaal met je gehad. Je zou je grens bewaken, weet je nog? Ik dacht dat ik je kon vertrouwen.' Max zijn ogen spuwen vuur. Met weinig resultaat probeert hij wat braaksel uit zijn haar trekken.

Ik zie hem tobben en schiet in de lach. 'Wat zie je eruit!' schater ik. Het lachen duurt niet lang, spuugsessie twee kondigt zich aan.

'Je bent een vervelend, verwend rotkind. Geen wonder dat die behandeling bij jou mislukt. Nul verantwoordelijkheid. Zielig, hoor!' Woedend stapt hij uit de cabine. Hij duwt zijn billen naar achteren en loopt als een pinguïn naar ons chalet.

'Wat een sukkel. Je laat je zieke vriendin toch niet alleen? Humorloos schaap,' wauwel ik. Ik draai wat in het rond, op zoek naar bekende zielen. 'Waar is iedereen, ik voel me zo alleen.'

De grond voelt koud aan. IJskoud, maar liggen is nou eenmaal beter dan staan in deze toestand. Als ik mijn ogen open zie ik twee mannengezichten boven me hangen. Ze kijken naar me alsof ik aangereden wild ben.

'Wat fijn dat jullie er zijn. Kunnen jullie me even omhoog helpen? Ik geloof dat ik me niet zo goed voel.'

De grootste van het stel helpt me voorzichtig overeind. 'Waar slaap je?' vraagt hij.

'In Chalet Arabella, naast het vvv-kantoor.' De mannen leveren me keurig voor de deur af.

'Jullie zijn absolute helden, galanter dan mijn eigen vriend, kan ik jullie verklappen. *Merci beaucoup.*' Ik steek mijn hand op en druk op de bel. Drie keer, heel lang.

Het hoofd van Lisa verschijnt om het hoekje van de deur. 'Ik begrijp er niets van. Max is al naar bed. Hij nam niet eens de tijd ons te begroeten. Wat is er gebeurd?'

'Ik ben niet zo lekker, Lies,' fluister ik terwijl ik haar opzij duw. Op een draf loop ik naar onze slaapkamer. Voor het hert blijf ik een moment staan. 'Arm beest, opgezet voor wat sfeer in huis,' mompel ik. Een nieuwe misselijkheidsaanval dient zich aan. Gebogen strompel ik de badkamer in. Mijn handen vastgeklemd om mijn buik. Ik hoor water tegen het doucheraam kletteren. 'Ben jij wel helemaal goed bij je hoofd?' roep ik. 'Ik had wel vermoord kunnen worden, dat had ik dan mooi aan jou te danken. Welke gek laat zijn zieke vriendin moederziel alleen achter?' Ik vul een glas koud bergwater en drink het in één teug leeg. 'Wat ruikt het hier trouwens zuur,' klaag ik. 'Als ik al niet misselijk was, zou ik het nu wel worden.'

Daar is mijn antiheld. Hij schuift de douchedeur opzij. Ik zie alleen zijn hoofd. Het natte haar plakt als een te strakke badmuts over zijn gezicht. 'Dat is toevallig jouw kots die ik van mijn lijf probeer te schrapen.' Met een klap schuift hij het deurtje weer dicht.

'Zeg druiloor,' reageer ik kwaad. 'Als hier iemand boos mag zijn dan ben ik dat. En reken er niet op dat ik je deze laffe streek ooit nog vergeef.'

Uitgeteld laat ik me op het bed vallen. Kijkend naar de grote houten balken die het plafond ondersteunen, lijkt het alsof ik aan de wieken van een molen hang. Ik heb geen flauw benul hoe lang ik buiten westen ben geweest, maar ik word wakker omdat er aan me getrokken wordt. 'Als ik jou was, zou ik maar bij me uit de buurt blijven,' grom ik met een halfgeopend oog tegen Max die met een verbeten gezicht aan mijn broekspijpen trekt. 'Geen seks voor jou de komende weken. Trouwens, je vindt me toch een zielige mislukking die geen geslaagde vruchtbaarheidsbehandeling verdient?'

Max pakt met zijn duim en wijsvinger een stuk buikvlees beet en trekt eraan. 'Ik ga twee injecties zetten, die was je natuurlijk voor het gemak even vergeten. Probeer te ontspannen.'

Voordat ik hard wil gillen zijn de spuitjes al gezet en val ik in een diepe slaap.

Ik ben nog steeds een beetje brommerig als ik wakker word. 'Ik denk dat een sorry hier wel op zijn plaats is,' zeg ik met hese stem terwijl ik met mijn vingertoppen over mijn pijnlijke slapen wrijf.

Max knijpt zijn ogen samen. 'Ik had je nooit alleen mogen laten, maar dat onverantwoordelijke gedrag van jou maakte me blind van woede.' Max rolt niet-begrijpend met zijn ogen. 'Je gaat toch niet lachen als je over je vriend heen spuugt?'

Ik trek het dekbed tot ver over mijn hoofd. 'Heb ik dat gedaan?'

stamel ik. Door de kleine lichtspleet zie ik Max driftig knikken. Ik trek de dekens weer van me af en kruip naar boven. 'Dat spijt me dan heel erg. De helft van de avond is als een dichte mist aan me voorbijgegaan. Pas op die koude grond werd ik weer wakker.' Ik steun op mijn elleboog. 'Bedankt dat je me geïnjecteerd hebt. Ik weet hoe eng je dat vindt,' fluister ik.

'Het moest wel, jij had er nooit meer aan gedacht.'

Ik druk mijn blote lijf tegen hem aan. 'Schatje, ik heb echt niet veel gedronken. Niet meer dan vier glazen champagne. Het is verkeerd gevallen.' Met een beteuterd gezicht kijk ik hem aan.

'Dit was de eerste en zeker de laatste keer dat jij gedronken hebt tijdens een behandeling.'

Ik knik braaf, terwijl de kater door mijn lichaam giert. Zoals de bijsluiter al had gewaarschuwd: ivf en alcohol gaan niet samen.

Ik voel me goed totdat we weer in Nederland zijn. Er hoeft maar iets te gebeuren of ik kom tot ontploffing. Deze vloedgolf van emoties overspoelt me bij vlagen en ik kan mijn vinger er niet op leggen. Zo kan het gebeuren dat ik vrolijk wakker word en zonder enige aanleiding in een woedeaanval uitbarst. Eigenlijk moet ik het woord 'ik' weglaten. Want 'ik' lijkt niet meer te bestaan. 'Ik' zijn de hormonen. Ook als ik alleen ben en niemand de schuld kan geven van mijn irritatie, slaan ze toe. Soms door hartkloppingen door mijn borstkas te jagen, dan weer door kortsluiting in mijn hersenen te veroorzaken, andere momenten door mijn buik zo op te laten zwellen dat hij tot ontploffing lijkt te komen. Het is een achtbaan waar ik niet meer uit kan stappen. Ik voel me stuurloos.

Kate en Lisa communiceren bij voorkeur via de mail.

Zelfs mama ontwijkt me de laatste week. Toen ik haar gisteren belde, zei ze kortaf dat ze aan het koken was en niet wilde dat er iets aan zou branden. Later die avond stuurde ze me een verklarende mail.

Lieverd, sinds je hebt gezegd dat ik een vervelende en bemoei-
zuchtige moeder ben die haar aandacht beter kan richten op de
huishouding dan op haar dochter, laat ik je maar even met rust.
Ik wilde je alleen maar duidelijk maken dat je de komende weken
rust moet nemen en beter geen afspraken kunt maken. Ik ken je,
je doet altijd meer dan goed voor je is. Paps zegt dat jouw lelijke
reactie door de hormonen gevoed werd, dat je het helemaal niet
zo meende. Ik hoop het maar. Na deze behandeling zou ik maar
stoppen. Ik bedoel, stel dat het weer niet lukt. Ik las laatst dat
hormonen nog jaren in je lichaam blijven rondspoken. Dat kan
toch nooit goed zijn? Niet voor jou, maar ook zeker niet voor je ´
omgeving. Nou lieverd, pas je goed op jezelf?! Liefs, je moeder.

Papa heeft gelijk. Mijn opmerkingen komen er de laatste tijd anders uit dan ik ze in mijn hoofd heb. Mijn hersenen worden bestuurd door een sluw duiveltje, dat vanaf mijn schouder signaal-
tjes afgeeft, die via mijn mond in kwetsende woorden naar buiten
stromen. Woorden die ik eigenlijk niet uit wil spreken. Iedereen
bedoelt het goed, maar niemand weet waar ik doorheen ga. Ik
ben mezelf niet meer. Ik ken mezelf niet meer. Wie was ik ook alweer?

26

2002

Ik was de eerste klant in het reisbureau. Een van de reisadviseuses was achter aan het stofzuigen, Merel zette ondertussen koffie en thee klaar. Zij was degene die mijn ticket had geboekt. 's Ochtends had ik hem uit mijn dressoir gehaald. Dat deed ik vaker. Om weg te dromen bij mijn reis naar Australië. Vanaf vandaag zou het bij dromen blijven.

'Goedemorgen, wat kan ik voor je doen?' vroeg Merel nadat ze zichzelf een kopje koffie had ingeschonken. Ineens had ze een blik van herkenning. 'Nu zie ik het. Vorige maand heb ik jou aan de balie gehad.'

Ik knikte stilzwijgend.

Genoeglijk wreef ze in haar handen. Merel had een dikke donkere pony die net boven haar wenkbrauw stopte. Als je het mij vroeg, was hij anderhalve centimeter te kort geknipt voor het leuke.

Aarzelend pakte ik het ticket uit mijn binnenzak. Ik legde het op de balie en staarde er beduusd naar. 'Ik ga niet meer naar Australië.' Ik sloeg mijn ogen neer. Mijn tranen verlangden ernaar naar buiten te mogen komen, maar ik wilde hier niet huilen. Dat bewaarde ik wel voor thuis.

'Wil je het ticket omboeken naar een andere datum of helemaal annuleren?' vroeg Merel door.

'Het laatste, ik ben namelijk zwanger,' legde ik bijna fluisterend uit.

Ze veerde op en klapte in haar handen. 'Gefeliciteerd, daar kan natuurlijk geen reis naar Australië tegenop.'

Ik murmelde iets onverstaanbaars.

'Koffie?' vroeg ze met oprechte blijdschap in haar stem.

Ik sloeg haar aanbod vriendelijk af.

Merel dook in haar computer om na te gaan hoe hoog de annuleringskosten waren.

De andere reisadviseuse stopte resoluut met vakken vullen en draaide zich om. 'Ik heb flarden van het gesprek opgevangen, van harte, meid.' Haar rode haar zat in een woeste krul en haar bleke wangen telden ontelbaar veel sproeten. 'Neem van mij aan, die reis kun je op je buik schrijven totdat hij of zij het huis uit is.' Met een liefkozend gebaar wreef ze over haar dikke buik. 'Ik ben zelf een halfjaar geleden bevallen en geloof me, je hebt geen seconde rust meer. Handenbindertjes zijn het.' Ze bloosde van vreugde en schonk me een 'ons kent ons'-achtige knipoog.

Ik keek naar haar buik en zou zweren dat er nog een kind in zat. Een koude rilling liep via mijn ruggengraat naar mijn kruin. Mijn toekomstbeeld.

'De annuleringskosten zijn driehonderd euro.' Merel draaide het scherm naar me toe. 'Je hebt geluk, bij sommige maatschappijen ben je het hele bedrag kwijt.'

Ik verslikte me lelijk. Driehonderd euro, daar kon ik een Dieselspijkerbroek van kopen en ook nog een paar Gucci's. Wel in de uitverkoop, maar toch. Ik fronste mijn wenkbrauwen. 'Ik vind het vreselijk veel geld voor een reis die ik niet eens ga maken.'

Merel verschoot van kleur. 'Nu je het zegt, je kunt voor dat geld ook een babywiegje of een kinderwagen kopen.'

Mijn mond zakte open. Ik moest weg uit deze blije gemeenschap. 'Kan ik met pin betalen?' Mijn ogen werden vochtig. Dit was het moment. Ik moest afscheid nemen van mijn reis. Van alle avonturen die ik daar zou beleven. Een ervaring voor het leven. Ik pakte de pinpas uit mijn tasje en betaalde de driehonderd euro.

Buiten liet ik mijn tranen de vrije loop. Ze lieten zich niet meer wegslikken. Op weg naar huis nam ik afscheid van mijn droom. Een droom waar iets ontastbaars voor in de plaats was gekomen. Als een bezetene trapte ik op de pedalen. De wind blies de tranen van mijn gezicht.

Bij de fontein op het Weena stapte ik af en ging op de stenen rand zitten. Sloeg mijn handen voor mijn ogen en liet de tranen tussen mijn ingehaakte vingers doorsproeien. Auto's reden in horden voorbij. Stonden even stil voor het stoplicht om vervolgens weer langzaam op te trekken. Het leken wel kuddedieren. Terwijl ik de uitlaatgassen inademde, dacht ik aan het nieuwe leven dat voor me lag. De lijnen die ik had uitgezet waren met een grote mitrailleur weggemaaid. Ik voelde me verward en verdrietig. Er gingen andere dingen voor in de plaats komen. Ongetwijfeld zou ik ook daar weer van genieten. Het had tijd nodig, dat was alles.

Toen ik naar de klok op het stadhuis keek zag ik dat het al zeven uur was. De tijd had even stilgestaan. De tijd waarin ik me een voorstelling probeerde te maken van mijn nieuwe leven. Maar het hoorde niet bij mij, nog niet. Ik pakte mijn fiets op en ging naar huis.

27

2002

Stand van zaken:
- Mijn taille was weg, mijn borsten reusachtig en mijn huid had er nog nooit zo stralend uitgezien.
- Ik woonde nog steeds alleen.
- Mijn sessies bij drs. Nicolai had ik succesvol afgerond. Hij was van mening dat mijn plotselinge zwangerschap de sleutel was naar de rust en warmte in mezelf waar ik zo naar op zoek was.
- De zwangerschap maakte dat ik elke minuut van de dag zin had in seks. Frank was de gelukkige. (Dat vond ik wel zo integer naar Uk toe. Stel je voor, iedere keer het geslacht van een andere man dat zijn veilige huisje binnendrong).
- Lisa en ik werkten aan een wel heel bijzondere offerte.

Ik keek op de klok en zag dat het al tien uur was. Eigenlijk was ik te moe om zo laat nog te werken, een geheel nieuwe ervaring. Maar het diende een goed doel. Morgen hadden we een intakegesprek voor de trouwerij van een bekende Nederlander. Rick Laban. Zijn vriendin Tessa had ons in de *Cosmopolitan* gespot. Via de mail had ze ons uitgenodigd voor een kennismakingsgesprek in Amsterdam-Zuid. We waren helaas niet de enigen. Samen met twee andere bureaus deden we een gooi naar dit glossy huwelijk. Het bureau dat het meest creatieve concept wist te bedenken en daarbij tegen een goede prijs haar diensten aanbood, mocht de trouwerij organiseren.

Tevreden wreef ik over mijn toeterbuik. 'Ik denk dat we er klaar voor zijn,' zei ik, terwijl ik vanuit mijn tenen gaapte. 'We kunnen ook niet veel meer doen. We moeten eerst weten wat ze in gedachten hebben voordat we met een plan komen.'

Lisa knikte afwezig, pakte haar mobiel uit haar tas en las een berichtje. Ze glimlachte en legde hem weer terug.

Ik kwam voorzichtig overeind. Op die manier had ik het minste last van duizelingen. 'Wordt veroorzaakt door een lage bloeddruk,' verklaarde mijn verloskundige Marlies vorige maand. Uit de koelkast pakte ik een halve liter vanille vla die ik aan mijn mond zette.

'Bar, ik heb je raad nodig.' Ik ving met mijn tong het laatste restje op en had spijt dat ik niet nog een pak had staan.

'Vertel.'

Lisa draaide zich om en liep naar het raam. 'Ik weet eigenlijk niet goed waar ik moet beginnen. Het ligt nogal gecompliceerd.'

Mijn interesse was meteen gewekt. Ik gooide het pak in de prullenbak en liep snel de woonkamer in.

'Begin bij het begin,' stelde ik voor.

Het gedempte geluid van Lisa's mobiel leidde haar af. Ze holde naar haar tas, pakte haar telefoon en begon te fluisteren. 'Sorry, ik moet gaan. We hebben het er morgen wel over, oké? Ik haal je om tien uur op, dan zijn we zeker om twaalf uur in de Valeriusstraat.'

Nog voordat ik kon reageren had ze de deur achter zich dichtgetrokken.

'Before You Kiss the Bride maakt een planning, een draaiboek en een budget. Met name het kostenplaatje is belangrijk om goed te bewaken.' Ik knipoogde naar de aanstaande bruidegom. 'Als je eenmaal enthousiast bezig bent, ben je snel geneigd boven je begroting uit te komen.'

Lisa vulde me aan met haar blik op Tessa gericht. 'Je trouwt maar één keer, tenminste, daar gaan we natuurlijk wel van uit. Dan moet het ook helemaal perfect zijn.'

Stilzwijgend keken ze ons aan. Ze droegen allebei een vale spijkerbroek waarvan het kruis op kniehoogte hing. Rick leek in het echt ouder dan op tv. Zijn grijsbruine haar hing als een helm langs zijn gezicht. In de punten waren high-lights aangebracht. Hij stak een sigaret op en blies de rook schuin naar achteren.

'Wij organiseren een trouwerij waar nog lang over nagepraat wordt. Een die jullie gasten nog niet eerder hebben meegemaakt. Wij zorgen ervoor dat jullie op de dag zelf echt kunnen genieten, zonder bezig te zijn met de vraag of alles wel vlekkeloos verloopt.'

Rick kuchte zonder zijn hand voor zijn mond te houden. 'Het kost veel geld om het via jullie te doen,' benadrukte hij terwijl hij zijn gezicht strak in de plooi hield.

Hier nam Lisa het stokje over. 'Natuurlijk kost het geld om ons in te huren. Maar doordat wij veelvuldig samenwerken met de beste leveranciers kunnen we een betere prijs voor jullie bedingen. Op deze wijze verdienen we onszelf weer terug. Wist je trouwens dat het driehonderd uur kost om je trouwerij te organiseren als je het helemaal zelf moet doen? In een drukbezet leven is het bijna onmogelijk om dat goed te doen.'

Peinzend wreef ik over mijn dikke buik. Ik vroeg me af of ze onder de indruk waren van ons verhaal of dat ze het verwerpelijk vonden.

'Wat voor spectaculairs heb je voor ons in gedachten?' vroeg Tessa met de lispelende stem van een tienjarige. Tessa stak op platte schoenen al een kop boven Rick uit. Ze droeg een kortgeknipt, wit geblondeerd kapsel en had haar ogen dik omlijnd met zwarte eyeliner.

'Een eerste gesprek dient altijd ter kennismaking en om te voelen of er een wederzijdse klik is. Het is niet niks om de mooiste dag van je leven uit handen te geven. Daar is van beide kanten vertrouwen voor nodig,' legde ik uit. 'Als dit vertrouwen er is en we weten waar jullie hart sneller van gaat kloppen, maken we een creatief plan. We kunnen nu wel allerlei fantastische ideeën afvuren, maar we presenteren liever een op maat gesneden plan dat naadloos aansluit op jullie droomhuwelijk. Nadat we vandaag met elkaar jullie wensen in kaart hebben gebracht.' Ik nam een slokje cola. Wachtend op hun reactie. Mijn ogen draaiden van Rick naar Tessa en weer terug. Het stel werd steeds waziger. Ik drukte mijn vinger tegen mijn slaap. Draaide langzame rondjes om het bonken te verzachten. De wereld om me heen werd mistig en ik kreeg het gevoel dat ik de controle over mijn lichaam kwijtraakte. Het enige wat ik nog kon doen was mijn hoofd tussen mijn knieën leggen en diep in- en uitademen.

'Wat heeft zij?' hoorde ik in de verte Rick vragen.

'Laat haar maar even,' zei Lisa, die luchtig probeerde te klinken. 'Ze is wel vaker duizelig de laatste tijd.'

Tessa kwam ondertussen met een nat doekje aangesneld. Ze legde het op mijn voorhoofd.

Niet doen, dacht ik paniekerig. Mijn haar kon geen natte lapjes verdragen en ik was vanochtend best lang bezig geweest om dit hippe model erin te krijgen. Maar die ijdelheid verdween snel op het moment dat ik voelde dat ik oncontroleerbaar nodig moest poepen en spugen. Tegelijkertijd. Laat dit niet waar zijn, niet bij Rick Laban. Ik vertrek vandaag nog naar Tibet om een kluizenaarsbestaan te leiden als ik op dit moment in mijn broek poep. Lieve God, ik heb uw hulp nodig. Ik beloof dat ik nooit meer minnaars op zal zoeken in het buitenland, mezelf vanaf de geboorte van mijn kind helemaal wegcijfer en absoluut nooit, nee echt nooit meer te dure schoenen koop. Mits ik nu niet in mijn broek poep natuurlijk. Diep inademen door de neus en uit door de mond. Hou het binnen. Buik uit, buik in. Zen zen zen.

Lisa kwam naast me zitten, boog zich naar me toe. 'Gaat het, Bar? Moet ik een dokter bellen?'

Ik schudde mijn hoofd en spande alle spieren in mijn lijf aan om de druk op mijn achterste te verlichten. In een poging toch nog op tijd het toilet te bereiken ging het mis. Ik spuugde op het ecrukleurige Perzisch tapijt, dat de vermalen aardbeien en jus d'orange van het ontbijt direct in zich opnam.

'Dat is van Ricks oma geweest,' piepte Tessa terwijl ze naar de natte plek wees.

'Ze is nog maar net dood,' vulde Rick haar aan. Ik zakte door de grond, kilometers diep de aarde in. Toen werd het donker.

Het volgende moment werd ik wakker op de sofa.

'Gaat het met je? We zijn zo geschrokken,' zei Lisa.

Vanuit mijn ooghoek zag ik Tessa op haar knieën het tapijt boenen. Links van haar stond een blauw emmertje met sop.

Ik probeerde overeind te komen en snoof. Geen poep, dacht ik opgelucht. 'Het gaat, ik wil alleen heel graag naar huis,' zei ik gegeneerd. De kamer draaide nog steeds. Ik keek naar de brokken spuug. 'Het spijt me zo,' fluisterde ik en ik keek Rick verontschuldigend aan.

'Het is al goed.' Hij keek op zijn horloge en wapperde demonstratief met de hand voor zijn neus. 'Jullie concurrent staat zo voor de deur. Ik hoop dat die lucht voor die tijd wegtrekt.' Een cynisch lachje ontglipte zijn mond. 'Oké meiden, we hebben een heel duidelijk beeld van wie jullie zijn en met name van wat jullie kunnen. Goede reis naar huis. Mijn p.a. laat binnenkort weten of jullie de klus krijgen.'

'Die kunnen we op ons buik schrijven,' jammerde ik vol schaamte toen we in de auto zaten. 'Deze trouwerij zou ons op de kaart zetten. Het zou onze doorbraak zijn.'

Lisa zette het raampje open. 'Bar, ik maak me zorgen. Het is niet normaal dat je zomaar flauwvalt.' Ze keek me bezorgd aan.

'De verloskundige zei bij mijn vorige bezoek al dat ik meer zout moest eten. Die duizeligheid is niet gevaarlijk voor de baby, eerder lastig voor de moeder. En gênant, blijkt nu.'

Lisa legde haar hand op mijn been. 'Je werkt ook veel te hard. Je lichaam geeft vanzelf aan dat het rust nodig heeft. Misschien moeten we opnieuw naar de werkverdeling kijken.' Ze zette de cd van Keane op. Keek even naar buiten en sloeg vervolgens een hand voor haar mond. 'Hoe krijg je het voor elkaar. Kotsen over het erfstuk van Rick Laban.' Haar lichaam begon schokkende bewegingen te maken. Tranen rolden over haar wangen.

'Echt grappig vind ik het niet, Lies. Misschien over zestig jaar.' Ik staarde uit het raam en keek naar het groene landschap waar we aan voorbijraasden.

'Sorry, ik vind het echt heel erg, maar tegelijkertijd te komisch. Niemand die dit verhaal gelooft, zelfs Kate niet.'

Ik nam mijn hoofd tussen mijn handen.

'De kotsende wedding planner, neemt al uw werk uit handen,' gierde ze. 'Hoelang zou het duren voordat Tessa dat kleed weer schoon heeft?'

'Warme melk met anijs en bruin brood met appelstroop,' zei Lisa moederlijk.

Dankbaar nam ik de lunch in ontvangst. Lisa had een wollen deken voor me gehaald en mijn slippers onder mijn voeten geschoven. Ik voelde me langzaamaan weer wat beter worden. 'Nou, laat me nu niet langer in spanning,' zei ik terwijl ik op het plekje naast me klopte.

Lisa kwam naast me zitten en schraapte haar keel. 'Eigenlijk kan het niet en ik weet bij voorbaat al dat je boos wordt en me zult veroordelen.' Ze keek me met een mysterieuze blik aan. 'Ik heb toch laatst een intakegesprek gehad bij Bas en Simone?'

Ik nam een hapje brood. 'Dat stel dat over zes maanden trouwt?'

Lisa knikte en grabbelde in haar tas. 'Hier, lees maar.'

Ik pakte haar telefoon aan en keek naar de display.

Dag heerlijke vrouw, ik vond het bijzonder met je. Zullen we morgen het kasteeltje in Vught bekijken? Denk geschikte locatie... xxx.

Lisa keek naar de grond.

'De getuige?' giste ik.

Lisa schudde haar hoofd.

'Knappe zwager?'

Ze bewoog haar hoofd van links naar rechts.

'Ik geef het op,' riep ik terwijl ik wat appelstroop uit mijn mondhoek veegde.

'Bas, de aanstaande echtgenoot.'

Ik bleef stil en dacht dat ze een grapje maakte. Maar toen ik haar rood wordende hoofd goed bestudeerde, kreeg ik door dat ze bloedserieus was.

Lisa stond op en liep naar de vensterbank. Ze voelde aan de orchidee en trok het laatste knopje eraf. 'Dood,' merkte ze op.

'Lisa, dit meen je toch niet?'

Ze ging in de vensterbank zitten en keek naar buiten. 'Word je nou nooit gek van al dat verkeer dat elke dag weer langs je huis raast?'

Ik stond op en ging voor haar staan. 'Lisa, je moet ermee stoppen, dit doorbreekt op alle fronten de wetten van de integriteit. Dit zijn onze klanten. Klanten die gaan trouwen, nota bene. Simone vertrouwt je. Ik verbied je om nog met hem af te spreken.'

Ze keek me hooghartig aan. 'Wat ben jij saai geworden, nu je zwanger bent, zeg. Ik kan me nog goed herinneren dat we jouw minnaar op gingen zoeken in Engeland. Volgens mij was het net een maand uit met Frank en was je ook nog eens zwanger, over ethisch gesproken.' Ze haalde haar neus op.

Ik steeg bijna op. 'Dat is niet te vergelijken, die had geen vriendin waar hij over een halfjaar mee zou trouwen. Waar jij hen bij helpt, nota bene!' IJsberend beende ik door de kamer. Mijn hersenen waren krampachtig aan het werk. 'Is er al wat gebeurd tussen jullie?'

Lisa beet met haar tanden op haar nagel. 'Hij heeft me een kus op mijn mond gegeven, meer niet.'

Argwanend bewoog mijn wenkbrauw omhoog. 'Hoe kan dat? Waar was Simone dan?'

Lisa haalde haar schouders op. 'Vorige week vroeg Bas of hij me alleen kon zien. Hij wilde iets leuks regelen voor Simone, iets waar ze niets vanaf wist, een verrassing.' Ze beet op haar onderlip. 'En van het een kwam het ander.'

Mijn mond viel open. 'Nou, die verrassing is dan zeker gelukt.' Ik keek naar buiten en zag hoe een moeder met een bakfiets gevuld met kinderen moeite deed om langs de filerijdende auto's te fietsen. De baby lag in een knalrode Maxi-Cosi te slapen en zoog op een speentje. Het kleutermeisje droeg twee staartjes en klapte in haar handen. Het hele tafereel zag er allesbehalve ontspannen uit.

'We hadden een fles wijn op en buiten de kroeg namen we afscheid. Bij de derde zoen drukte hij zijn lippen iets te lang op de mijne. Hoewel ik hem echt heel erg leuk vind, heb ik hem van me afgeduwd. Natuurlijk weet ik dat het niet kan. Maar vanaf de eerste ontmoeting zit hij in mijn hoofd. En ik bij hem, blijkt nu.' Lisa sloeg haar ogen neer. 'Gisterenavond belde hij om te vragen of hij langs mocht komen, maar dat leek me niet verstandig. Geloof me, ik vind het ook erg voor Simone.' Lisa slikte moeizaam. 'Ik weet gewoon niet wat me overkomt, maar ik word overspoeld met verliefde gevoelens voor die man.'

Mijn handen rustten op mijn buik en ik probeerde mijn ademhaling tot rust te manen. 'Je moet ermee stoppen, Lies. Ik neem vanaf nu de organisatie over. Hier kunnen we grote problemen mee krijgen.'

Lisa liet zich van de vensterbank glijden en pakte een chocolaatje uit het schaaltje dat op tafel stond. 'Stel dat we voor elkaar gemaakt zijn. Dat we elkaar niet voor niets tegengekomen zijn. Dat zou toch ook zuur zijn?'

Ik liet me weer in de bank zakken en duwde een extra kussen in mijn rug. 'Ook al had je geen zakelijke verbinding, een man die vlak voor zijn trouwerij een ander de liefde verklaart, iemand die hij nog maar net kent, daarvan mag je hopen dat het jouw ware niet is.'

Lisa pakte het lege bord van tafel en bracht het naar de keuken. 'Ik ga naar kantoor. Ga jij straks naar de verloskundige?' Ze pakte haar tas en graaide nog een chocolaatje van de schaal.

'Alleen als jij belooft dat je met die Bas stopt,' zei ik dwingend.

28

2007

'Je eierstokken zijn zes keer zo groot als normaal. Meiske, jij moet veel last hebben.' Prof. M. haalt het echoapparaat uit mijn ingang.

'Dat klopt. Ik voel me net een luchtballon die elk moment op kan stijgen.' Ik kom voorzichtig omhoog en druk mijn blote benen tegen elkaar.

'Kan dat kwaad, vergrote eierstokken?' vraagt Max.

De professor schudt beslist zijn hoofd. 'Na de hormoonbehandeling worden ze weer kleiner,' legt hij met zijn blik op mij gericht uit. 'Jouw lichaam reageert heel sterk op de gonal-f. De eierstokken worden te veel gestimuleerd en zwellen daardoor op.' Hij overhandigt het echoapparaat aan zijn assistente en steekt zijn wijsvinger naar me op. 'Je moet direct stoppen met de hormooninjecties. Twee dagen rust houden en daarna de pregnyl-prik zetten om de eitjes tot rijping te laten komen.'

Schaapachtig bekijk ik mijn professor. 'Maar dat kan niet, dan storten mijn eitjes toch als een plumpudding in elkaar?'

Professor M. kijkt me aan alsof ik niet helemaal goed wijs ben. Zijn verbouwereerde blik maakt dat ik me een beetje onnozel ga voelen. 'Hoe kom je aan die vreemde informatie?'

Ik trek mijn kabelvest tot ver over mijn ontblote onderlijf. 'Dat heeft een gynaecoloog in Nederland heel stellig tegen ons gezegd. Ik moest ondanks de overstimulatie nog vier dagen doorspuiten om het weekend te overbruggen.' Niet-begrijpend haal ik mijn schouders op.

Er glijdt een verbeten blik over het gezicht van mijn professor. 'Absolute lariekoek, wie bedenkt zoiets?' roept hij, terwijl hij zijn in witte doktersjas gehulde armen in de lucht zwaait. 'Doorgaan met de hormonen zou behalve dat het ongezond is voor jou, ook nog eens desastreus zijn voor de follikels. Die kunnen uit elkaar klappen als je het inspuiten continueert. Ze moeten juist rust hebben.'

Ik ben met stomheid geslagen en vraag me verwonderd af hoe het mogelijk is dat ik van twee artsen zulke tegenstrijdige opdrachten krijg. Als ik mijn slipje en spijkerbroek weer heb aangetrokken, observeer ik professor M., die aandachtig de laatste aantekeningen in mijn dossier bijwerkt. Ik heb hem nog niet één keer achter een computer zien werken, alle informatie wordt handmatig door hem verwerkt.

Bij de nog gesloten deur legt hij zijn hand op mijn schouder. 'Komaan Barbara, nog even volhouden. Over een paar dagen zie ik je terug,' zegt hij met een glimlach waar zijn hele gezicht aan meedoet. Hij zwaait de deur open, waarna Max en ik langs hem heen de gang op lopen.

'Ik heb het volste vertrouwen in onze professor en ben ervan overtuigd dat hij de waarheid spreekt,' zeg ik als we voor de slagboom staan.

Max steekt het kaartje in de gleuf en geeft gas op het moment dat de boom omhooggaat. Hij knikt aangedaan. 'Dat nu wederom blijkt dat men er tijdens de vorige behandeling een potje van heeft gemaakt, bevestigt alleen maar dat de keuze om naar België te gaan de juiste was,' antwoordt hij.

Omdat Max nog steeds weigert het looskamertje te betreden, overnachten we de dag vóór de punctie in een *chambre d'hôtes* in de buurt van het ziekenhuis.

Hotel Verhaegen is een gerestaureerd historisch monument in het hartje van Gent. De schoonheid van het charmante hotel ontdekken we als we aankomen, bij het zien van de gevels, het interieur en de schitterende tuin. Overal waar ik kijk, zie ik bijzondere accenten uit het verleden en het hedendaagse. Authentieke leistenen tegels over de gehele benedenverdieping, grotendeels bedekt met kleurrijke Perzische tapijten. Het hele vertrek ruikt naar een mengeling van limoen en gember.

'De grote haard in de achttiende-eeuwse kamer wordt voor het ontbijt al aangemaakt,' belooft de eigenaar van het pand. 'Bij mooi weer kunnen jullie zelfs in de Franse buxustuin ontbijten,' glimlacht hij, waarna hij een bescheiden knikje geeft.

'Helaas hebben we geen tijd om morgen te eten,' zeg ik verontschuldigend. 'Voor de zon opkomt vertrekken wij naar het UZG.' Dat ik nuchter moet blijven voor een eicelpunctie laat ik maar achterwege. Ik wil de arme man niet nu al belasten met ons vruchtbaarheidsprobleem.

Als ik me uitgekleed heb om onder de douche te stappen en met een schuin oog in de spiegel kijk, zie ik tot mijn grote schrik dat mijn lichaam verdacht veel gaat lijken op dat van een zeug. Mijn dikke tepels voelen pijnlijk aan, mijn buik is gespannen en opgezet. Ik ben tijdens deze behandeling minstens vijf kilo aangekomen. 'Vocht,' verzekerde Emma ons destijds. Maar knijpend in de vlezige vetlaag die ik heb opgebouwd weet ik wel beter. Terwijl ik niet meer heb gegeten dan normaal. Knorrend stap ik onder de warme stralen. Mijn blauwe Missoni-jurkje zit niet meer zo passend als voorheen, constateer ik zorgelijk als ik voor de spiegel sta. Rond mijn dijen en bij de taille staan de naden strak gespannen. De drie dozijn voldragen eieren die ik met me meedraag zijn goed voelbaar. Zo goed dat ik bij iedere stap die ik zet de neiging krijg te kakelen.

Max en ik slenteren via smalle straatjes, die grotendeels met donkergrijze kinderkopjes betegeld zijn, naar een Spaans restaurant.

Max bestelt een glas sancerre en ik neem tomatensap. Met tabasco, om het geheel wat op te leuken.

'Ik hoop uit de grond van mijn hart dat het dit keer gaat lukken. Ik heb er in ieder geval een heel positief gevoel over,' zeg ik.

De ober bedekt ons tafeltje met diverse schaaltjes tapas. De geur van knoflook en olijfolie prikkelt mijn neus. Ik prik een grote, glimmende olijf aan mijn vorkje en breng hem naar mijn mond. 'Veel knoflook,' zeg ik met een brede grijns. 'Als dat onze professor maar niet afschrikt.'

Max pakt een plakje gegrilde aubergine en strooit er wat zout over. 'Ik durf eigenlijk niet te hopen op een zwangerschap. Mijn kinderwens is zo groot dat het bijna pijn doet. Ik probeer me te beschermen door ervan uit te gaan dat de kans van slagen heel klein is.' Hij kijkt me bedenkelijk aan. 'Zelfs bij twee vruchtbare mensen die op het perfecte moment en onder de beste omstandigheden seks hebben, is de kans op zwangerschap al klein. Ga in ons geval voorzichtig uit van twintig procent slagingskans, dan blijft er tachtig procent over om te mislukken. Dat is veel.' Max roert de met mascarpone gevulde pepertjes om.

'Ik ga er juist van uit dat het lukt en als ik me vergis, zie ik dan wel weer. Ik heb na de eerste behandeling geleerd dat het verstandig is los te laten waar ik geen invloed op heb en me vol overgave vast te bijten daar waar ik het lot een handje kan helpen. Door positief en hoopvol te blijven. En mezelf toe te staan verdrietig te zijn wanneer de poging mislukt. Pijn hoort bij het leven, daar kan en wil ik me niet tegen beschermen.' Ik dep mijn mondhoeken met een reusachtig servet. 'Ik zie nu in hoe bijzonder het is om zwanger te raken,' ga ik verder. 'Een groot wonder, afhankelijk van zoveel factoren. Jaren geleden was ik boos op mijn lijf dat geen voornemen had ooit een kind te baren. Daar heb ik me vaak schuldig over gevoeld. Eigen schuld dat het je nu niet lukt. Toen werd het in je schoot geworpen en was je er niet bepaald blij mee. Laat maar eens zien hoeveel moeite je ervoor overhebt en hoe diep je wilt gaan, sprak mijn geweten me belerend toe op het moment dat de eerste poging mislukte.' Ik leg mijn armen voor me uit op tafel. 'Ik ben niet bang om diep te gaan. Sterker nog, ik heb er alles voor over om samen een baby te krijgen.'

Een trotse glimlach speelt om Max zijn lippen.

'Het enige waar ik niet naar uitkijk is de punctie, dat was zo'n vreselijke ervaring.' Een intense rilling schiet naar mijn kruin.

Max buigt zich naar me toe en brengt zijn mond naar mijn oor. 'Ik hou zo vreselijk veel van je,' fluistert hij. 'Samen komen we erdoorheen, wat de uitslag ook zal zijn.'

Om 07.00 uur komen Max, zijn zaad en ik in het UZG aan.

De mannelijke verpleger die het infuus zet, vraagt of ik een rustgevende pil wil.

'Heel graag,' antwoord ik en ik slik de witte pil zonder water door. De angst voor de pijn die ik de vorige punctie voelde, is in alle hevigheid terug.

'Uw man mag pas komen als u verdoofd bent,' deelt de broeder mee.

Max wrijft over mijn wang en kijkt me bezorgd aan. Een overweldigend gevoel van eenzaamheid overvalt me. Tijdens dit soort momenten is het wel zo fijn om een vertrouwd iemand aan mijn zijde te hebben. Ik slik de angstprop in mijn keel weg en probeer me te vermannen. Geef Max een kus en loop mee naar de punctiekamer.

In het UZG wordt de punctie door gespecialiseerde artsen verricht. Een man met een guitig hoofd begroet me met een stevige handdruk. Op zijn hoofd draagt hij een blauw hoofddeksel dat versierd is met gele visjes en dolfijnen. Zijn mondkapje hangt over zijn operatiehemd. Het voelt fijn dat ik in dit ziekenhuis door zulke vriendelijke mensen wordt geholpen. Het schept toch een band. Een betrokken team, Max en ik doen er alles aan om onze droom te realiseren en na ieder bezoek komen we een stapje dichterbij.

'Ga maar zitten, hoor,' zegt de arts wijzend naar de stoel.

Mijn lichaam trilt en voordat hij me ook maar aanraakt, begin ik te snotteren. 'Weet u, ik voel me zo overgeleverd. Wanneer er een kies wordt getrokken of mijn been wordt gehecht, kan ik op mijn ademhaling letten en me concentreren op iets anders. In dit geval lukt dat niet. Ik lig hier met ontbloot onderlijf in de beugels.' Mijn infuusvrije arm zwaait met een wanhopig gebaar in de lucht. 'Begrijp me goed, ik vind u aardig en u lijkt me bekwaam. Maar mijn intieme plekje wordt normaal gesproken alleen maar door mij aangeraakt. En zo nu en dan door Max. Dat maakt dat ik me zo kwetsbaar voel.'

De beste man zal waarschijnlijk nu al moe van me zijn, maar praten lucht op.

'Ik zal je precies vertellen wat ik ga doen en wanneer je pijn kunt voelen. Voelt dat prettiger voor je?'

Dankbaar kijk ik hem aan. 'Graag.' Ik schuif mijn billen naar de koude rand van de stoel en leg mijn benen in de beugels.

'Ik breng nu de eendenbek naar binnen om ruimte te maken en goed zicht te hebben. In totale duisternis kan geen enkel mens zijn werk doen,' grinnikt hij.

De assistente overhandigt hem een reusachtige injectie (waar ik beter niet naar had kunnen kijken), waar hij in een handomdraai een naald aan vastkoppelt. 'Je zult nu een paar prikjes in je vagina-mond voelen. Kan pijnlijk zijn.'

Ik knijp mijn ogen stijf dicht. 'Dat viel best mee,' fluister ik ter-wijl mijn spieren weer langzaam ontspannen.

Max wordt uit de wachtkamer gehaald. Hij gaat achter me zit-ten en legt zijn handen op mijn schouders. De verdoving – een roes vergelijkbaar met een *love drug* – wordt in mijn infuus ge-spoten. Binnen drie seconden slaat hij in. Ik zie de kamer draai-en. Goed spul. Ik voel me opgewekt en krijg de onbedwingbare behoefte iedereen te gaan knuffelen. Maar dat kan nu eenmaal niet in deze houding. De pijn verdwijnt naar de achtergrond.

'Amei, wat een goede leg. Je hebt je best gedaan,' zegt de arts. Mijn wangen gloeien van trots. Binnen vijf minuten is hij met beide kanten klaar en word ik naar de uitslaapkamer gebracht.

Drie dagen later.

Normaal gesproken lig je tijdens de bevruchting romantisch in bed of op de keukentafel, op het strand, in het bos of in de auto. In elkaar verstrengeld, elkaar liefdevol aankijkend. In mijn geval zit professor M. tussen mijn benen om ons embryo terug te plaatsen. Geassisteerd door twee verpleegkundigen, van wie één een felle lamp op mijn ingang schijnt. Toch ben ik blij dat we het zo ver gered hebben. Ik voel iets kouds in mijn binnenste glijden; de professor desinfecteert mijn entree. Ik raak er al aan gewend.

Professor M. klopt op een houten luikje. Het schuift direct open. 'Klaar voor de terugplaatsing,' zegt hij gedecideerd.

De voorbereiding voor een raketvlucht naar de maan ziet er niet professioneler uit, bedenk ik trots. Mijn lijf is ontspannen, ik merk dat ik het naar mijn zin heb in deze ruimte. Het liefste zou ik het van de daken gillen van blijdschap. Ons embryo wordt binnen enkele seconden in me teruggeplaatst. Dankzij jarenlange research en inspanning van onder anderen deze mensen, krijgen wij de kans om zwanger te raken. Een diep gevoel van dankbaarheid maakt dat ik tranen in mijn ogen krijg.

De persoon die achter het luik bij de stoof staat, spreekt mijn naam en geboortedatum twee keer uit.

De professor, die mijn dossier in zijn handen draagt, knikt bevestigend terwijl zijn ogen nauwlettend over mijn gegevens glijden. Het volgende moment ontvangt hij de katheter en wordt het luik weer dichtgeschoven. Voorzichtig duwt hij het slangetje bij me naar binnen.

We zien lucht, samen met ons kindje in wording, mijn baarmoeder inschieten. Met ingehouden adem kijken we naar het beeldscherm. *Ik hoop zo dat je bij me blijft, lief kleintje,* fluister ik in gedachten. Mijn handen rusten op mijn buik. Het bijzondere en bevoorrechte gevoel draag ik bij me. Het is tot dusver gelukt. Nu de dagen tellen en hopen, ontzettend hopen dat het raak is.

29

2007

Ik voel heerlijke zon op mijn lijf. Mijn waarschijnlijk zwangere lijf.

In mijn witte halterbikini lig ik lui op een loungebedje en wrijf zachtjes met mijn handen over mijn buik. In gedachten streel ik de huid van mijn pasgeboren baby. Het is dag veertien en ik ben er bijna zeker van. Mijn lichaam vertelt me dat ik zwanger ben, het is dit keer anders dan de vorige keer. Ik gloei vanbinnen, er gebeurt daar van alles. Misselijk ben ik niet, honger als een paard heb ik weer wel. Logisch, ieniminie groeit enorm. Gretig zet ik mijn tanden in een broodje humus.

Max en Sophie zijn in het water. Ik zie Max zijn hoofd nog net boven het water uitkomen. Sophie hangt als een aapje om zijn lijf. Ze gilt dat hij harder moet, arme Max.

De test brandt bijna uit mijn tas. Ik hou het niet meer, gris hem uit het zijvakje en loop met snelle tred naar de toiletten. Van de zenuwen duik ik het mannentoilet in.

Een man van rond de vijftig leunt heel ontspannen over een plasbak. Hij schudt een paar keer met zijn geslacht, voordat hij dit nauwgezet weer in zijn zwembroek duwt.

'Sorry,' zeg ik zachtjes, waarna ik het damestoilet inloop. Mijn hand trilt wanneer ik het teststaafje onder mijn urinestraal hou.

Stel dat het gelukt is, stel dat ik zwanger mag zijn, stel dat ik over negen maanden een kindje in mijn armen hou, stel dat ik nu een stip zie. Of stel dat ik helemaal niets zie. Nee, dat ga ik niet stellen. Het wordt een stip, pimpelpaars zal hij zijn. Ik kan het niet aan, durf niet te kijken. Ik moet Max uit het water halen en Sophie afleiden, dat is wat ik nu moet doen. IJs doet het altijd goed. Ze is gek op ijs. Vanille met chocola, liefst met gestampte snoepjes. Dat is haar favoriet. Ik druk het dopje op de vochtige staaf en hou mijn vingers gekruist. Alsjeblieft, laat het zo zijn.

Op mijn houten Scholl-klompjes ren ik over de vilten mat die me naar het strand leidt. 'Max, Maaaxxxx, kom uit het water!'

Max kijkt verbaasd mijn richting op.

'Nee, mam, we blijven nog even spelen, het is net zo leuk,' gilt Sophie, terwijl ze Max onder water duwt.

Voor een moment vergeet ik dat ik klompjes aanheb en stap het water in. Driftig zwaai ik met mijn stokje heen en weer.

Ineens ziet Max wat ik in mijn handen heb. Als een hazewind holt hij het water uit, Sophie nog om zijn rug gedrapeerd. 'Wat doe je? We zouden wachten tot vanavond en samen testen.'

Ik pak zijn natte hand en trek hem mee. 'Te laat, ik kon niet meer wachten. Ik ontplof van verlangen naar een stip.'

'Wat doe je vreemd, mama.'

Ik ga op mijn hurken zitten en leg mijn handen op Sophies schouders. 'Lieverd, je mag een ijsje halen. Loop even naar binnen en wijs maar aan welke je wilt.'

Met een glunderend gezichtje kijkt ze me aan en huppelt richting strandtent.

Max pakt mijn hand en probeert de staaf eruit te trekken.

Mijn vingers lijken wel op slot, zo stijf hou ik hem beet.

'Wil je alsjeblieft loslaten, dan kunnen we ook nog zien of je zwanger bent.'

Langzaam laat ik los, vinger na vinger probeer ik te ontspannen. Max pakt de test uit mijn handen en samen gaan we in het zand zitten. Ik krijg bijna geen lucht meer, mijn hele lichaam trilt.

Max houdt de teststaaf in de lucht. 'Ogen dicht en dan tot drie tellen,' zegt hij.

Bij drie openen we onze ogen. We kijken naar het staafje. Zonlicht weerkaatst op het venster. We zien niets. Vliegensvlug trek ik het staafje uit zijn hand en draai ik me om. Ik kijk naar het venster en knijp mijn ogen tot spleetjes samen. Mijn pupillen worden groter. Ik spring op uit het zand. 'Ik ben zwanger!' gil ik.

Max tilt me op en zwiert me in het rond. Samen dansen we op het strand en vergeten iedereen om ons heen.

Sophie loopt op ons af, het ijsje stevig in haar knuistje geklemd. De helft druipt over haar handen. Met een witte snor kijkt ze ons verwonderd aan, likt stug door en gaat verder met haar zandkasteel.

We zakken op de bedjes, houden elkaars hand vast en staren naar de zee. De test ligt op Max zijn schoot.

Een onbegrensd gevoel van dankbaarheid giert door mijn lijf. Het is gelukt, ik ben zwanger en ik kan aan niets anders meer denken. De rest van de dag zitten we boven op een roze wolk. Of een lichtblauwe.

30

2002

'Er wordt niet meer gewerkt, onverantwoord voor de baby en voor jou,' deelde mijn verloskundige Marlies mij met een strenge blik in haar ogen mee. 'Je bloeddruk is zo laag dat je bedrust moet houden. De kans is groot dat je weer flauwvalt. Met alle gevolgen van dien.'

Ik veerde op. 'Niet werken? Maar dat kan niet. Ik kan mijn compagnon toch niet in de steek laten? Daarbij, ik ben zwanger, niet ziek.'

'Als de koningin morgen sterft, heeft ook zij morgen een vervanger.' Marlies haalde haar schouders op alsof het niets was dat ze mijn leven hier even van tafel veegde. 'De komende maanden draait het alleen nog maar om de baby en om jou,' vervolgde ze ernstig terwijl ze de bloeddrukmeter weer in haar la opborg. Ze pakte een verklaring waarop ze de oorzaak van mijn ziekteverzuim noteerde. Zette er een krasse handtekening onder en een stempel van haar praktijk. 'Hier, voor het UWV.'

Paniekerig keek ik naar de witte enveloppe die ze me aanreikte.

'Ik voel me een mislukkeling, iemand die niet eens normaal zwanger kan zijn.'

Haar duimen rolden over elkaar. 'Het zijn nog maar drie maanden. Geniet nog even van de rust die je hebt.'

In gedachten zocht ik naar een uitweg. Ik zou natuurlijk vanuit huis kunnen werken. Thuis kon ik best veel doen, desnoods vanuit bed. En Bas en Simone, die bruiloft moest ik nu wel van Lisa overnemen.

Marlies onderbrak mijn gedachten, pakte mijn vinger en duwde er een naald in.

Mijn gezicht betrok.

Met haar duim en wijsvinger kneep ze druppels bloed uit het wondje. 'Je ijzergehalte is verder goed, hoor,' concludeerde ze na een paar minuten. Marlies maakte een aantekening in mijn dossier en klapte het dicht. 'Woon je trouwens nog steeds alleen?'

Ik knikte bijna onzichtbaar en hoopte dat ze het zo over het weer ging hebben.

Ze schudde haar donkere krullen. 'Dat kan nu echt niet meer. Je zult de komende tijd vaker last hebben van duizelingen, met alle gevolgen van dien.'

Ik zoog op mijn gewonde middelvinger en keek haar beduusd aan. 'Er zijn toch wel meer alleenstaande moeders die het heel goed alleen aankunnen?' protesteerde ik.

Marlies legde haar ellebogen op tafel, vlocht haar vingers ineen en liet haar kin op haar knokkels rusten. 'Die lage bloeddruk hou je tot na de bevalling. Stel dat je van de trap valt, niemand die je dan kan helpen.'

Ik zuchtte diep. Misschien had ze wel gelijk, het kon ook niet langer zo. Het werd tijd om mijn huis los te laten en met Frank samen te gaan wonen. Het minste wat ik kon doen was ons een kans geven, omwille van Uk. Hij zou me uitzinnig kunnen verwennen. We konden oefenen papa en mama te zijn en samen naar zwangerschapsgym gaan. Dingen die aanstaande ouders doen. Ook dit zou vast wel weer leuk worden. Toch?

Kate kwam als laatste La Pizza binnen. 'Sorry, mijn zitting liep uit.' Ze haalde het elastiek uit d'r haar en gooide het los. 'Blijf jij maar zitten, oude oma,' grinnikte ze. Ze kwam achter me staan en vouwde haar armen om mijn buik. 'Ik hoorde dat je een onuitwisbare indruk op Rick Laban hebt gemaakt.' Ze keek Lisa met een samenzweerderige blik aan en knipoogde. 'Letterlijk en figuurlijk.' De twee gierden het uit.

'Het zou prettig zijn als het onder ons blijft,' zei ik en ik keek hen dwingend aan. Kate veegde haar tranen weg en richtte zich weer tot mij. 'Sorry, natuurlijk blijft het onder ons.' Ze pakte de Evian en vulde onze glazen. 'Je ziet er moe uit,' concludeerde ze.

'Barbara mag niet meer werken van haar verloskundige. Maar je kent haar, ze heeft alweer allemaal plannetjes gemaakt om het vanuit huis druk te krijgen,' gaf Lisa hoofdschuddend aan.

'Gisteren hebben we een nieuwe werkverdeling gemaakt. Alle administratieve taken ga ik vanuit huis doen. Lisa bezoekt de klanten en de leveranciers.' Op één na dan, waar ik nog iets voor moest bedenken. Maar dat vertelde ik niet aan Kate en ook niet aan mijn verloskundige.

'We hebben nog twee aanvragen liggen voor een stageplaats voor het nieuwe schooljaar van de Hogeschool Rotterdam. Het zou geweldig zijn als daar een pittig persoon tussen zit, die werk uit handen kan nemen en op de trouwdag zelf kan assisteren,' vulde Lisa aan. 'Je bent nu wel zes maanden uit de roulatie.'

Ik knikte en staarde voor me uit. De glazen van Kate en Lisa werden gevuld met chablis. Waar ik overigens een moord voor zou doen.

'Waar zit je met je gedachten?' vroeg Kate.

Ik vouwde mijn handen om het glas water. 'Ik ga samenwonen met Frank.'

Lisa slaakte een gilletje. 'Dat moet je nooit doen als je niet gek op hem bent.'

Kate sloeg met haar hand op tafel. 'Dat is een fantastisch plan. Ze zien elkaar nu toch ook af en toe?'

Een diepe fronsrimpel tekende Lisa's voorhoofd. 'Ja, alleen

voor seks en echo's.' Met haar wijsvinger wees ze naar mijn buik. 'Ze kan toch moeilijk met dat bolle lijf op zoek gaan naar een andere minnaar?' schamperde ze.

Mijn kaken verkrampten. 'Bedankt voor je tactvolle uitleg, Lies. Maar ik voel dat ik het in ieder geval moet proberen. En dan is dit wel het moment bij uitstek. We hebben zelden ruzie, het is meer dat we een verschillende kijk op onze relatie hebben.' Mijn hand rustte op mijn bolling.

Uk kwam tot leven en schopte, waardoor mijn buik een golfbeweging maakte. Hij was het blijkbaar met me eens.

'Je maakt voor je kindje en voor jezelf wel een rustige start. Het kan alleen maar leuker worden. Frank hoeft niet meer te zeuren dat hij je vaker wil zien en jij hebt een gratis oppas na je bevalling,' bedacht Kate.

Lisa knikte toegeeflijk. 'Zorg er dan in ieder geval voor dat je jouw huis niet verkoopt, maar verhuurt. Als het niet werkt, kun je altijd weer terug naar je vertrouwde plekje,' stelde ze voor.

Mijn ogen werden groter. Wat een briljant plan. Dat ik dat zelf niet had bedacht. Frank had al bijna een TE KOOP-bord op het raam geplakt. 'Dan heb ik de komende maanden ook nog eens dubbele inkomsten,' glunderde ik.

'Is je internetzoektocht al succesvol?' vroeg Kate na het hoofdgerecht.

Lisa verstopte haar gezicht in het wijnglas. 'Niet echt, af en toe wat mailverkeer,' zei ze binnensmonds.

Ik keek haar onderzoekend aan. Ze zag er stralend uit. Stralend verliefd als je het mij vroeg. Ze droeg een catsuit van spijkerstof met daaronder een felroze T-shirt. Haar lippen hadden dezelfde kleur. Het bleef pijnlijk stil en onze ogen waren op Lisa gericht.

'Over een maand of zeven heb je er een interessante zaak bij,' zei ik tegen Kate, die niet-begrijpend mijn gezicht aftastte. 'Pasgetrouwde vrouw vermoordt wedding planner en wil van haar man scheiden.' Ik speelde met het schijfje citroen in mijn water, terwijl ik opzij keek naar Lisa.

Die kneep haar ogen samen. Haar roze lippen bewogen venijnig, maar ik hoorde niet wat ze zei.

'Waar heb je het over?' vroeg Kate argwanend.

'Niets, helemaal niets,' antwoordde Lisa luchtig terwijl ze haar glas neerzette. 'Gekke hormonale uitspatting. Ze doet wel vaker vreemd de laatste tijd,' grijnsde ze terwijl ze mijn hand pakte en er iets te hard in kneep.

'Sorry, maar ik kan het even niet meer volgen.'

Lisa schudde verwoed haar hoofd en hief het glas. 'Laten we het vanavond even niet meer over mannen of over werk hebben. We gaan herinneringen ophalen, babynamen bedenken en vooral veel lachen. Proost meiden, op onze vriendschap,' kraaide ze, terwijl Kate en zij de wijnglazen klonken en ik mijn bronwater ertegenaan tikte.

31

2002

Frank verzekerde me dat het goed voor me zou zijn om mijn zee aan vrije tijd op te vullen met iets waar ik rustig van werd en tegelijkertijd plezier aan beleefde. 'Je zou het huis *babyproof* kunnen maken. Alle kleertjes wassen, de meubeltjes vanbinnen nat afnemen, flesjes uitkoken, traphekjes kopen en afdekschermpjes op de stopcontacten plaatsen.' Hij keek er heel serieus bij, waardoor ik veronderstelde dat hij het meende.

Maar hij had wel gelijk dat ik iets moest doen waar ik blij van werd. Mijn huis was inmiddels via Direct Wonen aan een Canadese man verhuurd die bij Shell Rotterdam kwam werken. Hierdoor had ik naast mijn zwangerschapsuitkering nog eens 1500 euro per maand om vrij te besteden. Ik had het geld in mezelf kunnen steken, ware het niet dat er geen menswaardige kleding in maat walrus te vinden was. Met de dag groeide ik. Niet alleen mijn buik, ieder oprekbaar stukje huid kwam aan bod. Zelfs mijn gezicht zwol op. Daarom richtte ik me op het kopen van babyspulletjes. Heel veel babyspulletjes. Geen winkel was meer veilig voor me. Het liefst ging ik alleen, dan shopte ik op mijn best. Thuis aangekomen verstopte ik vijfennegentig procent van de aankopen. Frank zou erin blijven als hij het allemaal zag. En ik had natuurlijk niets aan een overspannen vader.

Doordat ik het bij lange na niet redde met mijn eigen maand-inkomsten, was ik genoodzaakt ook Frank zijn pas te gebruiken. Maar het diende een goed doel, dat zou hij op een dag wel begrijpen. Op slinkse wijze onderschepte ik de rekeningen en borg ze op in mijn ladekast, een van de weinige meubels die ik had meegenomen.

Zoeken naar een goede opslagplaats bleek nog best lastig, maar na een paar dagen had ik er een gevonden. Onder ons huis bevond zich een keldertje. Een keldertje waar Frank, voor zover ik wist, nog geen gebruik van maakte. Ik schoof de ruwe vloermat van zijn plek en staarde onderzoekend naar de grote koperen hanger die aan het houten luik vastzat. Met alle kracht die ik in me had, trok ik eraan. Het luik maakte een krakend geluid en ging open. Grote stofwolken vlogen me tegemoet. Toen ik uitgehoest was, keek ik nieuwsgierig het donkere gat in en even twijfelde ik of het wel geschikt was als opslagruimte. Een penetrante lucht steeg op, een geur die onder geen beding in Uks kleertjes mocht trekken.

Met een dichtgeknepen neus daalde ik het krakkemikkige trapje af. De oude treden kraakten onder mijn gewicht. Ik wapperde met mijn handen om het spinrag uit mijn gezicht te houden. Nieuwsgierig dwaalden mijn ogen door de vochtige ruimte. Even met de stofzuiger en een natte lap erdoorheen, dan zou het zo goed als nieuw lijken. 'Wauw Uk,' zei ik met zachte stem. 'Dit is onze geheime plek, waar je vader niet van hoeft te weten. Hij zou ons niet begrijpen.'

Uitgelaten klom ik mijn nieuwe opslagplaats uit en belde ik mijn moeder of ze me wilde helpen met schoonmaken. 'Lukt het je over een uurtje? En mam, je hoeft het er met niemand over te hebben.'

Het kostte haar twee uur om de ruimte schoon te maken.

Met zweetparels op haar stoffige gezicht bood ik haar dankbaar thee, water en koekjes aan. 'Nu alvast wat spulletjes pakken.' Ik liep naar boven en herhaalde dat een keer of tien voordat ik alle babyspullen verzameld had.

'Denk toch aan je bloeddruk,' riep mama iedere keer dat ik met gevulde armen het trapje afdaalde. Maar de adrenaline in mijn lijf zorgde ervoor dat ik me onsterfelijk voelde.

'Dit is echt niet normaal,' stotterde mama terwijl haar blik over alle spullen gleed. 'De baby speelt de komende vijf jaar niet met een Sesamstraat computer en al helemaal niet met een Nintendo. En aan vijftien maat vijftig pakjes heeft hij ook niets, daar is hij binnen een week uitgegroeid. Als hij er al in past.' Nietbegrijpend schudde ze haar hoofd. Arme mam, ze wist natuurlijk niet beter. De tijden waren veranderd. 'Wat ik al helemaal niet begrijp is dat je zowel roze als blauw hebt gekocht. Daar wacht je toch mee tot je weet wat het wordt? Ze verkopen toch ook neutrale kleertjes.'

Verontwaardigd zette ik mijn handen in mijn zij. 'Probeer je eens in te denken wat dat met een kinderzieltje doet. Wat ben jij een leuk kereltje, terwijl het een meisje is. Denk even terug aan mijn coupe playmobiel, wil je? Leuk zoontje hebt u, zeiden ze altijd.'

Mama keek me met een verwijtende blik aan. 'Dat haar was toevallig wel mode in die tijd. Je liep er altijd keurig verzorgd bij.' Met de palm van haar hand streek ze haar vochtig geworden haar naar achter.

Ik ging mama voor naar boven.

'Zolang je dit voor Frank verborgen weet te houden, is het goed. Hij overleeft dit niet.' Mama wuifde zichzelf koelte toe waarna ze mijn keldertje hermetisch afsloot voor de buitenwereld.

32

2007

Ik voel een snijdende pijn links in mijn buik. Het voelt anders dan wanneer ik ongesteld moet worden. Op internet lees ik dat het innestelingspijn kan zijn. Natuurlijk, dat is het, dat ik daar niet eerder aan heb gedacht. Ienimieni gaat zich in mijn baarmoederwand vastbijten en heel veel eten. Dat voel je. Zachtjes masseer ik mijn onderbuik. Misschien geeft het wat verlichting. Ondertussen tel ik het aantal weken dat ik zwanger ben. Om precies te zijn zeven weken en drie dagen.

De afgelopen weken waren de mooiste, maar ook spannendste uit ons leven. Het duurde even voor we durfden te geloven dat de poging succesvol was. De onwerkelijke, maar prachtige wetenschap dat er een kindje in mijn buik groeit dat over iets meer dan een halfjaar geboren wordt. Maar met iedere dag die verstrijkt, groeit ons vertrouwen. Ik heb Max nog nooit zo gelukkig gezien. Via internet houdt hij wekelijks bij in welk groeistadium ons kindje zit. Gisterenavond hebben we gelezen dat het vruchtje een centimeter groot is. Bijna net zo groot als de simkaart van mijn mobiel. Volgende week krijgen we een echo in Gent. Was het maar vast zover. Ik hunker naar bewijs dat de baby leeft.

Ik klap mijn laptop dicht. Max en Sophie slapen nog. Ik wil hen verrassen met een lekker ontbijt, stap in de auto en rijd naar de bakker.

Ik heb maar één klant voor me, een oude vrouw met hoog getoupeerd haar, die met een schetterende stem vier eierkoeken en twee 'wit waar bruin in zit' bestelt. Het begint me te duizelen. Zwarte vlekjes dansen op mijn netvlies, de hoge stem lijkt weg te vagen. In een impuls zet ik twee stappen vooruit. Ik sla mijn handen tegen de glazen toonbank. Mijn benen kunnen mijn lichaam niet meer dragen en ik zak in elkaar.

Als ik wakker word, lig ik in de foetushouding op de grond. Het bakkerszaakje draait langzame rondjes.

'Gaat het, mevrouw? U laat ons wel schrikken.' Het dik opgemaakte gezicht van de hoge stem hangt boven het mijne. Een doordringende haarlakwalm dringt mijn neus binnen. De vrouw draait haar gezicht naar de bakker, die met een mobiel aan zijn oor de alarmcentrale belt. 'Ze ziet krijtwit,' schettert ze.

Haar diagnose wordt acuut aan de alarmcentrale doorgegeven. De bakker schuift zijn mobiel dicht en stopt hem in zijn achterzak. Op zijn hurken komt hij naast me zitten. 'De ambulance is onderweg,' zegt hij met een geruststellende, zachte stem.

Mijn onderlip trilt. 'Het mag niet misgaan,' huil ik zachtjes. Enkele minuten later word ik op een brancard getild. 'Ik ben zwanger en wil absoluut geen medicijnen,' is het eerste wat ik zeg.

'Vertel me eerst eens wat er precies gebeurd is,' begint de ambulanceverpleger.

Ik rol met mijn ogen, op zoek naar de juiste woorden. 'Ik kreeg geen lucht meer en voor ik het wist, lag ik gestrekt. Dat komt vast door mijn lage bloeddruk, daar had ik bij mijn eerste zwangerschap ook zo'n last van.' Onbewust probeer ik ons beiden gerust te stellen.

De verpleger schuift mijn trui omhoog en vouwt een bloeddrukmeter om mijn bovenarm. Met zijn vingers bedient hij het pompje. 'Je bloeddruk is laag, maar niet zo laag dat het een flauwte veroorzaakt,' zegt hij bedenkelijk.

Ik voel nattigheid tussen mijn benen. Heb ik in mijn broek geplast?

Het volgende moment zit er een infuus in mijn linkerarm. 'Voor extra vocht,' legt de verpleger uit.

De pijn in mijn buik wordt bijna ondragelijk, waardoor mijn lichaam oncontroleerbaar begint te trillen. Hou vol, kleintje, blijf alsjeblieft bij me, herhaal ik als een mantra. 'Wilt u mijn vriend Max bellen?' vraag ik de dokter als ik op de spoedeisende hulp lig.

Hij noteert Max' nummer en loopt naar de gang. 'We krijgen zijn voicemail. Het spijt me, maar we moeten nu echt gaan onderzoeken wat er met je aan de hand is,' besluit hij een kwartier later.

Ik zie aan zijn ogen dat hij het meent. Langzaam verdwijn ik met mijn hand onder de dekens en voel ik aan mijn natte kruis. Mijn vingers kruipen weer naar boven. Ik hou mijn ogen dicht en zucht. Dan sla ik ze open en staar naar mijn bebloede hand. Het is lichtrood van kleur. Ik kijk naar de dokter en begin te snikken. Schokschouderend huil ik om het bloed op mijn vingers. 'Het is mis,' snik ik en ik voel een rauwe pijn in mijn hart. Een pijn die veel dieper gaat dan de fysieke pijn die ik doorvoel. Opnieuw word ik licht in mijn hoofd, mijn speekselklieren worden gestimuleerd. Op het moment dat ik overgeef, lijkt het alsof mijn buik openscheurt.

Buitenbaarmoederlijke zwangerschap, denkt de dokter.

Ik lig alleen op het ziekenhuisbed wanneer ik dit aan moet horen. Ik wil hier niet zijn. Ik hoor sap te persen, de oven aan te zetten voor verse croissantjes en de eitjes in de gaten te houden. Vijf minuten, niet langer en niet korter, dan heb je het perfecte ei. Pas als het water kookt mogen ze erin. Staat of valt met goede timing.

Twee zusters rijden me naar de O.K. Taaie vloeistof stroomt mijn ader in. Een, twee, drie, vier, vijf, weg.

Op de gang heeft de dokter Max verteld dat ons kindje niet meer bij ons is. Dat ik geopereerd ben en dat ons kindje is weggezogen. Hij vertelde dat ik van geluk mocht spreken, omdat het toch geen buitenbaarmoederlijke zwangerschap was. En dat hij mijn eierstok gespaard heeft. Die was door de vruchtbaarheidsbehandeling zo opgezet dat deze verwarring ontstond. Het vruchtje is een paar dagen geleden gestopt met groeien.

Max blijft in de deuropening staan. Zijn gezicht ziet asgrauw, het wit van zijn ogen is rood gekleurd. Aan het blauwe joggingpak dat hij draagt en waar hij vannacht in heeft geslapen, zie ik dat hij zonder te douchen naar het ziekenhuis is gereden.

Ons verdriet hangt onuitgesproken in de lucht. Ik vraag me af waar hij Sophie naartoe heeft gebracht, vast naar mijn ouders. Arme pap en mam, die zitten nu ook in spanning te wachten op de uitslag. Ik wil hen dit verdriet niet aandoen. Ze waren zo gelukkig dat het gelukt was.

Met een machteloze uitdrukking in zijn ogen schudt Max zijn hoofd en loopt op me af. Hij kruipt op het bed en neemt me in zijn armen.

Ik verstop mijn hoofd onder zijn oksel. Max zijn tranen druppelen via mijn haar naar mijn wangen en vermengen zich met de mijne. Zo zitten we voor mijn gevoel urenlang. Stilzwijgend, omdat we geen woorden kunnen vinden. We huilen om het kindje dat zeven weken en drie dagen deel van ons leven is geweest. We hielden zo ontzettend veel van hem. Hij was meer dan welkom. Tweeënvijftig dagen mocht ik hem voelen, voeden en van hem houden. Tweeënvijftig dagen mocht ik zijn mama en Max zijn papa zijn. Nu is hij weg en hij komt nooit meer terug. We zullen ons nooit een gezichtje kunnen herinneren waar we troost in kunnen vinden. Het enige tastbare op dit moment is de diepgewortelde pijn in ons hart. Max en ik huilen bittere tranen van wanhoop.

33

2002

Laatste ontwikkelingen:

- Samenwonen met Frank bleek minder erg dan ik dacht. Ik vond het een veilig en gemoedelijk idee dat we aan ons gezinnetje werkten.
- Nu ik rust had ging het veel beter met mijn gezondheid.
- Lisa kreeg ondersteuning van stagiaire Sarah.
- Bas en Simone hadden een andere wedding planner. Dit was de laatste goede daad die ik had verricht voor mijn verlof. Ik verzocht Bas vriendelijk maar met klem mijn verzoek op te volgen. En verzekerde hem dat ik anders met zijn aanstaande Simone zou gaan praten.
- Rick Laban had een nieuwe vriendin. Tessa zat als gevolg daarvan (volgens *Story*) aan de rustgevende middelen. Dat verklaarde waarom hij nooit meer feedback had gegeven op ons bezoek. Lisa had vier keer bij hem ingesproken, zonder resultaat. We waren er voorzichtig van uitgegaan dat het door mij kwam.
- Mijn bevalling stond voor de deur!

Je had vrouwen die ernaar uitkeken. Die verlangden om het kind dat negen maanden in ze had gewoond, met alle oerkracht (die ze immers niet voor niets hadden gekregen) eruit te persen. Ik keek met grote bewondering tegen deze dappere dames op. Ik was anders dan zij. Het enige wat ik voor me zag, was een te grote baby die uit een te klein gaatje moest komen. Of het nou paste of niet.

Misschien werd deze angst veroorzaakt doordat ik nooit een leuk bevallingsverhaal had gehoord. 'Het deed zoveel pijn dat ik van de wereld raakte en in een roes de bevalling heb beleefd. Ik kwam pas weer bij toen de schaar in mijn binnenste werd gezet. Ben je mal, dat verdoven ze niet. Is ook niet nodig. Zo'n perswee is zo pijnlijk dat je het openknippen niet eens meer voelt.'

'Ja,' vulde manlief ongeremd aan. 'Dat geluid is identiek aan het doorsnijden van een fietsband.'

Hoewel ik geen idee had hoe het doorknippen van een band klonk, stemde het me niet gerust. Kippenvel rees op mijn armen tijdens de momenten dat ik dit soort verhalen aan moest horen. Nu mijn bevalling voor de deur stond en onomkeerbaar was, gaven lotgenoten (die het zelf al lekker achter de rug hadden), ongevraagd uitgebreid verslag van hun bevalling. En om heel eerlijk te zijn, ik was bang, doodsbang voor wat komen ging.

Op een avond vlak voor mijn bevalling kroop ik in bed. Frank krulde zijn warme lijf tegen me aan en vouwde zijn handen om mijn buik. 'Morgen weer een echo, ik vind het zo spannend worden,' fluisterde ik. 'Ieder moment kan het zomaar gebeuren dat ik "pang" hoor en dat het vruchtwater uit mijn lichaam stroomt.'

Frank klopte liefdevol tegen mijn buik. Uk reageerde niet. 'Het komt goed, je gaat het fantastisch doen. Wist je dat bijna iedere vrouw achteraf vergeet hoe pijnlijk de bevalling was? Het is het allemaal dik waard, en je krijgt er iets moois voor terug.' Hij schoof mijn haar opzij en drukte een kus in mijn hals. 'In Afrika hangen de vrouwen gewoon aan de tak van een boom, persen het kind eruit en gaan weer aan het werk. Zo erg kan het dus niet zijn.'

In een reflex beukte mijn hiel keihard tegen zijn scheen, waarna hij het op een jammerend krijsen zette.

'De baby is niet ingedaald en dat gaat waarschijnlijk ook niet gebeuren omdat het hoofdje wat groter is dan gemiddeld en omdat je smal gebouwd bent. Die kleine heeft natuurlijk geen zin om klem te zitten, geef hem eens ongelijk.' Dokter De Vries, de gynaecoloog die me de maand ervoor ook voor controle gezien had, veegde met een doekje de gel van mijn buik. 'Zo te zien heeft hij nog genoeg ruimte om te dobberen.'

Ik huiverde. Mijn grootste angst werd hiermee werkelijkheid. Het hoofd van de familie van Frank. Ik had me laten vertellen dat de grootte van het hoofd de zwaarte van de bevalling kon bepalen. Ik kon het dus wel schudden. Toch probeerde ik de moed erin te houden en nam weer plaats op de stoel voor het bureau. 'Goed, dokter, het is niet anders. Zullen we dan direct maar een datum voor een keizersnede inplannen?' Ik slaakte een diepe zucht. Het was natuurlijk wel anders dan ik in gedachten had. Maar om heel eerlijk te zijn was ik zielsgelukkig dat het echte werk aan me voorbijging. Ik keek hem vragend aan.

Dokter De Vries keek begripvol vanachter zijn leesbrilletje terug en schudde vastberaden zijn hoofd.

'Maar dokter, zo'n groot hoofd komt er niet zomaar uit. Dat blijft ergens halverwege mijn kanaal steken en dan knippen jullie me open om vervolgens een zuignap op zijn kwetsbare hoofdje te zetten en hem bruut op aarde te trekken. Dat is geen goed begin en al helemaal geen fijne gedachte.' Met een zorgelijk gezicht wreef ik over mijn ballonbuik.

De Vries keek me geamuseerd aan. 'Barbara, een groot hoofd is geen indicatie voor een keizersnede. Je gaat gewoon via de normale weg bevallen.'

Ik kreeg het paniekerig benauwd en wapperde mijn handen voor m'n gezicht.

De Vries frummelde aan mijn dossier, tikte er een paar keer

mee op de tafel en schoof het in zijn la. 'Het komt echt wel goed, wij weten hier wat we doen. Sterkte met de laatste loodjes.'

Mijn tijd zat erop. Ik was de klos. Totaal ontredderd ging ik naar huis en ik wenste vurig dat dokter De Vries die avond nog een rollade van acht pond uitpoepte. Kijken hoe de vlag er dan bijstond.

'Mam, ik kom net bij de gynaecoloog vandaan en ik wil en ga niet meer bevallen. Geen haar op mijn hoofd die er nog aan denkt. Ik ben te smal gebouwd, de baby heeft een waterhoofd. Ik zal helemaal opengereten worden. Zonder verdoving mam!' Mijn blik daalde vol afgrijzen af naar mijn dikke buik en ik begon hartverscheurend te snikken.

Mama probeerde me gerust te stellen en stelde voor nog een keer over een keizersnede te praten, maar dan wel met een andere gynaecoloog. 'Je mag toch zeker zelf wel bepalen hoe je wilt bevallen? En die stress is ook niet goed voor jou en je baby.'

Ik klaarde direct op. Dit was helemaal nog niet zo'n slecht idee van die moeder van mij. Nadat we ophingen belde ik direct het ziekenhuis. 'Hallo,' zei ik op mijn allercharmantst. 'Met Barbara Muller. Kunt u mij morgen alstublieft inplannen bij een andere gynaecoloog dan die ik vandaag had?'

Op de achtergrond hoorde ik getik op een toetsenbord. 'Momentje, hoor.' Opnieuw getik. 'Dat gaat moeilijk worden. Ik heb alleen nog plaats bij dokter De Vries en die had u vandaag al.'

Ongeduldig trommelde ik op mijn buik.

'Of u moet een week wachten, dan hebt u de keuze uit drie,' stelde ze tevreden vast.

Volgende week? Dan ben ik misschien al dood. 'Ik zal het u maar eerlijk zeggen, ik ben wanhopig,' hijgde ik. 'En ik heb geen tijd meer om te wachten. U moet me helpen.'

De dame in kwestie leek een stille dood gestorven. Maar na een halve minuut kwam mijn mobiel weer tot leven. 'U klinkt niet best, mevrouw. Vooruit dan maar, kom morgen om 08.00 uur, dan schuif ik u voor de eerste patiënt.'

Het duurde een paar seconden voordat ik ophield met trillen en weer adem kon halen. 'U hebt geen idee wat dit voor me betekent,' jubelde ik. 'Duizendmaal dankuwel.'

Hij had een vriendelijk gezicht en een diep kuiltje in zijn kin waar nog wat vergeten stoppels doorgroeiden. Voor zijn leeftijd had hij nog een flinke bos haar. Bij binnenkomst zag ik dat hij suède Tod's droeg, een man met smaak. We werden vast vrienden. Mijn hart klopte twee keer zo hard als normaal en mijn zelfvertrouwen was wankeler dan in de wachtruimte.

'Wat kan ik voor je betekenen?' vroeg de dokter nadat Frank en ik plaats hadden genomen.

Als een stortvloed van woorden stroomden de zinnen uit mijn mond. 'Dokter, in mijn familie geeft het generaties lang problemen om te bevallen. Mijn oma is gestorven bij de bevalling, mijn moeder overleefde ternauwernood en nu ben ik aan de beurt. Wij hebben allen het lichamelijke obstakel te smal gebouwd te zijn. Waar het op neerkomt…' Ik leunde met mijn rechterarm op zijn bureau en boog wat voorover. 'Waar het op neerkomt, is dat ik heel graag een keizersnede wil.'

De dokter bladerde in mijn dossier. 'Vreemd, ik lees hier niets van terug,' reageerde hij en hij wreef over zijn hoofd alsof hij zijn gedachten op een rijtje moest krijgen. 'Dat lijkt me voldoende indicatie voor een keizersnede. We plannen direct een datum voor de operatie.'

Frank en ik bleven muisstil zitten. Dit had ik niet verwacht, in ieder geval niet zo snel en soepel. Een warme gloed van trots stroomde door mijn lichaam. Dankzij mijn leugen om bestwil om de regie over mijn lichaam te behouden, had ik Uk en mezelf voor iets gruwelijks weten te behoeden. Ik sprong op uit mijn stoel en tot grote verbazing van Frank en de gynaecoloog in kwestie, kuste ik de dokter blij op beide wangen. 'Pak die agenda er maar bij,' riep ik opgewonden.

De avond voor de grote dag. De donkere lijnen onder haar ogen verraadden dat ze de afgelopen dagen niet veel geslapen had. Lisa sleepte een dik kussen voor de bank en ging er in kleermakerszit op zitten. 'Ik ben ermee gestopt,' fluisterde ze. 'Geloof me, ik vind hem echt heel erg leuk, maar het kan niet.'

Niet-begrijpend keek ik haar aan. 'Ik dacht dat jullie geen contact meer hadden nadat ze zijn overgestapt naar De Weddingplanner?' Moeizaam kwam ik omhoog uit de bank en waggelde naar de koelkast op zoek naar een koude fles wijn.

Lisa kwam achter me staan en pakte een wijnglas uit de kast. 'Hij heeft me gebeld en gevraagd hem tijd te geven. Het huwelijk wilde hij niet meer afzeggen, daar zou hij Simone en hun beide families te veel pijn mee doen. Maar als hij me na een paar maanden nog steeds zo leuk zou vinden, wilde hij overwegen een scheiding aan te vragen.'

Mijn zuurstoftoevoer werd dichtgeknepen. 'Wat een schoft,' brieste ik. 'Zag je hem dan nog vaak?'

Lisa schudde haar hoofd. 'Heel af en toe. We hebben geen seks met elkaar gehad, daar ben ik blij om. We hebben een paar keer in de kroeg afgesproken en hij had me deze week bij hem thuis uitgenodigd. Simone is een paar dagen met vriendinnen naar Maastricht. Op het laatste moment heb ik hem afgebeld, hoewel ik dol op hem ben. Ik kon het gewoon niet. Zij verdient dit niet.'

Ik draaide de dop van de fles en vulde haar glas. 'Weet je, Lies, wat hij nu bij Simone doet, zou hij straks ook bij jou doen. Als hij überhaupt bij haar weg zou gaan. Deze man is natuurlijk bijzonder onbetrouwbaar, zo iemand wil je toch niet aan je zijde?'

Tranen sprongen in haar ogen. Ze zag er kwetsbaar en klein uit. Zo goed en zo kwaad als het met mijn dikke buik ging, drukte ik mijn vriendin tegen me aan.

'Ik heb zo'n behoefte aan liefde en aandacht. Waarom lukt het me niet een normale man te vinden, één die lief voor me is, betrouwbaar en niet na een paar dagen wegrent?' Lisa snikte op mijn schouder.

'Lieverd, die man komt echt wel, maar laat het nou een man zijn die niet al bezet is. Een eerlijke man die onvoorwaardelijk voor jou kiest. Misschien moet je stoppen zo hard te zoeken, dan komt hij vanzelf op je pad.'

Ze keek me met waterige oogjes aan en knikte. 'Ik heb drank nodig,' besloot ze terwijl ze haar neus stevig ophaalde en een slokje nam.

Ik rook aan de fles en genoot van de houtgeur die mijn neusvleugels binnendrong. 'Nog even en dan mag ik ook weer,' zei ik genietend. 'Vertel, hoe gaat het op kantoor?'

Lisa plofte op het paarse kussen. 'Het is eigenlijk iets te rustig. Er staan een paar afspraken gepland voor intakegesprekken. Ik heb het idee dat het vorig jaar rond deze tijd wel wat drukker was.' Lisa liet de wijn door haar mond rollen. 'De eerste trouwerij staat in april gepland. En deze rust heeft ook zijn voordelen. Sarah is alle administratie op orde aan het maken. Dat is zoals je weet niet mijn sterkste punt. Ik ben blij dat zij op kantoor is, anders zouden de muren op me afkomen.' Ze zuchtte diep. 'Ik ben zielsgelukkig als jouw verlof straks voorbij is.' Lisa keek me voorzichtig aan. 'Lijkt het je niet veel, fulltime werken en een baby?'

Ik veerde op. 'Ben je gek. Ik kan niet wachten om straks weer aan het werk te gaan. Dat nietsdoen is heerlijk, maar het moet niet te lang duren.'

Om elf uur stond ze op van het kussen. Met een zwierend gebaar zette ze het glas op tafel. 'Ik ga, jij moet slapen.' Hand in hand liepen we naar de deur. 'Het gaat iets beter met me, bedankt voor je luisterend oor.'

Mijn handen ondersteunden mijn buik en ik glimlachte. 'Fijn, probeer wat tot rust te komen,' drukte ik haar op het hart.

Lisa klopte zachtjes tegen mijn buik. 'Vanaf morgen ben je nooit meer alleen,' fluisterde ze. 'Ik duim voor jullie. Morgen kan ik helaas niet komen, dan ben ik op locatietocht in Duitsland.

Maar overmorgen kom ik jullie zeker bewonderen. Veel sterkte en bel me als je daar weer toe in staat bent, oké?'

Nadat ik de deur op slot had gedraaid, bekeek ik mezelf in de spiegel. 'Morgen ben ik mama,' zei ik zacht en ik zag een glinstering door mijn ogen schitteren.

Frank lag te slapen, ver voordat Lisa kwam. Hij was om half-acht naar bed gegaan, op van de zenuwen. Als een neuroot had hij door het huis gelopen, zoekend naar klusjes. Hij had twee uur besteed aan het schoonmaken van de keuken. 'De baby moet in een proper huis terechtkomen. Voor je het weet heeft hij een infectie. Ze zijn nog zo kwetsbaar,' hijgde hij. Nadat hij voor de tweede keer alle babyflesje uit ging koken, had ik hem naar boven gestuurd. Ik werd er goed nerveus van.

Toen Lisa weg was, at ik tot twaalf uur ontbijtkoek met roomboter en dronk warme melk met anijs (na die tijd moest ik nuchter blijven, dus een voorraad was nodig omdat ik anders misselijk kon worden). Mijn koffers had ik meerdere malen opnieuw ingepakt, spullen eruit gegooid en nieuwe erin ingelegd. Wat nam ik mee naar een ziekenhuis, was de vraag die me de laatste dagen uitvoerig bezighield.

In ieder geval:
1. Een grote beautycase gevuld met alles wat ik op schoonheidsgebied nodig zou kunnen hebben.
2. Leuk ondergoed (makkelijk draagbaar, maar zeker ook charmant).
3. Twee paar van de nieuwste collectie Scholl-klompjes (mijn moeder waarschuwde me namelijk dat er veel gestolen werd in ziekenhuizen).
4. Een nieuwe donkerblauwe Diesel-spijkerbroek (met lichte glitter), waarvan ik vurig hoopte dat ik hem over een paar dagen al paste.
5. Een goudkleurig joggingpak van Juicy Couture voor als 4 toch niet paste.

6. Een zwarte coltrui.
7. Dikke sokken (drie paar).
8. Twee wollen jurkjes als 4 en 5 ongemakkelijk zaten.
9. Vier zakken drop.
10. De oplader van mijn mobiel.
11. Een extra oplader voor als 10 stuk ging of ook gestolen werd.
12. Een reservemobiel met prepaid kaart.
13. Twee doosjes tampons voor eventuele nabloedingen.
14. De Cosmo, Elle en Happinez.
15. Vier rompertjes, drie spijkerbroekjes, twee wikkel-truitjes, vier badstof babypakjes, drie kabelvestjes, vier pyjamaatjes, sokjes (schoenen waren volgens mama overdreven, maar ik had daar zo mijn twij-fels over).
16. Dus: witte Puma's met een blauwe streep en roze baby-Tod's met antislipzool.
17. Mijn gewone föhn en krulföhn.
18. Een babyborstel (want ik hoopte op het haar van Frank, ik kwam kaal op aarde en kreeg pas na twee jaar 'noemenswaardig' haar).

Uiteindelijk viel ik in de schommelstoel in de kinderkamer in slaap.

Frank wekte me door met zijn vinger tegen mijn dij te prikken. 'We moeten opschieten, over een uurtje moeten we ons al melden.'

Ik rekte me uit en kwam voorzichtig overeind. Voor Uks witte ledikant bleef ik een moment staan. Ik boog voorover en legde wat knuffels aan het hoofdeind om zijn plekje warm te houden. Mijn vingers gleden vertederd over het lakentje. 'Vandaag word je geboren,' neuriede ik.

Frank sleepte de twee koffers en mijn beautycase naar de auto en voordat de zon opkwam, vertrokken we naar het ziekenhuis.

De zuster liep mijn kamer in en schudde uitnodigend mijn hand. In haar vrije hand hing een vreemdsoortig iets dat ik niet direct kon plaatsen. 'Ik ben Sandra en ik zal je vanochtend begeleiden.' Sandra had een perfect donkerbruin boblijn kapsel dat alleen leuk was als je, net als zij, stijl haar had en de juiste kaaklijn aanhield. 'Ik kom even een kathetertje plaatsen,' zei ze opgewekt. 'Je mag je kleding uitdoen, ik geef je zo het operatiehemdje.'

Ik bestudeerde het plastic buisje dat in Sandra's hand bungelde en vroeg me bezorgd af hoe dat in mijn plasbuis ging passen.

'Niet zo bang kijken, het valt echt wel mee,' raadde ze mijn gedachten.

Plasbuizen zijn niet op dit formaat gebouwd, constateerde ik in alle ernst. Ik moest me dan ook inhouden niet als een speenvarken te gaan gillen op het moment dat Sandra de katheter naar binnen schoof. Mijn lichaam spande zich aan en ik haalde met korte stoten adem. Desondanks probeerde ik me te vermannen en hield ik mijn lippen stevig op elkaar.

'Hij zit,' zei Sandra.

Er liep een rilling door mijn lijf. Dat zat er op, dacht ik opgelucht terwijl ik terug in mijn kussen zakte. Erger dan dit kon het niet worden. Maar de pijn in mijn plasbuis viel in het niet bij de eerste aanblik op het blauwe pakje waarin ik gedwongen werd te bevallen. Met verschrikte ogen staarde ik naar het doorzichtige gewaad dat van papier gemaakt leek te zijn. Zo goed en zo kwaad als het met de slang in mijn lijf lukte, pakte ik de koffer die onder mijn bed stond en prees ik mezelf dat ik zo slim was geweest zelf kleding mee te nemen. Met een trots gezicht liet ik mijn nieuwe joggingpak zien. 'Kijk, dan slaan we twee vliegen in één klap. Praktisch voor jullie en menswaardig voor mij.'

Sandra schoot in de lach, vouwde mijn joggingpak in een handige manoeuvre op en legde het terug in de koffer. 'Wie weet kun je hem overmorgen dragen. Vandaag en morgen moeten we gemakkelijk je maandverbandjes kunnen verwisselen.'

Het leek alsof ik onder een ijskoude douche werd gezet. 'Maandverband heb ik nog nooit gebruikt en dat doe ik eerlijk gezegd ook liever niet.' Ik trok mijn neus op. 'Het is allesbehalve charmant en daarbij gaat het ook nog eens ruiken en plakken.' Ik schonk haar een vriendschappelijke knipoog en duwde een doosje tampons in haar hand. 'Verschoon me hier maar mee, ik zal het er met niemand over hebben.'

Sandra liet haar hand op mijn schouder rusten. 'Dit is zeker je eerste keer in een ziekenhuis?'

34

2007

Lieve dochter, we leven zo met jullie mee. We weten
zeker dat er een dag komt dat je jullie kindje in
je armen mag houden. Bel je morgen even? Xxx
Pap en Mam.

Ik klik mijn mobiel uit en laat hem in mijn tas glijden. Het is nu
twee weken geleden dat ik in het ziekenhuis lag. Dit is mijn eerste uitje.

Kate zit bij La Pizza op me te wachten.

'Wat zie je er goed uit,' is het eerste wat ik zeg. 'In tegenstelling tot mezelf. Ik heb de ogen van een mol die voor het eerst het
daglicht ziet.' Met mijn duimen en wijsvingers hou ik mijn ogen
wijd open. Nadat ik haar een dikke knuffel heb gegeven ga ik
tegenover haar zitten. 'Antipasti en champagne,' zeg ik tegen de
ober terwijl ik vragend naar Kate kijk.

'Voor mij eerst een verse jus graag.' Dan buigt ze zich naar me
toe. 'Ik vind het zo erg, hoeveel moet je nog doorstaan?' Haar
ogen worden waterig. 'Hoe gaat het nu met je?' Ze legt haar hand
op de mijne en wrijft er zachtjes overheen.

'Iets beter, de pijn is gezakt en de bloedingen zijn gestopt. De
wrange fysieke herinnering aan wat niet meer is. Het is gek, eigenlijk wil ik de pijn ook blijven voelen. Ik ben nog niet klaar om

afscheid te nemen van de baby. Dan wordt het zo onomkeerbaar, zo definitief. Het liefst hou ik hem voor altijd bij me.' Alsof ze onderdeel zijn van mijn bestaan rollen de tranen weer over mijn gezicht. Barbara de huilebalk, voor al uw crematies. Ik heb het niet eens meer door.

'Een miskraam heeft veel tijd nodig,' benadrukt Kate.

Ik dep mijn ogen met een servetje. 'Hoe treurig ook, het is zoals het is. We zijn verdrietig, maar we gaan door. Vol goede moed. Er zijn mensen die er wel tien jaar over doen om zwanger te raken. Wij hebben in ieder geval Sophie nog. Die gedachte koester ik.'

De ober pakt de champagnefles uit de koeler. Hij draait de fles van zich af en beweegt de kurk heen en weer. Met een zacht sissend geluid komt hij los. Ik wil eigenlijk helemaal niet drinken, ik wil gezond leven en elke week mijn buik zien groeien. Totdat ik waggelend als een eend het ziekenhuis in wandel om te bevallen. Dat wil ik. Ik richt mijn aandacht weer op Kate. 'Waarom drink jij eigenlijk niet? Feestje gehad gisteren?'

Ze loopt vuurrood aan en begint te stotteren. 'Ik heb niet zo'n trek in alcohol. Wat zullen we eten?' Haar gezicht verdwijnt achter de menukaart.

'We hebben net antipasti besteld, Kate.' Onderzoekend kijk ik naar mijn vriendin. Naar haar blozende gezicht en haar volle wangen. Haar volle wangen? Dan heb ik het door. 'Ben je zwanger?'

Kate slaat haar handen voor haar gezicht en begint onbedaarlijk te huilen. De kaart beweegt gewillig mee. 'Ik vind het zo erg voor je, wilde onze afspraak zelfs afbellen vanochtend. Maar Lisa zei dat ik juist wel moest gaan om het je te vertellen. Dat jij je anders buitengesloten zou voelen.'

Mijn benen voelen ineens heel slap aan. 'Is dat de reden dat ze niet mee wilde?' stamel ik.

Kate knikt bedroefd. 'Volgens Lisa was het verstandig dat wij dit gesprek eerst samen voeren.' Kate snuit haar neus in mijn natte servet. 'Het leek me zo geweldig, allebei in verwachting. Samen kleertjes kopen, samen dik worden en klagen over onze zwanger-schapsklachten. Samen wandelen met de kleintjes. Nu is er geen samen meer. En ik vind het zo erg voor je dat je nu steeds geconfronteerd gaat worden met mijn zwangerschap.'

Ik volg de belletjes die omhoogschieten in mijn glas. Langzaam dringt het tot me door. Kate is zwanger. Ik niet meer. Blijdschap en verdriet, zo dicht bij elkaar.

'Jules en ik wilden jullie niet vertellen dat we probeerden een kindje te krijgen. Uit angst dat het onderwerp beladen zou worden,' gaat Kate verder. 'Het is niet eerlijk. Drie maanden geleden ben ik gestopt met de pil en het was direct raak.'

Ik bestudeer haar gezicht, de aangeslagen blik in haar ogen, de denkfrons die haar wenkbrauwen verbindt. 'Ik had liever gehad dat je het wel had verteld,' zeg ik uiteindelijk. 'We zijn toch onderdeel van elkaars leven? Dan is het juist mooi om bijzondere beslissingen met elkaar te delen. Het is lief dat jullie me wilden sparen, maar dat was niet nodig geweest.' Dan schuif ik mijn stoel naast die van haar en zeg met een schorre stem: 'Ik ben hartstikke blij voor je, voor jullie! Los van mijn eigen verdriet. Het laatste wat ik wil is een verbitterde vrouw worden die niet meer kan genieten van het babygeluk van anderen.' Ik schuif een pluk haar achter haar oor. 'Hoe ver ben je eigenlijk?' vraag ik nieuwsgierig.

'Zeven weken,' zegt ze nauwelijks hoorbaar. Mijn gezicht ontspant zich in een glimlach. 'Kate, je kind zou zich geen leukere moeder kunnen wensen.'

Thuis aangekomen zet ik mijn laptop aan. Drie nieuwe berichten in mijn inbox:
1. Een Hallmark-kaartje van Lisa met een grote beer die uit een doos springt. De beer kijkt me met lieve droepieoogjes aan en tuit zijn lippen. Ik kus hem terug. Bel me morgen! Ik denk aan je, liefs Lies.
2. Een betalingsreminder van LaDress, waarin ze me vriendelijk doch zeer dringend verzoeken het geld over te maken voor het

zwarte jurkje dat ik heb gekocht. Morgen snel overmaken, als ik het niet vergeet.

3. Lieve schat, kom je morgen bij ons eten? Ik maak een vegetarische rijstschotel. Rust goed uit en eet gezond. Zo'n operatie is niet niks! Kus Mam

Ik schuif de laptop van me af en sluip op mijn tenen naar boven.

Max ligt al in bed. Slaperig slaat hij een been om me heen als ik naast hem kom liggen. 'Hoe is het gegaan?'

Ik draai me om en staar naar het plafond. 'Goed,' zeg ik en ik laat de leugen bezinken. Mijn keel voelt dik en opgezet aan. Max kriebelt over mijn rug. 'Kate is zwanger,' zeg ik uiteindelijk nadat ik lang mijn adem heb ingehouden. Onze slaapkamer wordt met stilte gevuld. Zo stil dat de pijn nog erger wordt.

'Schatje, wat zal dat moeilijk voor je zijn. Het is natuurlijk geweldig voor Jules en voor haar, maar toch.' Hij glijdt met zijn vinger langs mijn pols. 'Onze tijd gaat echt komen, we moeten alleen geduld hebben.' Max trekt me tegen zich aan en valt direct weer in slaap.

Ik zie het die nacht vier uur worden. Wanneer ik wakker word, ben ik voor een moment vergeten wat er gebeurd is. Zoals elke ochtend leg ik mijn handen op mijn buik om contact met ons kindje te maken. Dan weet ik het weer. Er is geen kindje meer. Wat voelt dat bitter, mijn warme hand op mijn lege buik. Ik leg mijn gezicht op Max zijn borst en proef het zout van mijn tranen. Ik begin het vertrouwen in mijn lichaam kwijt te raken. Waarom laat het me zo in de steek?

Max is inmiddels ook wakker. Mijn verdriet weerspiegelt zich in zijn ogen. Al twee weken kijkt hij zo bezorgd naar me. Voor Max is het, ondanks zijn verdriet om de miskraam, toch makkelijker de knop om te zetten en uit te kijken naar de volgende poging, terwijl ik met een volgepropt hormonenlijf ontredderd en wanhopig achterblijf. Ik had al een piepklein mutsje en een schattig wikkeltruitje gekocht, die ik in onze slaapkamer om een foto van Max en mij gehangen had. Gisteren heb ik de spulletjes op zolder opgeborgen.

Ik stap uit bed en schuif de gordijnen open. Een lauw zonnetje breekt voorzichtig door. Ik zie hoe de buurman twee vuilniszakken in de grijze bak gooit, terwijl zijn zoontje van drie op zijn rug hangt. Met een gekromde rug en wijd gespreide benen loopt hij over het grind om het mannetje veilig op zijn rug te houden. Een vroege jogger rent voorbij.

Alles voelt ineens goed zoals het is. Het verdriet en de wanhoop, ze mogen er zijn. Het zal tijd nodig hebben om een plekje te krijgen en die tijd ga ik nemen. Ik voel ook het geluk; een prachtige dochter en de liefde die Max en ik voor elkaar voelen. Het is blijkbaar het moment nog niet, het moet zo zijn. Onze tijd gaat komen. Misschien.

35

2002

Een donkere verpleger stelde zich voor als Neil en plofte bij mijn voeteneind neer. Zijn gitzwarte kroeshaar was met tientallen smalle dreads bijeengebonden in een staart. 'We gaan zo eerst de ruggenprik zetten.' Hij keek opzij naar Frank, die bloednerveus was vanwege de naderende geboorte van ons kind. De hele ochtend drentelde hij door de smalle ziekenhuisgang. 'Het is het beste dat jij buiten wacht. De meeste mannen bezwijken bij het zien van dat grote gevaarte,' grapte Neil terwijl hij zijn spierwitte tanden bloot lachte.

Ik had moeite met hem mee te lachen. Ter hoogte van mijn slaap begon een angstzenuw te trillen. Zonder enig protest liep Frank weg. Bij de deur stak hij zijn hand op en stuurde me een luchtkus. Ik kon mijn zenuwen nauwelijks bedwingen. Nog even en dan hield ik ons kindje in mijn armen. Dat prikje kon ik er ook nog wel bij hebben.

De anesthesist had zich inmiddels bij ons gevoegd en kwam achter me staan.

Neil stond voor me en gaf een bemoedigend klopje op mijn knie. 'Wil je nu ontspannen je neus op je knieën leggen? Vooral heel ontspannen blijven. Misprikken kan gevaarlijk zijn,' waarschuwde hij.

Beduusd sloeg ik mijn ogen naar hem op. 'Broeder, ik wil geen spelbreker zijn maar het is, uitgezonderd voor een slangenmens, echt onmogelijk om met een hoogzwangere buik de neus op de knieën te leggen. Laat staan daar ook nog eens ontspannen bij te blijven.'

'Geen zorgen,' antwoordde hij. 'Wanneer je ontspant, komt echt alles goed. Ik help je erdoorheen.'

Ik draaide me om en keek op naar de anesthesist. 'Wilt u vertellen wat u aan het doen bent?' Hij knikte, waarna ik mijn uiterste best deed gehoor te geven aan Neils wens. Zo goed en zo kwaad als het ging, boog ik allesbehalve ontspannen voorover. Mijn handen zette ik schrap in het matras.

Eerst werd mijn rug voor een deel ontsmet en mijn huid plaatselijk verdoofd. 'Wil je de rug nu bol maken?' vroeg de anesthesist die tegelijkertijd met zijn vingers de juiste plaats tussen mijn wervels zocht om te prikken. 'Ik breng nu een lange naald tussen twee wervels door naar je ruggenwervel. Dan breng ik een katheter via de naald de wervelkolom in. Deze plak ik op je rug vast. Door de katheter wordt de medicatie toegediend.'

Het was best pijnlijk, maar ik had niet het gevoel dat ik het uit wilde schreeuwen. Tot dusver ging het goed. Na een paar minuten voelde ik het leven uit mijn benen trekken.

Een blauw gordijn werd aan het begin van mijn dikke buik gespannen, opdat ik niets kon zien en dokter De Vries zijn werk kon doen. Even kromp ik ineen bij het zien van deze gynaecoloog. Dit ziekenhuis telde er zes, waardoor ik er optimistisch van uit was gegaan dat de kans dat nou net hij voor mijn bevalling ingepland zou worden, minimaal was.

'Toch voor elkaar gekregen?' vroeg hij, terwijl hij het elastiek van zijn mondkapje op zijn achterhoofd schoof.

'Te smal gebouwd,' antwoordde ik bedeesd en ik durfde hem nauwelijks aan te kijken.

De Vries pakte de stalen rand van mijn bed vast en schonk me een knipoog, waaruit ik opmaakte dat hij me vergeven had dat ik achter zijn rug om bij zijn collega was geweest. Hetgeen ik erg sportief van hem vond. Met een opgeluchte glimlach vouwde ik mijn handen over elkaar.

Mijn armen lagen gespreid, met in mijn linkerarm een infuus en aan mijn rechterhand een bloeddrukmeter. 'Ik merk dat er in me gesneden wordt en dat er handen in mijn buik zitten, maar ik voel geen pijn,' fluisterde ik in Franks oor. Ik zag een angstrilling door zijn schouderpartij schieten.

Frank droeg een blauw O.K.-pakje met bijpassende mondkap. Hij leek sprekend op een dokter uit *ER*, ware het niet dat die hoogstwaarschijnlijk meer zelfvertrouwen uitstraalde.

Dokter De Vries hield ons op mijn verzoek goed op de hoogte. Omdat ik er zo machteloos bijlag, leek het me wel zo prettig te weten wat er met me gebeurde. 'De operatie is begonnen. Ik heb een snee gemaakt bij je bikinilijn en schroei omliggende bloed-vaatjes dicht om bloedingen te voorkomen. Nu ga ik door de buikspieren.' Knipknap.

Vaarwel sixpack, bedacht ik, maar die gedachte probeerde ik snel weer weg te drukken.

'Dan ben ik nu bij de bindweefsellaag van de inwendige organen aangekomen, ook die maak ik open, waardoor de blaas en baar-moeder bloot komen te liggen. De volgende stap wordt een snede in de baarmoeder en dan zal het niet lang meer duren voordat...'

Vanaf dat moment kreeg ik niets meer mee. Mijn lijf bewoog, er werd in me gegraaid. Uk was nog niet ingedaald en het leek net alsof De Vries mijn adamsappel schoonpoetste. Ik kreeg het benauwd, mijn hart ging tekeer en mijn bloeddruk daalde tot een extreem niveau. Paniekerig bewoog ik mijn gezicht naar Frank en het viel me op dat hij er vreemd uitzag. Ik keek weer naar het plafond. Rustig blijven, inademen door de neus, uit door de mond. Open buik uit, open buik in. Met ingehouden adem wachtte ik op wat komen ging.

Enkele seconden later hoorde ik een oorverdovend gegil. Dokter De Vries hield een kleine, glibberige baby in de lucht. Ik zag alleen een toefje haar. Met mijn ellebogen probeerde ik af te zetten om iets omhoog te komen. Toen zag ik het mooiste wat ik ooit in mijn leven gezien had.

'Het is een meisje, wat wordt haar naam?' vroeg De Vries.

Ik keek hem verrast aan. 'Een meisje? Frank, we hebben een dochtertje, wat geweldig!' Ik keek naast me, maar zag geen Frank. De verpleegsters waren druk in de weer om hem wakker te krijgen. Ze hadden zijn monddoekje vervangen door een zuurstofkapje.

'Met hem komt het wel goed, geen zorgen,' zei dokter De Vries. 'Hoe gaan jullie haar noemen?'

'We noemen haar Sophie. Sophie Alice,' antwoordde ik met een bevende stem.

De verpleegster liep op ons af en daar was dan eindelijk het moment. Sophie werd aan mijn wang gelegd en vanaf dat moment was niets meer hetzelfde. In die paar seconden werd ik als door een torpedo geraakt door de liefde voor een kind. Ons kind. Ik rook de goddelijke lucht van mijn pasgeborene. Haar met witte smeer bedekte buikje rook naar vochtige aarde en haar kruin naar zoete karamel. Mijn vinger gleed met een teder gebaar over haar zachte wangetje. Ik aaide over haar donzige haartjes.

'Dag mijn lieve Sophie, wat fijn dat je er bent,' fluisterde ik. Voorzichtig gaf ik een kus op haar wang. De eerste kus aan mijn dochter.

Frank zat inmiddels weer op het stoeltje naast me. De kleur keerde langzaam terug in zijn gezicht, zijn blik was op zijn schoenen gericht. 'Sorry,' mompelde hij. 'Het werd me echt te veel en dan ook nog eens al dat bloed.'

'Geeft niks,' antwoordde ik met een glimlach die vermoedelijk vanaf nu voor altijd mijn gezicht zou tekenen. Ik legde Sophie in zijn armen.

De trots droop van zijn gezicht af. 'Wat is ze prachtig, zo perfect en compleet,' zei hij met broze stem. Vertederd drukte hij zijn neus tegen haar gezichtje. We konden niets anders dan naar haar kijken en haar aanraken.

Met de liefste oogjes die ik ooit gezien had, keek ze terug.

Kate kwam als eerste op bezoek. Op haar tenen sloop ze mijn kamer binnen en fluisterde zo zacht dat ik haar niet kon verstaan.

'Je mag wel harder praten hoor, Sophie zal toch moeten wennen aan alle geluiden op aarde,' stelde ik voor.

Ze sloeg haar hand voor haar hart op het moment dat ik de dekens naar beneden schoof. 'Wat een piepklein kindje,' bracht ze ontroerd uit. Met haar vingers streelde ze haar pluizige bolletje. Sophie murmelde even, waarna ze weer verder sliep. Toen duwde ze me een doosje in mijn handen. 'Sophie krijgt al zoveel en die heeft er geeneens weet van.'

Ik nam het pakje aan en rammelde het nieuwsgierig heen en weer. Het was klein en vierkant, verpakt met glanzend zwart papier met een zilveren strik op de bovenkant. Opgewonden scheurde ik het papier eraf. Op de bodem van het doosje lagen twee blinkende manchetknopen, als je het mij vroeg van witgoud gemaakt.

'Titanium,' zei Kate alsof ze mijn gedachte raadde.

Voorzichtig pakte ik er één uit het doosje en klemde hem tussen mijn duim en wijsvinger. Drie letters liepen in een vloeiende beweging in elkaar over. B, K en L. 'Wat prachtig,' fluisterde ik.

'Een bezegeling van onze vriendschap,' zei Kate plechtig. 'Van Lisa en mij. Ze wilde per se dat ik het vandaag aan je gaf, direct na de geboorte, ook al kon ze er zelf niet bij zijn.'

Frank liep de kamer in, op de voet gevolgd door mijn ouders. 'We zagen hem in elkaar gedoken zitten bij het koffieapparaat. Volgens mij kan hij maar beter naar huis gaan. De arme jongen ziet spierwit van vermoeidheid,' zei mama.

Frank liet zich in een stoel vallen. 'Ik ben kapot, mijn hele lijf doet zeer. Het was ook zo'n zware dag,' klaagde hij.

Kate schonk hem een giftige blik, haar armen waren over elkaar heen geslagen. 'Jouw vriendin bestaat uit drie lagen hechtingen, waarvan de bovenste laag met vijftien krammen is vastgeniet om de boel bij elkaar te houden. Ze heeft vandaag een kindje gekregen, na negen maanden zwangerschap, waarvan de laatste maanden best pittig waren. Zíj heeft pas reden om moe te zijn, maar gek genoeg heb ik haar nog niet horen klagen.' Ze keek hem ernstig aan, zichtbaar worstelend om kalm te blijven.

Frank had zijn mond halfopen om te reageren.

Mijn moeder redde de situatie door luid in haar handen te klappen. 'Ons kleinkind, waar is ons kleinkind?' kirde ze.

Ik legde Sophie op mijn andere arm, zodat iedereen haar gezichtje kon zien.

'Ze lijkt sprekend op jou,' zei papa ontdaan, waarna hij naar mijn platgeslagen ziekenhuishaar keek. Eén ding heb ik geleerd vandaag. Zo'n blauw mutsje kan mijn haar absoluut niet verdragen.

'Maar dan met een iets groter hoofd en beduidend meer haar,' vulde mama hem tactvol aan. Ze deed een poging Sophie uit mijn armen te nemen, maar ik kon het godzijdank nog net op tijd voorkomen.

'Ik denk dat het goed is dat alleen Frank en ik haar vasthouden, straks wordt ze onrustig van al die verschillende mensen.'

Mama keek me bevreemd aan, maar zei verder niets. Ze grabbelde in haar tas om er van alles en nog wat uit te halen. 'Zeven pakjes, voor elke dag één,' legde ze uit. In een witrieten mandje decoreerde ze alle cadeaus, waarna ze het geheel in de vensterbank zette. Hierna pakte ze verschillende maaltijden uit de andere tas. Ze maakte een fruitmand op, zette rauwe groente naast mijn bed en maakte een kaasplankje met crackers. Ten slotte plaatste ze een pot multivitamines op het nachtkastje.

Kate nam het tafereel zwijgend op en ik moest lachen om de verbazing die van haar gezicht afdroop.

'Mam, ik kan niet aan eten denken, ik heb alleen vreselijke dorst,' gruwelde ik bij het zien van al dat voedsel.

'Dat komt vanzelf wel,' zei ze zelfverzekerd. Ze stak haar wijsvinger in de lucht. 'Goed eten na een bevalling is van het grootse belang om weer snel op de been te zijn. Dat heb ik destijds ook gedaan.' Haar borstkas blies op van trots. 'Jullie moeten weten, toen ik van Barbara bevallen was, hing ik na een dag de was alweer aan de lijn.' Met een triomfantelijk gezicht keek ze naar mijn vader, die verontschuldigend zijn schouders ophaalde.

'Wat goed dat je gewacht hebt met het kopen van kleertjes,' begon Frank, die een opleving leek te hebben. 'Het zou zonde zijn geweest als je nu jongenskleertjes had gekocht. Ik ben trots op je dat je dat niet hebt gedaan. Iedereen in deze kamer weet hoe moeilijk dat voor je geweest is.'

Mama wendde haar gezicht af. Mijn hoofd en hals kleurden kersenrood, maar Frank leek te moe om het op te merken. Volgende week zou ik alle jongenskleding op Marktplaats zetten. Ik wist zeker dat een hoop moeders een moord zouden doen voor zulke hippe en ook nog eens ongedragen babykleertjes.

Nadat iedereen vertrokken was viel ik in slaap, met mijn neus tegen Sophies zachte haartjes gedrukt. Toen ik wakker werd was de verdoving uitgewerkt en voelde ik pijn. Heel veel pijn. Zelfs de vederlichte Sophie was te zwaar voor mijn buik.

Met moeite drukte ik op het belletje en na een paar minuten stond Sandra naast mijn bed. Ze pakte Sophie op en legde haar in haar wiegje. Toen draaide ze me een slag, schoof mijn ziekenhuisponnetje omhoog en trok mijn papieren onderbroek naar beneden. 'Even verschonen,' legde ze uit.

Deze handeling deed zoveel pijn dat het me niets meer uitmaakte dat ik een luier droeg. 'Mag ik alsjeblieft een sterke pijnstiller? Morfine lijkt mij het meest passend op dit moment,' zei ik op het moment ik wat bijgekomen was.

Sandra schudde resoluut haar hoofd. 'Omdat je borstvoeding

wilt geven mag je alleen paracetamol, iedere zes uur een zetpil. Ik ga er direct een voor je halen.'

Het zweet sprong op mijn bovenlip. 'Paracetamol werkt bij mij niet, zelfs niet als ik kiespijn heb.'

Sandra bleef in de deuropening staan.

'Geloof me, ik heb best een hoge pijngrens, maar dit overstijgt alles. De borstvoeding komt pas na een dag of vier op gang, Sophietje zal er geen last van ondervinden, dat beloof ik je.'

Sandra keek me meelevend aan, maar kwam toch terug met paracetamol.

Midden in de nacht werd ik opgeschrikt door een pratende schim die aan mijn bed stond. Het bleek de nachtzuster te zijn, één van middelbare leeftijd met twee blonde staartjes in het haar. 'Voelen we ons goed, Barbara?'

Haar betuttelende toon maakte me wild. Het zal de combinatie van ondragelijke pijn met hormonen geweest zijn. 'Nee, we voelen ons allesbehalve goed, zuster. Ik heb enorme pijn en wil graag pijnstillers om deze pijn tegen te gaan, is dat te veel gevraagd?'

De zuster duwde een thermometer in mijn mond. 'Over een dag of drie zal het een stuk beter met je gaan.' Ze gaf me een klein kneepje in mijn bovenarm. 'Het zal ook de spanning zijn. Je bent voor de eerste keer moeder geworden, dat is niet niks.'

Voor een moment vergat ik dat mijn buik uit drie lagen hechtingen bestond en rees ik op. 'Een dag of drie?' siste ik.

Het gezicht van de zuster betrok.

'Ik lig in een ziekenhuis, waar de kasten uitpuilen van de pijnstillers. Ik ben net geopereerd en ik wil er graag gebruik van maken. Dat is toch niet zo'n gekke vraag, lijkt me?' Niet-begrijpend schudde ik mijn hoofd, ook dat deed zeer. Met een venijnige blik keek ik haar aan. 'Als zuster is het uw plicht mij deze te geven. U mag mij niet onnodig laten lijden.'

De zuster perste er een geforceerde glimlach uit. Ze leek van haar stuk gebracht, liet de thermometer in haar borstzak zakken en verdween uit mijn kamer.

Met een pijnlijk gezicht zakte ik terug in mijn kussen. Die dame zal zich wel twee keer bedenken voordat ze in het vervolg haar patiënten de broodnodige pijnstillers onthoudt, dacht ik terwijl ik mijn handen op mijn lege buik hield. Mijn mond viel open. Wat een flubberblubberbuik, het leek wel de wang van een chihuahua. Als dat maar goed kwam.

Een paar tellen later was de zuster terug in mijn kamer. Ze rolde me ruw op mijn zij en schoot een paracetamol in mijn achterste. 'Meer mag ik je niet geven, in de ochtend ben je weer de eerste.' Met forse tred beende ze de kamer uit. Haar staartjes zwiepten eigenwijs achter haar aan.

Dat was dat, daar lag ik dan, volledig aan de goden overgeleverd. Ik staarde wanhopig naar het plafond met een bevroren glimlach rond mijn lippen. Met een trillende rechterhand zocht ik op de tast naar mijn mobiel, die ergens op heuphoogte moest liggen. Lisa, zij was mijn enige redding in deze misère. Met mijn laatste krachten tikte ik een sms'je naar haar. Lisa's badkamerkastje was altijd goed gevuld met slaappillen en sterke pijnstillers. Die sloeg ze jaarlijks in bij een drogist in Frankrijk, waar iedereen ze zonder recept kon kopen. 'Voor noodgevallen,' verklaarde ze. Ze slikte de pillen bij ernstige griep, liefdesverdriet of wanneer ze tot laat gewerkt had om de volgende dag goed uit te kunnen slapen. `SOS, neem morgen goede pijnstiller voor me mee. Ze laten me hier liever sterven dan dat ze me wat doeltreffends geven. Hopelijk tref je me nog levend aan, kom ajb vroeg!! Xx.` Mijn enige hoop op redding zou nog zeker zes uur op zich laten wachten.

Naast me hoorde ik mijn dochter lieve pruttelgeluidjes maken. Ze sliep zoet, een goed begin. Uiteindelijk dommelde ik weg in een oppervlakkige slaap.

Om stipt zes uur sprong de tl-verlichting van mijn kamer aan. Ik kneep mijn ogen samen om het felle licht te kunnen verdragen.

Dezelfde zuster vertelde me met een glimlach van oor tot oor dat ik vandaag zelfstandig uit bed mocht komen. 'Ik bedoel eigenlijk uit bed moet komen,' zei ze erachteraan terwijl ze mijn gordijnen met een zwier openschoof. Haar staartjes hingen uitgezakt over haar oren. Na het ontbijt zou het dagteam mijn bed verschonen en mocht ik oefenen.

Toen ze de kamer uit was, belde ik Lisa dat ze onmiddellijk moest komen. De drie lagen hechtingen in mijn buik waren goed voelbaar. Zelfs ademen deed zeer, waardoor uit bed stappen een volstrekt onmogelijke opdracht moest zijn. Voicemail. Wanhopig drukte ik haar weg.

Bibberend van angst at ik een bakje yoghurt en dronk ik een lauw kopje sterke thee. Tegenstribbelen had geen enkele zin, de nieuwe dagzusters rustten niet voordat ik op twee benen stond, al kostte het hun een dag. Dapper greep ik de papegaai die boven mijn bed bungelde. Ik zette mijn tanden in mijn onderlip om de eerste pijn op te vangen. Het was alsof ze met messen mijn buik bewerkten. De tranen sprongen spontaan in mijn ogen, maar ik moest doorzetten, want ik wilde zo snel mogelijk met Sophie naar huis. Ze lieten me alleen gaan als ik weer mobiel was en mijn stoelgang op orde was. Poepen, daar moest ik ook nog even niet aan denken, maar probleem voor probleem.

Na een kwartier tobben stond ik gebogen naast mijn bed. 'Ga daar maar even zitten,' zei een van de zusters uitnodigend. Ik boog nog dieper voorover en liet mijn armen verloren langs mijn lichaam bungelen. Als een gesneuvelde soldaat. In rap tempo verschoonden ze mijn bed waarna ik er, kermend van de pijn, weer inkroop.

Om halftien stapte Lisa de kamer binnen. Mijn gezicht klaarde op. Ze pakte mijn hand en schonk me een vette knipoog. Twee pillen drukten tegen mijn handpalm.

'Ik ben je eeuwig dankbaar,' reageerde ik vanuit de grond van mijn hart.

Toen dook ze in mijn armen, er niet bij nadenkend dat ik alleen nog maar uit hechtingen bestond. 'Gefeliciteerd lieve mama, eindelijk is ze in ons midden, kleine Sophie Alice.' Ze zoende me op mijn vettige haar.

'Pas op! Raak me alsjeblieft niet aan, de pijn is onverdraaglijk,' kermde ik.

Lisa sprong verschrikt achteruit en zwaaide verontschuldigend met haar armen in de lucht. Haar trits aan armbanden klapperde tegen elkaar aan. 'Sorry, dat is waar. Dat is natuurlijk de reden dat ik hier zo vroeg al ben. Gaat het weer een beetje?'

Voordat ik goed en wel antwoord kon geven, hupste ze naar de andere kant van mijn bed om in het wiegje te kijken. 'Wat is ze mooi. Wat een allemachtig lief en prachtig meisje. Zo klein en zo af.' Met betraande ogen keek ze me aan.

'Ik ben zo gelukkig,' snikte ik met haar mee. 'Ze is kerngezond en te schattig. Ik kan mijn ogen niet van haar afhouden.' Ik veegde mijn tranen weg en voelde wat smeuïgs aan mijn handpalm kleven. De pillen. Haastig slikte ik ze met een slok water weg en likte de resterende poeder van mijn hand. Nog even en ik zou pijnvrij zijn. 'Nog bedankt voor de prachtige manchetknopen. Nu heb ik een blijvend aandenken aan de geboorte van Sophie en onze bijzondere vriendschap.'

Tegen twaalven had ik het gevoel dat ik op zou stijgen. Te pas en te onpas liet ik winden en ik had medelijden met mijn nieuwe kamergenoot, die vannacht bevallen was van baby Bram. Met samengeknepen billen drukte ik op het belletje. 'Ik moet drukken,' fluisterde ik, terwijl er een rilling door mijn lijf trok.

'Geen probleem, ik pak het ondersteekje even.' Sandra kwam terug en stak een Tefalbak- en braadpan onder mijn kont. 'Ik zal het gordijntje sluiten, bel maar als je klaar bent.'

Het bloed trok uit mijn gezicht. Dit gaat me nevernooitniet lukken. Ik duwde mijn bekken naar boven en voelde de koude pan tegen mijn billen drukken. Visualiseer een comfortabele witmarmeren toiletpot met een breed draagvlak. Kom op, je kunt het. Mijn hoofd liep rood aan van het persen. Toen de drol er bijna uitkwam, werd het druk op de kamer. De buurvrouw kreeg vriendinnen op bezoek. De drol schrok en kroop terug. Opnieuw proberen, persen. Een keiharde scheet ontglipte me en echode na in de ondersteek. Naast me hoorde ik de vriendinnen proesten. Ik lag stokstijf in bed en er liep een nieuwe rilling van mijn tenen naar mijn haargrens. Ik schaamde me vreselijk. Dokter De Vries had me al gewaarschuwd, mijn darmen moesten zich nog zetten. Terwijl mijn gassen opgelucht mijn achterste verlieten, kuchte ik luidkeels om de geluiden te verdoezelen.

Toen schoot het gordijntje open. Twee kinderen van een jaar of zes vroegen wat ik aan het doen was. Ik siste dat ze me met rust moesten laten en op moesten krassen. Geschrokken schoven ze het gordijntje weer dicht.

De moeders spraken hen vermanend toe. 'Stil jongens, die mevrouw probeert te poepen.'

De knulletjes gilden het uit van de pret.

Opnieuw persen, hij moest eruit.

Sandra's hoofd verdween door de kier. 'Gelukt?' vroeg ze nieuwsgierig.

Ik pakte de ondersteek en duwde hem onder haar neus.

'Leeg,' merkte ze op. 'Straks beter je best doen, hoor. Ik kom over een halfuur terug!'

In de namiddag kwam Frank. Hij ging bij mijn voeteneind zitten en keek me met een donkere blik aan. 'Het had een verrassing moeten zijn,' begon hij.

Mijn vingers speelden zenuwachtig met mijn haar, wachtend op wat komen ging.

'Vanmorgen heb ik Max uitgenodigd om te kijken wat de ondergrondse mogelijkheden van ons huis zijn.'

Ik slikte en voelde nattigheid. Frank en Max hadden mijn geheime opslagplaats ontdekt. Zelf had ik het niet zo op Max. Iedere keer als hij langskwam maakte ik dat ik wegkwam. Zijn beroep maakte dat hij me altijd te lang aankeek en te veel doorvroeg. Daar voelde ik me ongemakkelijk bij.

'Max heeft vorig jaar een wijnkelder in zijn huis laten maken en Naomi en hij genieten daar enorm van. Ik wilde iets soortgelijks ontwerpen,' vervolgde Frank. Hij trok een beteuterd gezicht. 'Onze kelder bleek geschikt te zijn. De vinotheek wordt morgen bezorgd, samen met wat mooie flessen wijn uit kwalitatief prachtige druifoogsten.'

Ik duwde mezelf omhoog en legde Sophie in mijn schoot. 'Is ze niet schattig? Ze slaapt alleen maar,' probeerde ik, om de aandacht te verleggen. 'Vannacht is ze maar één keer wakker geworden. Maar dat was logisch, want ze had honger.'

Frank veerde blij op en pakte haar van me over. Zachtjes wiegde hij haar in zijn armen. 'In eerste instantie dacht ik dat het vergeten aankopen van de vorige bewoner waren. Maar toen ik hink-stap-springend de achterste muur van de kelder had bereikt, begon ik te twijfelen. Op het moment dat ik een bonnetje vond, met het jaartal 2002, werd mijn gevoel bevestigd. Ik heb Max gevraagd een ander keertje terug te komen.'

Ik probeerde een nerveus lachje te onderdrukken. Het moest een gek gezicht zijn geweest. Een verwarde Frank tussen het hobbelpaard, de mini-BMW (die echt kan rijden als we er benzine in doen), twee kinderwagens en een buggy, de uitgebreide kleuterskiset met helm, skeelers en kunstschaatsen. De vele dozen, vol met kleding die Sophie zeker tot haar vijfde aan kon.

'Ik was over mijn toeren, maar dat had er misschien ook mee te maken dat ik de afschriften erbij had gepakt.'

Schuldbewust probeerde ik de kreukels uit mijn dekbed te strijken. 'Liefje, ik begrijp de schrik. Maar geloof mij, geen enkele aankoop is voor niets geweest,' probeerde ik op geruststellende toon. 'Voor de komende jaren hebben we voldoende verjaardagscadeaus, kleding en speelgoed bij de hand. Het is een diepteinvestering geweest, waar Sophie veel plezier aan zal beleven.' Ik sloeg mijn ogen voorzichtig naar hem op. 'Misschien wil jij alvast wat spullen naar zolder brengen en je plannen afmaken. Ik vind de verrassing ontzettend lief.'

Twee dagen later mochten we naar huis. Het poepen op het toilet ging me veel beter af dan op de ondersteek. Ik was dolgelukkig, want ik was de uitputting nabij. Beter worden in een ziekenhuis bleek een onmogelijke opgave. Sliepen Sophie en ik, dan gilde baby Bram ons weer wakker. De tl-verlichting die structureel om het uur aan sprong, omdat de nachtzuster de borstvoeding bij de buurvrouw of bij mij op gang wilde brengen. Gek werd ik ervan. Het fantasieloze eten, mama had het er druk mee. Ze bracht tweemaal daags stamppotjes, fruit, omelet en rijstschotels om me weer aan te laten sterken. Ik hunkerde naar mijn huis, mijn toilet, mijn bed en naar rust. En ik keek uit naar de ontdekking van mijn nieuwe leven met Sophie. Mijn nieuwe leven als mama.

36

2007

We hebben nog drie ingevroren embryo's. Twee uur voor de geplande terugplaatsing hoor ik of de embryo's terugplaatswaardig zijn. Dat betekent dat ik bij positief bericht direct in de auto stap naar Gent.

Max is er niet bij, die is vanochtend vertrokken naar New York, voor een seminar over een nieuw middel tegen depressie.

'Ik word je proefkonijn. Als het nu weer niet lukt, kan ik wel een krachtig middel tegen neerslachtigheid gebruiken,' bood ik hem vlak voor zijn vertrek aan.

Hij droeg een donkere spijkerbroek, blauwe Adidas-sneakers, een spierwit overhemd met daarover een kobaltblauwe trui. Voor hem de perfecte kleur omdat zijn blauwe ogen dan het mooist tot hun recht komen. De bruinleren reistas stond al bij de deur. Max kneep zijn ogen dicht en zag eruit alsof hij heel hard aan het nadenken was. Vervolgens deed hij ze weer open. Hij trok zijn mondhoeken op en klemde zijn handen stevig rond mijn heupen. Met een zwier tilde hij me op en vouwde ik mijn benen rond zijn middel. Zijn neus drukte tegen mijn voorhoofd. 'Dat heb jij helemaal niet nodig. Iets in me vertelt me namelijk dat het wel eens kan gaan lukken vandaag.'

Ik sloeg mijn armen om zijn nek. 'Dit is voor het eerst dat je dat uitspreekt,' zei ik, aangedaan door de warmte en zelfverzekerdheid die hij uitstraalde.

Hij zette me op het aanrecht en liet zijn hand op mijn dij rusten. 'Dat komt doordat ik nu weet dat mijn zaad in staat is kinderen te verwekken. Ook al is het misgegaan, door de behandeling ontstaan er wel goede embryo's.'

Zachtjes trok ik hem aan zijn kraag dichter naar me toe. En zoenden we net zo lang tot we er draaierig van werden.

Nadat ik hem heb uitgezwaaid dribbel ik onrustig door het huis. Nog twee uur voordat de assistente uit Gent me belt. Sophie wordt wakker en haar aanwezigheid zorgt voor een mooie afleiding. Wanneer ik haar naar haar klasje heb gebracht, komt de opwinding in alle hevigheid terug. 'Vandaag is de dag, vandaag is de dag, dat ik zwanger worden mag,' neurie ik terwijl ik thuis aangekomen mijn telefoon van de oplader haal. Een halfuur lang zit ik met mijn mobiel in mijn vuist geklemd op de bank. Ik moet er niet aan denken dat ik nou net deze oproep zou missen.

Ik heb zo uitgekeken naar deze nieuwe kans dat ik de laatste dagen heb afgeteld. Vijftig procent overleeft het invriesproces, statistisch gezien zal er dus zeker een embryo teruggeplaatst kunnen worden. Het kriebelt in mijn buik. De kans op zwangerschap bij deze terugplaatsing is maar tien procent, maar iedere kans is er een.

Exact op het afgesproken tijdstip rinkelt de telefoon. Ik hap naar adem, wil niet aannemen, maar weet ook dat er weinig andere opties zijn. 'Met Barbara Muller.'

'Goedemorgen mevrouw Muller, helaas heb ik slecht nieuws voor u.'

Ik sluit mijn ogen en schud ontredderd mijn hoofd. 'Uw embryo's hebben het ontdooiingsproces niet overleefd.'

Alle moed zakt in één keer naar mijn voeten. Het voelt alsof ze me mijn kindje ontnomen heeft. De diepe donkere pijn in mijn hart is weer aangeraakt en tot leven gekomen. De pijn van het gemis, de teleurstelling van wat niet mag zijn. Ik sla wartaal uit en doe mijn best weer controle over mijn stembanden te krijgen. Huilen en praten tegelijkertijd heb ik nooit gekund. Ik haal een paar keer diep adem en vraag wanneer ik voor de vierde poging in aanmerking kan komen.

'Over vier maanden kan ik u pas weer op de planning zetten. We hebben een wachttijd, vandaar.'

'Vier maanden?' stamel ik. 'Kan dat alstublieft niet eerder? Ik bedoel, ik, ik, sorry, ik bel u zo terug.' Ik druk op de rode toets om het gesprek te beëindigen. Dan bel ik mijn werk om aan te geven dat ik toch kom. Misschien dat wat afleiding goed voor me is.

In de auto dringt het besef dieper mijn vezels in. Mijn handen, die om het stuur zijn geklemd, trillen. Het duurt een paar minuten voordat ik me zelfs maar beweeg. Dan steek ik de sleutel in het contact en druk het gaspedaal in. Ik probeer mijn negatieve gedachtestroom te stoppen. *Het gaat nooit meer lukken, Barbara. Geef het maar op, je hebt genoeg gestreden. De tijd is daar om jullie droom los te laten.* Mijn keel voelt opgezet aan. Nieuwe tranen voor een nieuwe teleurstelling. Het lijkt wel of het verdriet steeds heftiger wordt, de pijn intenser.

Als ik het parkeerterrein van Homecare oprijd, belt mijn moeder. 'Dag lieverd, ik bel alleen even om je succes te wensen bij de terugplaatsing,' schettert het door de auto. 'Weet je zeker dat ik niet mee hoef?'

Ik bekijk mezelf in de achteruitkijkspiegel, mijn blik is gebroken. Mijn mascara is uitgelopen en mijn ogen zijn bloeddoorlopen. Met een verwoed gebaar veeg ik de tranen van mijn gezicht. 'Ik krijg net bericht dat het niet nodig is, mam. De embryo's zijn kapot, niet meer te redden. Morsdood.'

Het blijft even stil aan de andere kant van de lijn. 'Ach kindje, daar had ik helemaal geen rekening mee gehouden. Wat naar voor je. Gaat het?'

Er ontsnapt een vreemde kreet uit mijn keel. 'Nee mam, het

gaat helemaal niet. Maar dat kan niet, want ik ben al bij mijn werk. Dus ik moet mezelf nu bij elkaar gaan rapen.' Het begint te regenen. De druppels kletteren tegen de voorruit. Met mijn ogen volg ik het heen en weer zwaaien van de ruitenwissers.

Na een paar minuten bel ik het UZG. 'Dag met Barbara, kunt u mij over vier maanden inplannen?'

De assistente pakt haar planning erbij en roostert me in. 'Sterkte weer en tot ziens.'

Als ik mijn mobiel in mijn tas op wil bergen zie ik dat ik drie oproepen van Max heb gemist. Ik kan het niet opbrengen hem te bellen. Maar het is ook onmenselijk om hem tijdens zijn zes uur durende vlucht in hoop te laten leven. Het is voor het eerst dat hij vertrouwen heeft, terwijl van mijn eigen vertrouwen niets meer over is. Met mijn vingertoppen wrijf ik over mijn kloppende slapen. Terwijl ik mezelf moed inspreek Max te bellen, hakt een aanhoudende beltoon de knoop door.

'Het is niet gelukt, schat,' hoor ik mijn stem zeggen die ik krachtig probeer te laten klinken. Het laatste wat ik wil is dat hij met een rotgevoel in het vliegtuig stapt. Ik weet dat het voor hem makkelijker is de teleurstelling te verwerken, op het moment dat hij voelt dat ik het aankan.

Mijn mededeling hangt een tijdje onbesproken in de lucht. Ik hoor Max een diepe zucht slaken. Kippenvel kruipt op mijn armen. Was hij nu maar bij me. Dan zou ik me dicht tegen hem aan nestelen en hem door mijn haar laten kriebelen. Mijn tranen zouden liefdevol door zijn trui opgenomen worden, net zo lang tot ze op waren.

'Echt?' vraagt hij ongelovig. 'Hoe kan dat nou, van de drie moet er toch altijd één overleven?'

Zonder iets te zeggen schud ik mijn hoofd. Als ik op de juiste manier ademhaal hoort hij vast niet dat ik huil. Niet te veel praten, alleen het hoognodige en dan positief afsluiten. 'Over vier maanden staan we weer ingepland,' zeg ik.

'Dan heb je de Pregnylinjectie om je eisprong op te wekken

ook voor niets genomen,' concludeert Max met een verontwaar-digde stem. Daar had ik eigenlijk nog niet aan gedacht, maar dat is op dit moment het minst erge van alles. 'Gaat het lief? Je bent zo stil.'

Ik klem mijn voortanden in mijn onderlip en bijt net zo hard tot ik bloed proef. Binnensmonds mompel ik een ja. Ik haal drie keer diep adem en tover een geforceerde lach op mijn gezicht. 'Het gaat wel, maak je om mij maar geen zorgen.' Mijn mobiel druk ik nog steviger tegen mijn oor aan.

'De volgende keer gaat het lukken, vertrouw maar op mij.'

Ik knik onbewogen.

'Beloof me dat je met Lisa gaat genieten dit weekend. Je ver-dient het om eens goed in de watten gelegd te worden.'

Om acht uur vanavond vertrekt mijn vliegtuig naar Barcelona. Een verrassing van Lisa.

Kate slaat dit jaar over. Ze is nu zes maanden zwanger en weet met moeite haar werk nog vol te houden. 'Volgend jaar ben ik er weer bij,' verzekerde ze ons.

Ik moet nog even niet aan onze reis denken, voel alleen maar leegte vanbinnen. Een heel diepe leegte, alsof er geen eind meer komt aan de tunnel van wanhoop. Ik wil weer een lichtpuntje zien, ben al die tijd vol goede moed geweest. Ik vraag me af hoe-veel keer ik deze behandeling nog aankan. Ik realiseer me dat ik er te makkelijk over heb gedacht. Dat deed ik wel even, paar prik-jes en dan had ik over negen maanden een wolk van een baby. Een duidelijke misvatting. Ze hadden in me mogen snijden, me mogen pijnigen, honderd spuiten tegelijkertijd mogen zetten, als ik maar wist dat het zou leiden tot een zwangerschap. Nu moet ik al die ellende doorstaan zonder enig doel.

Mijn koffers liggen al in de achterbak en na het werk rijd ik naar Lisa's huis.

Opgetogen springt ze naast me in de auto. 'Hoe was het in

Gent? Ik kreeg je vandaag niet te pakken. Wel goed dat je het gered hebt allemaal, je zult wel afgepeigerd zijn.' Op de valreep controleert ze of ze haar paspoort en geld bij zich heeft, waarna ze naar me opkijkt. 'Was het zo erg?' vraagt ze als haar dik opgemaakte ogen mijn gezicht aftasten.

'Het was niet nodig om naar Gent te gaan, onze embryo's hebben het niet gered.' Ik vouw mijn vingers om de versnellingspook en zet de auto in z'n achteruit. 'Ik ben het meer dan zat, Lies, ik kan het niet meer aan. Iedere keer weer dat bijzondere gevoel dat ons kindje nu wel heel dichtbij is. Gevolgd door dat uitzichtloze gevoel van wanhoop.' Mijn onderlip begint weer te trillen, maar ik probeer mijn tranen weg te slikken. Ik wil niet als één brok verdriet in het vliegtuig stappen. 'Elke keer spring ik weer vol enthousiasme in die denderende ivf-trein en na afloop wil ik er het liefst onder gaan liggen.' Ik zet de radio op *Q-Music*. Vrolijke muziek, dat heb ik nu even nodig.

'Willen jullie wel doorgaan? Op een gegeven moment houdt het toch op? Je lichaam heeft rust nodig. Al dat gif dat je in moet spuiten.' Lisa kijkt me met een pruillip aan. 'Ik weet zeker dat het voor je geestelijke gesteldheid ook knap beroerd is,' gaat ze verder. 'Het valt te prijzen dat je er nog zo bij zit.' Ze wrijft liefdevol over mijn schouder.

'Ik wil het er liever niet meer over hebben. Ik wil proberen dit weekend heerlijk te genieten in Barcelona. Er is ook een leven zonder ivf, daar probeer ik me nu op richten. Het is anders te pijnlijk voor me.'

Nadat we tapas hebben gegeten, vertrekken we naar Cdlc, de club van Patrick Kluivert. Het ziet er heel anders uit dan ik me had voorgesteld. Als we de trap aflopen, lijkt het alsof we op Bali zijn beland. Prachtige Boeddhabeelden en een strak, maar sfeervol ingericht wit decor. We lopen over de houten vloer door naar het terras dat uitkijkt op zee en zakken voldaan op een loungebank. Ik adem de zeelucht in en ben zo blij dat ik hier ben, even weg van alles. 'Dank je, dit was wat ik nodig had.' Ik zoen Lisa op haar wang en loop naar de bar om een drankje te halen.

Als ik terugkom, zitten er twee Spaans ogende mannen tegenover Lisa. 'Leuk hè, je hoeft hier maar één keer te knipogen en ze komen als bijen naar de honingpot op je af.'

De gebruinde mannen, die beiden hun dikke donkere haar strak naar achter hebben gekamd, staan direct op, schudden mijn hand en geven twee kussen op mijn wang. Joshua en Paulo wonen en werken op Gran Canaria en zijn een weekend in Barcelona om inspiratie op te doen voor de inrichting van hun restaurant. 'We nodigen jullie uit met ons mee te gaan naar Danzatoria, een discotheek met het mooiste uitzicht op de stad. Dat mag je niet missen.'

Nog voor ik kan reageren, heft Lisa haar glas en toost ze op Danzatoria.

Lisa en ik trekken onze benen in om op de achterbank van Paulo's knalblauwe Deux Chevaux te passen.

Joshua draait het raampje open en steekt een sigaret op. In Spanje lijkt iedereen te roken. Jong, oud, praktisch allemaal zijn ze gehuld in een rookgordijn.

De wegen worden steeds smaller en we klimmen via een slingerdeslangweg naar boven. Door mijn raampje zie ik de schittering van de verlichte stad die steeds kleiner lijkt te worden.

'Kom mee, dan laten we jullie de tuin zien,' stelt Paulo voor nadat hij bij de kassa vier tickets heeft gekocht.

Genietend kijk ik naar de kleurrijke bloemen die de tuin rijk is.

Lisa trekt Paulo aan zijn arm en deelt mee dat ze gaan dansen. Voor ze in de mensenmassa verdwijnt, draait ze zich om steekt ze haar duim in de lucht.

Geweldig, zit ik met Joshua opgescheept.

'Kom gezellig zitten,' zegt hij, terwijl hij uitnodigend op de lege plek naast zich klopt. Joshua draagt groene slangenleren schoenen, waar ik (hoewel ik tegen het zinloos doden van dieren ben)

direct verliefd op ben. Daarboven draagt hij een witte spijkerbroek met een uitlopende pijp en een mosgroen shirt. 'Heb je eigenlijk kinderen?' vraagt hij nieuwsgierig.

'Een dochtertje van vijf,' antwoord ik, terwijl ik in de citroen
bijt die ik uit mijn Bacardi heb gevist.

'En jij?'

'Ik heb er drie, drie dochters,' zegt hij. 'Ze zijn twee, vier en
zeven jaar, maar ik heb ze al een jaar niet gezien.'

'Waarom niet?' vraag ik belangstellend.

Joshua's reebruine ogen zijn op de tafel gericht. 'Mijn vrouw
wilde terug naar Denemarken, ze kon niet wennen op Gran
Canaria,' zegt hij schor. 'Ze heeft de kinderen meegenomen en
beloofd dat ik hen alle vakanties mocht zien. Na maanden van
procederen besloot de rechter dat mijn kinderen één keer per jaar,
in de zomervakantie, naar me toe mogen komen. Deze zomer
had ze een excuus, haar moeder is overleden en dit heeft de kinderen volgens haar erg aangegrepen.' Joshua kijkt me aan en probeert zijn verdriet met een glimlach te bedekken. 'Ik ben benieuwd met welk excuus ze volgend jaar komt.' Hij slikt en zet
zijn glas op tafel. 'Kom, genoeg gepraat, we gaan plezier maken.'
Hij pakt me bij mijn arm en duwt me naar binnen, richting de
dansvloer. Lisa staat in het midden van de dansende menigte uit-
bundig te tongen met Paolo. Grinnikend lopen we voorbij.

Joshua trekt het touw van de nog gesloten vipruimte omhoog
en zwiert galant met zijn arm richting stoel. 'Champagne,' zegt hij
met een zangerige stem tegen de ober die aan komt rennen.

'Heb je een foto van je kinderen?' vraag ik als ik me op het
zwarte velours bankje heb laten zakken.

Joshua pakt zijn portemonnee uit zijn broekzak en haalt er een
foto uit. 'Twee jaar geleden genomen in Las Palmas.' Een lachende Joshua houdt een baby in de lucht terwijl twee blonde meisjes
tegen zijn been aanleunen. Ik vermoed dat zijn vrouw de foto genomen heeft. Een mooi plaatje van een perfect gezin. In één klap
weggeslagen, nu heeft hij alleen zichzelf nog.

'Ze zijn prachtig,' zeg ik gemeend wanneer ik de foto teruggeef.

'Ik draag ze iedere dag bij me.'

Mijn keel voelt droog aan. Hier zijn mijn problemen niets bij. Max en ik hebben in ieder geval elkaar nog. De ober zet twee glazen op tafel en schenkt de champagne in. 'Op je dochters,' zeg ik.

'Op jou,' fluistert hij terwijl hij dichter naar me toeschuift. 'Je bent een prachtige vrouw.' Ik schrik van de intimiteit waar ik ineens in verzeild ben. De eenzame aantrekkelijke Spaanse ziel is bijna op me gekropen. Hij legt zijn hand in mijn hals en trekt me nog dichter naar zich toe. Zijn lippen raken mijn oor aan.

Wat ongemakkelijk schuifel ik van hem vandaan en probeer ik de aandacht te verleggen naar de dansvloer. 'Mooie tent,' zeg ik schaapachtig. 'En wat een drukte.' Ik knik naar de dansende mensen en beweeg mijn schouders op de muziek van Anastacia.

'Mag ik je kussen?' vraagt Joshua duidelijk onverstoorbaar terwijl hij een plukje van mijn haar tussen zijn vingers door laat glijden. Onze blikken houden elkaar even vast.

'Sorry, maar dat kan echt niet,' zeg ik terwijl ik naar achteren leun en mijn armen stijf over elkaar heen sla.

'Nu ben je helemaal onweerstaanbaar,' zwijmelt hij.

Ik schiet in de lach vanwege zijn vastberadenheid en sla met mijn hand op zijn witte jeans. 'Je bent leuk, Joshua, maar ik ben verliefd op een geweldige man en dat wil ik graag zo houden.'

'Daar ben je,' roept Lisa boven de muziek uit. 'Ik heb je overal gezocht. We moeten hier weg.' Ze knijpt haar neus dicht. Het valt me op dat ze er verhit uitziet. 'Ik word niet goed, die man stinkt gruwelijk naar knoflook en naar zweet. Het komt gewoon uit zijn poriën.' Lisa's armen wapperen zo hevig langs haar lijf dat het lijkt alsof ze ieder moment op kan stijgen. 'Hij is nu plassen, dus we moeten gaan voor hij me vindt.' Als een opgejaagde hond kijkt ze schichtig om zich heen.

Ik drink in één teug mijn glas leeg en kijk naar Joshua, die zichtbaar niets van het gesprek begrepen heeft. 'Bedankt voor de leuke avond. Ik heb echt genoten, maar we moeten helaas gaan.' Ik buig voorover en kus hem op zijn wang. 'Ik hoop dat jij je meisjes snel weer mag zien,' fluister ik in zijn oor.

Na vier heerlijke dagen gaan we terug naar huis. Ik heb het hele ivf-gebeuren deze dagen op een zijspoor gezet. Maar nadat ik Lisa thuis heb afgezet, komen de tranen weer. De pijn zit er nog steeds. Verdriet feest je niet weg. Niet zolang het niet helemaal doorvoeld is.

Frank brengt Sophie morgen weer thuis. Ze heeft het heerlijk gehad. Uitgelaten belde ze me gisteren om verslag uit te brengen van haar belevenissen. Hoewel ik haar mis, is het goed om alleen thuis te zijn. Mijn verdriet en ik, samen op de bank.

Ik pak de lucifers en steek de kaarsjes en een staafje wierook aan. De geur van lotus vult de kamer. Uit de vriezer pak ik twee bruine boterhammen en ik zet het tostiapparaat aan. Ik bedek het bevroren brood met vier plakken kaas en wacht tot de tosti's luid knisperend aangeven dat ze klaar zijn. Mijn vinger blijft aan de gloeiende plaat kleven. Instinctief trek ik hem terug. Het voelt eigenlijk wel prettig, die lichamelijke pijn. Prettig, handelbaar en aards. Door deze afleiding voel ik de pijn in mijn hart wat minder.

Ik zet een cd op en laat me op de bank vallen. Mijn hand rust op mijn hart en ik concentreer me op het regelmatige geklop. Moeten we ons erop voorbereiden dat het zomaar kan gebeuren dat we geen kindje krijgen? Ik krimp in elkaar. Nee, daar wil ik nog niet aan denken. Maar zolang het niet lukt, blijf ik zweven tussen hoop en wanhoop. Word ik geconfronteerd met emotionele reacties die ik niet eerder gevoeld heb. Mislukking en teleurstelling op een gebied waar ik geen grip op heb; de natuur bepaalt immers de onvruchtbaarheid. Mijn baarmoeder is klaargestoomd voor ons kleintje, maar blijft angstvallig leeg.

Huilend rol ik op mijn buik en sla mijn armen beschermend om me heen. Mijn telefoon rinkelt. Enigszins opgelucht dat ik even niet hoef te huilen, kijk ik op de oplichtende display wie me belt. Privénummer. 'Met Barbara.'

'Goedenavond, spreek ik met meneer of mevrouw Muller?'

Ik begrijp dat ik niet direct herkenbaar ben, mijn stem klinkt alsof ik in één dag al mijn dierbaren verloren heb.

'Spreek je mee,' antwoord ik terwijl ik mijn neus ophaal.

'Hebt u al eens gedacht aan groene stroom, mevrouw Muller? Op deze manier kunt u iets terugdoen voor de natuur en...'

Mijn verdriet maakt plaats voor frustratie. Normaal gesproken behandel ik deze belmensen aardig. Dat wil zeggen, ik sta ze kort te woord en leg vriendelijk, maar resoluut uit dat ik geen interesse heb in wat ze me dan ook willen verkopen. Vandaag laat ik de beste man niet eens uitspreken. Ik ben boos omdat ik in mijn verdriet, kruipend op de bodem van mijn door hormonen vergiftigde ziel, onderbroken word door deze commerciële belmeneer, die als doel heeft mij mijn geld uit mijn zak te kloppen. Abrupt onderbreek ik zijn ingestudeerde verhaal. 'Jij bent de allerlaatste op deze milieuvervuilde en toch niet meer te redden aardbol die ik wil spreken. Ik ben allerminst geïnteresseerd in groene stroom. Een baby, daar ben ik in geïnteresseerd. Een baby van vlees en bloed, hoor je me? Pas als je die voor me kunt regelen mag je me weer bellen. Goedenavond.' Met een verbeten grimas op mijn gezicht druk ik de meneer weg.

Nadat ik mijn tranen met mijn trui gedept heb, vraag ik me af of ik hem niet vriendelijker af had kunnen wimpelen. De man zal aan de lopende band onfatsoenlijk te woord worden gestaan, maar heeft waarschijnlijk nog nooit zo'n gestoord mens aan de lijn gehad.

Ik eet de inmiddels afgekoelde tosti op en laat de harde korstjes liggen. De cd is gestopt, het is tijd om te gaan slapen. In mijn achterhoofd heb ik de datum van de vierde poging. Het liefst zou ik direct weer beginnen, maar deze stop is niet voor niets. Ik voel het in heel mijn wezen. Mijn lichaam en geest hebben deze tijd hard nodig om weer op adem te komen en mijn lichaam te ont-giften.

37

2003

Mijn angsten bleken op onwetendheid te zijn gebaseerd. Want vanaf het eerste moment dat Sophie en ik elkaar aankeken, wist ik dat we bij elkaar hoorden, dat het zo moest zijn. Tijdens mijn zwangerschap was ik bang de grip op mijn leven kwijt te raken, maar Sophie werd mijn leven. Ze straalde een rust uit waar ik mijn hele leven naar op zoek was. Haar lichtbruine ogen die zonder oordeel, puur en onbevangen de wereld inkeken. Onderzoekend en nieuwsgierig. Mijn dochter werd het stralende middelpunt in mijn bestaan. Een nieuw bestaan, waarin het niet langer om mij draaide. Mijn leven speelde zich grotendeels af rond haar voedingen, haar slaapjes, de babymassage en het babyzwemmen. En om eerlijk te zijn, ik vond het heerlijk.

De onderbroken nachten waren het leukst. Sophie en ik in de zacht belichte babykamer, de schaduw van haar bedmobiel dansend over de vloer. Mijn vingers die het witte gordijn een stukje opzij schoven, haar oogjes die samen met de mijne de slapende stad inkeken. Tijdens deze nachten was mijn hoofd leeg. Was er alleen nog ruimte voor de onvoorwaardelijke liefde die me dienaar van mijn kind had gemaakt.

Ook Frank was stapelgek op zijn dochter. Omdat hij doordeweeks tot laat aan het werk was en er dagen waren dat hij Sophie alleen 's ochtends een uurtje zag, gebruikte hij het weekend om haar beter te leren kennen. Met zijn dochter in een draagzak tegen zijn borst gedrukt, wandelde hij op zaterdag door het Kralingse bos en deed hij boodschappen. Hij kletste met niemand zoveel als met Sophie, die soms kraaiend, dan weer slapend zijn verhalen aanhoorde. Haar geboorte heeft ons een verbinding voor het leven gegeven. Een onvoorwaardelijke liefde, die voor niemand zo sterk voelt als voor ons. In haar ogen zien we de weerspiegeling van ons beiden. Zonder ons was zij er niet geweest.

Toch had de geboorte van Sophie mijn twijfels over ons samen niet weggenomen, alleen wat naar de achtergrond gedreven. Het was niet moeilijk om met Frank te leven, hij had genoeg liefde, oprechtheid en trouw in zich. Maar het kostte hem moeite dat te uiten in woorden of romantische uitspattingen. Hij deed het tegenovergestelde van wat goed voor ons was. Met alle liefde die hij in zich had, stortte hij zich nog intenser op zijn werk vanuit de gedachte goed voor zijn gezin te kunnen zorgen. Zo gebeurde het dat we ieder nog meer ons eigen leven gingen leiden. Sophie werd ons kruispunt, de plek waar onze wegen elkaar even aanraakten. De twee avonden per week dat we samen aten, spraken we vooral over de sprongetjes die Sophie maakte. Soms ging het over zijn werk, een andere keer over de invulling van mijn dagen als tijdelijk niet-werkende. Er waren momenten dat ik me afvroeg of ik mijn leven zonder diepgang en passie door wilde leven. Maar mijn maag kromp al ineen bij de gedachte dat ik Sophie met gescheiden ouders op zou zadelen. Iets waar ze geen enkele stem in had, maar waar ze wel de dupe van zou worden. Dus besloot ik mijn verlangen naar een hartstochtelijke verbinding te verdringen en te genieten van wat er op dat moment wel was.

Zonder veel te doen, vlogen de dagen voorbij. In de laatste maand van mijn verlof kreeg ik het benauwd. Als wedding planner waren Lisa en ik vaak 's avonds en in het weekend op pad, terwijl we doordeweeks lange dagen op kantoor maakten. De gedachte dat ik meer met mijn werk bezig zou zijn dan met mijn dochter, maakte me ziek van ellende. Het was geen optie om parttime te gaan werken. Lisa en ik zaten nog in de tropenjaren, waarin we keihard moesten werken om ons bedrijf naamsbekendheid te geven en grote opdrachten binnen te halen. Er zou te veel werk op Lisa's schouders terechtkomen, vroeg of laat zouden we daar beiden moeite mee krijgen. Daar kwam bij dat ik überhaupt nog niet klaar was om te gaan werken. Ik wist dat het op een dag weer zou gaan kriebelen, maar wilde nog langer genieten van het voltijd moederen. Mijn gevoel vertelde me dat ik moest stoppen, maar ik kon het niet over mijn hart verkrijgen om Lisa teleur te stellen.

Frank slaakte een opgeluchte zucht toen ik hem vertelde over mijn plan om me terug te trekken uit ons bedrijf. 'Sophie is nog zo klein, ze heeft je nodig. Het kind zal doodongelukkig worden als ze de hele week naar de crèche moet,' vond hij. 'Ik verdien voldoende voor ons beiden, ga jij nou maar doen waar jij gelukkig van wordt. Dat is uiteindelijk ook het beste voor Sophie.'

Zo kwam het dat ik niet veel later al mijn moed bij elkaar raapte en een afspraak met Lisa op kantoor maakte.

Ik haalde mijn hand langs mijn voorhoofd en keek op mijn horloge. Lisa was een kwartier te laat. Niet zo vreemd op zaterdagochtend om tien uur. Ik was inmiddels wel gewend aan het vroege opstaan, Lisa niet. Gisteren had ik haar gebeld of we vandaag op kantoor konden afspreken. In alle rust, zonder de stagiaire om ons heen. Mijn hand klemde zich om het stuur van de Bugaboo, die ik zachtjes heen en weer reed. Sophie was na haar flesje direct weer in slaap gevallen. Ze maakte knorrende geluidjes. Er groeide een genadeloze spanning in mijn buik. Een spanning die niet meer weg te denken was.

Onderzoekend keek ik om me heen. Mijn blik viel op een prachtig tinnen beeld dat op een witte sokkel naast ons bureau stond. Het silhouet van een naakte vrouw die haar armen vol overgave naar de hemel uitstak. Ik vroeg me af waar Lisa dit indrukwekkende sculptuur op de kop had getikt. Voor de rest leek er eigenlijk weinig veranderd. Hoewel. Ik telde zes limekleurige ordnermappen, die keurig in een rij tussen de twee bureaus in stonden. Alle klanten op alfabetische volgorde. Sarah had goed werk verricht. Ik liep naar de archiefkast, die ik nieuwsgierig opende. Mijn hand gleed over een rits fuchsia ordnermappen. Leveranciers, locaties en trouwerijen. Het voelde vreemd om lang niet op kantoor geweest te zijn. Vreemd dat een ander mijn werkplek gebruikte. Zo zou het na vandaag altijd zijn. Ik liep naar de keuken en zette de waterkoker aan. Mijn vingers raakten het hardstenen aanrecht aan. Ik pakte de koektrommel die naast het espressoapparaat stond en draaide het deksel open. Gulzig snoof ik de geur op. Toen keek ik naar mijn buik. Naar de vetrol die boven mijn broekriem uitpiepte. Bedremmeld zette ik de trommel weer terug. Nog drie kilo te gaan voordat ik weer op mijn oude gewicht was. Nog even doorbijten. Ik veerde op toen ik de sleutel in het slot hoorde en stak mijn hoofd om het hoekje van de keuken.

'Sorry, er was een ongeluk gebeurd op de Van Brienenoord,' kwetterde de vertrouwde stem van Lisa. 'Je hebt Sophietje meegenomen. Gezellig.' Haar hoofd verdween in de kinderwagen. 'Wat krijgt ze bolle wangen,' fluisterde ze vertederd. Lisa gooide haar sleutelbos op het bureau. 'Welkom terug,' zei ze breed grijnzend, terwijl ze met open armen op me afliep.

Terwijl we elkaar in de keuken omhelsden voelde ik de spanning in mijn buik naar een hoogtepunt groeien.

'Ik heb je gemist,' verzuchtte ze toen ze met twee mokken in haar handen achter me aan het kantoor inliep. 'Hou me ten goede, met Sarah is het prima, maar dat is toch anders. Ze is geweldig voor de administratieve klussen, maar een trouwerij regisseren zonder jou is gewoon niet hetzelfde. Ik miste de dynamiek en de humor.

En als er nu iets misging had ik niemand om echt mee te brainstormen en de spanning mee te delen,' bekende ze met stralende ogen.

Ik vouwde mijn vingers om de theemok en sloeg mijn ogen neer. Ik wilde mijn beste vriendin niet teleurstellen. Ik wilde haar niet boos of verdrietig maken. Mijn keuze voelde als verraad, zou ze me ooit kunnen begrijpen? 'Lisa,' mijn stem klonk broos. Ik keek haar met een hulpeloze blik aan en mijn hart begon sneller te kloppen. 'Ik trek me terug uit ons bedrijf.' Mijn wangen kleurden rood van schaamte.

Haar hele gezicht straalde verbijstering uit. 'Wat bedoel je?' vroeg ze afgemeten.

Ik slikte een paar keer. 'Ik moet eerlijk en realistisch zijn. Ik kan geen zestig uur per week meer werken en dat is geen goede instelling voor een zelfstandig ondernemer.' Je kon een speld horen vallen. Ik moest nu doorzetten, voordat ik uit schuldgevoel al mijn woorden terug zou nemen en net zou doen alsof het een grapje was. 'Voor de bevalling was ik ervan overtuigd dat ik op dezelfde manier door zou gaan met werken. Zeven dagen per week. Maar toen wist ik nog niet wat ik nu wel weet.' Ik trok de kinderwagen naar me toe. 'Sophie en ik kunnen nog niet zonder elkaar. Ik zal me vreselijk schuldig voelen als ik haar zo weinig zie en zij zal ziek worden van de heimwee.'

Ik zag een diepe frons op Lisa's voorhoofd verschijnen. 'De crècheleidsters zullen klappen als ze haar eerste stapjes zet en dit bijhouden in haar schriftje,' ging ik met overslaande stem verder. 'Al die mooie ervaringen kan ik in dat dagboekje nalezen, alsof ik over het leven van een volstrekt onbekende lees. Straks gaat ze mama zeggen tegen de crècheleidster in plaats van tegen mij. Ik raak in paniek als ik daaraan denk.'

Lisa keek me aan alsof ik een zenuwinzinking nabij was. 'Onderzoek heeft uitgewezen dat kinderen van werkende moeders juist gelukkiger zijn.' Ze keek me aan zonder met haar ogen te knipperen. 'Juist omdat die moeders ook een ander leven hebben buiten hun kinderen en de tijd die ze dan thuis met hen door-brengen kwalitatief leuker invullen. Die moeders zijn vaak minder gefrustreerd, omdat ze aan zichzelf werken.' Lisa werd wit rond haar neus. 'Dit was je droom, hoe kun je die opgeven?' Ze kwam dichterbij en herhaalde de woorden 'je droom' nog een keer. Vervolgens keerde ze zich van me af en wierp met een moedeloos gebaar haar armen in de lucht. 'Zie jij jezelf alle dagen thuis zitten? Dat past helemaal niet bij je.'

Ik haalde mijn schouders op. 'Ik zal vast na verloop van tijd weer aan het werk gaan, maar dan voor een dag of drie. Ik wil zo graag nog even ongestoord van Sophies eerste maanden genieten, zonder werkstress.' Ik kwam overeind en boog over de kinderwagen. Voorzichtig schoof ik het zachtroze mutsje dat over haar ogen was gegleden omhoog. Kijkend naar mijn slapende dochter schoot ik bijna vol. 'Eerlijk gezegd kan ik nog niet zonder haar, ze is nog zo kwetsbaar en hulpbehoevend.'

Het onbegrip was van Lisa's gezicht af te lezen.

Ik pakte haar handen en probeerde haar blik te vangen. 'Het was voor mij echt heel moeilijk om deze beslissing te nemen, Lies. Ik heb het gevoel dat ik je in de steek laat.'

Lisa weigerde naar me te kijken, sloeg haar armen strak over elkaar en stak haar kin vooruit. 'Dat doe je ook.' Ze beende naar het raam en drukte met haar vingertoppen tegen de vensterbank. Zo bleef ze een tijdje staan. 'Ik heb tijd nodig om aan het idee te wennen,' zei ze ten slotte. 'Ik ga de komende weken gebruiken om na te denken hoe we jouw vertrek verder gaan afwikkelen. Dat kan maar beter snel afgerond zijn. Dan kan ik weer verder. Al weet ik niet precies hoe.'

Ongemerkt kromp ik ineen. Niet eerder had ik me zo schuldig gevoeld. 'Ik wil je graag helpen totdat je een vervanger hebt,' stelde ik voorzichtig voor.

Lisa trok een ongeïnteresseerd gezicht. Zonder op mijn voorstel te reageren liep ze rondjes door de kamer. 'Weet Kate het al?' vroeg ze uiteindelijk met een kille stem.

Ik schudde mijn hoofd. 'Ik heb het alleen met Frank besproken. Het zou niet eerlijk zijn als Kate het eerder wist dan jij.'

Lisa griste haar sleutels van het bureau. Op weg naar de deur draaide ze zich om. 'Dan ga ik nu naar haar toe om te vertellen dat ik er vanaf nu alleen voor sta. Ze zal me vast kunnen voorzien van een goed juridisch advies.'

Ik slikte moeizaam en wist niets meer te zeggen. Zonder gedag te zeggen, gooide ze de deur in het slot.

Totaal ontredderd kwam ik thuis. Het was niet dat ik verwacht had dat Lisa een gat in de lucht zou springen bij het horen van mijn terugtreding uit ons bedrijf, maar dat ze juridische stappen wilde ondernemen? En nog wel met behulp van onze wederzijdse vriendin. Met een bezweet hoofd van de spanning legde ik Sophie in bed en ging ik aan de keukentafel zitten.

'En?' vroeg Frank die nieuwsgierig opkeek van zijn laptop. 'Hoe verliep het gesprek?'

Ik keek hem glazig aan. 'Ze is woedend,' antwoordde ik broos. 'Ik ben bang dat ze me nooit meer wil zien.' Ik vouwde mijn handen om mijn gezicht en schudde mijn hoofd. 'Ik voel me er zo ellendig onder, ik heb haar diep gekwetst. Kate zal het me ook niet in dank afnemen. Zij als gedreven zakenvrouw begrijpt natuurlijk niets van mijn beslissing.'

Frank glimlachte troostend. 'Lisa is teleurgesteld en dat is goed te begrijpen. Maar Lisa kennende duurt dat maar even.' Hij richtte zijn blik weer op de computer en vouwde zijn vingers om de zwarte muis. Met een driftig gebaar schoof ik de laptop opzij.

'Misschien raak ik mijn beste vriendin kwijt. En dan ga jij na wat sussende woorden weer lekker aan het werk?'

Frank stond rustig op en hield een glas water onder de kraan. 'Probeer jij eerst even te kalmeren,' zei hij terwijl hij het volle glas in mijn hand duwde. Met trillende vingers pakte ik het glas op en bracht het naar mijn lippen. Ik schrok op van het aanhoudende zoemen van de deurbel.

'Ik zei het je toch,' zei Frank smalend terwijl hij de laptop weer naar zich toetrok.

Bij het zien van Lisa's gezicht sloeg mijn hart over. Ik veegde mijn klamme handen aan mijn jasje af en probeerde een lach op mijn gezicht te toveren. 'Fijn dat je er bent,' zei ik zelfverzekerder dan ik me voelde. Uit haar gezichtsuitdrukking kon ik niet opmaken in welke emotie ze verkeerde.

Met grote passen beende ze de woonkamer in.

'Dag Lisa,' zei Frank die zijn stoel vlug naar achteren schoof en opstond.

Zonder iets te zeggen knikte ze hem toe, waarna ze met haar armen over elkaar geslagen voor de eettafel ging staan.

'Ik ga even kijken of Sophie nog slaapt,' vervolgde Frank ongemakkelijk, waarna hij in een mum van tijd boven was.

'Ga zitten,' zei ik uitnodigend terwijl ik een van de stoeltjes naar achter schoof.

'Kate heeft me naar je toegestuurd,' begon Lisa. Zwijgend staarde ik naar haar bewegende lippen. 'Ze vindt het kinderachtig dat ik met juridische stappen gedreigd heb. Je hebt als medeeigenaar natuurlijk altijd het recht om uit de zaak te stappen.' Haar ogen draaiden vermoeid mijn kant op. 'Mits je de ander niet met schulden achterlaat.'

Met gekromde schouders ging ik naast haar aan tafel zitten. 'We hebben gelukkig geen schulden en een positief eigen vermogen. Waar ik overigens niets van mee wil nemen. We hebben er samen hard voor gewerkt. Ik wil dat jij verdergaat en de grootste wedding planner van Nederland wordt.'

Lisa glimlachte moeizaam, leunde voorover en vouwde haar vingers in elkaar. 'Waarom heb je me niet eerder over je twijfels verteld, dan hadden we erover kunnen praten en kwam het niet zo uit de lucht vallen.'

Schuldbewust beet ik op mijn nagel. 'Dit gevoel ontstond pas na de geboorte van Sophie. Voor die tijd was ik ervan overtuigd dat ik oud zou worden in ons bedrijf. Maar alles is anders geworden sinds zij er is. De eerste weken dacht ik dat het een vlaag van verstandsverbijstering was, dat de roze wolk waarop ik zweefde snel lek geprikt zou worden. Maar mijn gevoel werd alleen maar sterker naarmate de weken verstreken. Ik had mijn twijfels eerder met je moeten delen, dat ben ik met je eens. Maar ik voelde me zo schuldig dat ik het steeds uitstelde.' Tranen brandden in mijn ogen. 'Het spijt me,' zei ik zacht. 'Ik kan me goed voorstellen dat je teleurgesteld en boos bent.' Voor een moment hield ik mijn adem in. 'Ik wil je niet kwijt, Lies.' Ik trok mijn wenkbrauwen op en keek haar hoopvol aan. Lisa staarde naar de tafel. 'Kun je het me vergeven?'

Ze haalde haar schouders op. 'Misschien niet morgen, misschien niet overmorgen, misschien volgend jaar.' Haar gezicht ontspande in een voorzichtige glimlach. 'We komen er wel uit samen. Maar ik baal er vreselijk van dat je onze samenwerking verbreekt. We zijn Before You Kiss the Bride samen gestart om er met z'n tweeën een succes van te maken. Nu moet ik het alleen zien te redden.'

Ik legde mijn hand op die van haar. 'Dat begrijp ik en dat spijt me. Maar ik blijf totdat je een oplossing hebt gevonden,' beloofde ik.

38

2003

Slaperig roerde ik in mijn koffie verkeerd en mijn oog bleef steken bij een vacature in *de Volkskrant*. 'Kijk,' zei ik terwijl ik de krant onder Frank zijn neus duwde. 'Hier zie ik mezelf wel werken, als locatiemanager bij een particuliere zorginstantie.'

'Dat is helemaal niks voor jou. Jij houdt van commercie en snelheid, dat ga je in de thuiszorg nou niet bepaald vinden,' lachte Frank minachtend.

Mijn ogen werden groter. 'Reden temeer om er wel te gaan werken. Die snelheid en resultaatgerichtheid kan ik juist inzetten om de zorg te verbeteren.' Ik keek naar Sophie die vrolijk in haar wipstoeltje zat te kraaien. Ze had een bosje plastic sleutels in haar handjes en probeerde er een in haar mondje te steken. Alles verdween tegenwoordig in haar mond. Volgens mij kreeg ze weer tandjes. 'Ik wil weer wat doen, de tijd is er rijp voor.'

Frank keek me met een schuin oog vanachter zijn krant aan. Zijn haar zat warrig en zijn ogen waren nog klein van het slapen. 'Het is nu zes maanden geleden dat je gestopt bent met je eigen bedrijf. Daarvan heb je de eerste drie maanden Lisa ondersteund en aan je overdracht gewerkt. Vind je het niet wat snel om nu weer aan het werk te gaan?'

Ik haalde mijn schouders op. 'Niet als ik drie dagen kan werken. Dan heb ik vier dagen over voor Sophie, beter kan niet. De tijd die Sophie en ik samen doorbrengen is heerlijk, maar ik mis de dynamiek van een baan, van collega's om me heen. Ik heb vanaf het begin gezegd dat ik op een dag weer aan het werk zou gaan, als de tijd daar was. En dat moment is nu aangebroken.'

Frank trok een moeilijk gezicht. 'Waar wil je Sophie dan naartoe brengen? Ik vind haar nog steeds te klein voor de crèche.' Hij legde zijn krant neer en nam een slokje koffie.

'De crèche is juist leuk voor kinderen. Sophie is nu acht maanden. Ik weet zeker dat ze ervan gaat genieten.'

Frank kwam overeind uit zijn witgelakte stoel en ging gehurkt voor Sophie zitten. 'Arme Sophie, wat zal je mama missen,' zei hij terwijl hij haar een kneepje in haar wang gaf. Als reactie trappelde ze uitgelaten met haar voetjes.

Het bloed in mijn hoofd ging gonzen. 'Het wordt tijd dat ze jou eens wat meer gaat missen, maar dat kan natuurlijk alleen maar als ze je wat vaker zou zien,' sneerde ik. Met een verbeten blik drukte ik op het knopje van het espressoapparaat en ik luisterde naar het malende geluid van de bonen. Het was belangrijk dat ik nu rustig bleef. Wanneer ik boos werd, deed Frank altijd het tegenovergestelde van wat ik in mijn hoofd had. Voor Sophie zou het minder belastend zijn als ze maar twee dagen naar de opvang ging. En daar had ik Frank voor nodig. 'Als jij nou een dag minder gaat werken, dan hoeft ze maar twee dagen naar de crèche.' Ik knikte hem bemoedigend toe. 'Je zou er echt van genieten. Ik gun het je zo, tijd met je dochter. Je moet het nu alleen van de weekenden hebben.'

Frank verslikte zich lelijk. 'Ik minder werken? Dat is toch godsonmogelijk als makelaar? Ik heb een kantoor te runnen en krijg het nu al niet ingepland allemaal.'

Ik slaakte een diepe zucht. 'Frank, we leven in de eenentwintigste eeuw. De tijd dat jij er in een berenpak opuit moest om voedsel voor ons te halen is echt voorbij. Een nieuw tijdperk is aangebroken, waarin ook de man voor zijn kind zorgt en daarbij ook nog wat in de huishouding doet. Jullie zijn als het ware multi-functioneel geworden. Net als wij.' Ik trok mijn wenkbrauw op en wachtte op een reactie van deze man die duidelijk in het hune-beddentijdperk was blijven ronddolen.

Frank wreef over zijn stoppelige wang. 'Onmogelijk,' herhaalde hij koppig.

Ik probeerde me niet te veel op te winden, die tijd lag achter me. En ik wilde mijn enthousiasme niet laten temperen.

Sophie werd driftig omdat haar sleutelbos op de grond was gevallen.

Ik pakte haar uit haar wipstoeltje en zette haar bij me op schoot. Gaf haar kusjes in haar nek die ze schaterend ontving. Verlangend keek ik naar de vacature die voor me lag. Ik zette Sophie in de box en legde meneer de beer naast haar. Van alle knuffels die we na haar geboorte hadden gekregen, was hij haar favoriet. Compact, lichtbruin van kleur en twee gitzwarte kraaloogjes. Ik ging achter mijn laptop zitten om een sollicitatiebrief te maken. Diep in mijn hart wist ik het. Dit werd mijn nieuwe werkgever.

39

2007

'Ik ben dik en lelijk,' klaagt Kate terwijl ze een stuk appeltaart naar binnen werkt.

'Staat je juist goed,' zeg ik geruststellend. 'Je ziet er prachtig uit.'

Ze kijkt me argwanend aan. 'Dat zeg je alleen maar omdat je me niet wilt kwetsen.' Kate heeft last van haar hormonen. Haar zwangerschap verloopt meer dan soepel, maar ik moet toegeven dat twintig kilo aankomen in zeven maanden tijd best veel is.

'Je sport het er zo weer af, maak je daar maar geen zorgen over.'

In gedachten verzonken schept ze de slagroom van haar chocomel. 'Jules vindt me ook lelijk,' zegt ze uiteindelijk waarna haar hele gezicht in de mok verdwijnt. Daar kan ik me niets bij voorstellen. Ik heb Jules nog nooit op een negatieve uitspraak richting Kate kunnen betrappen.

'Zegt hij dat?'

Ze haalt haar schouders op. 'Niet met zoveel woorden. Maar hij wil geen seks meer, dat zegt toch wel genoeg?' fluistert ze door haar op elkaar geklemde lippen.

Ik buig voorover en breng mijn gezicht dichter bij dat van haar. 'Lieverd, veel mannen vinden het eng om seks te hebben tijdens de zwangerschap. Ze zijn als de dood dat hun piemel tegen het neusje stoot en dat de baby daar een trauma of, nog erger, blijvend letsel aan overhoudt. Naar binnen, naar buiten, naar binnen, naar buiten, pats, pats, pats.' Met mijn wijsvinger druk ik mijn neus plat.

In een nukkige beweging schuift Kate de mouwen van haar zwarte zwangerschapsjurkje omhoog. 'Daar had hij zeven maanden geleden anders ook geen enkele moeite mee, met dat pats pats pats,' reageert ze verbolgen. 'En hij komt toch ook uit diezelfde slurf?' Ze steekt haar kin vooruit. 'Ik denk dat het juist veilig voelt. Veilig en herkenbaar.' Kate veegt de kruimels van haar bord en likt haar vingers af.

Wanneer ik naar buiten kijk, zie ik dat het donkerder wordt. Nog even en de hemel breekt open.

'Ik had wel met jullie mee gewild naar Barcelona. Ik ben het meer dan zat om direct uit mijn werk doodmoe mijn bed in te rollen. Mijn leven bestaat uit slapen en werken, heel opwindend.'

'Nog twee maanden, dan ben je ervan af,' probeer ik bemoedigend. Ik neem een laatste slok van mijn afgekoelde latte en sta op. 'Sorry Kate, maar ik wil in de auto zitten voordat ik helemaal natregen. Ik heb zo een gesprek met Eric Schultz, mijn directeur. Ben benieuwd waarover hij me wil spreken op mijn vrije dag.'

Kate kijkt verbaasd op. 'Dat moet wel iets heel belangrijks zijn, wil jij daarvoor terugkomen. Jouw vrije dagen met Sophie zijn heilig voor jou.'

Ik knik en druk een lange kus op haar wang. 'Volgend jaar gaan we weer met z'n drieën op reis. Tenminste, als jij je kindje alleen durft te laten,' knipoog ik lachend.

Kate duwt zichzelf omhoog uit de stoel. 'Ik kan niet wachten om weer met jullie op stap te gaan,' zegt ze heimelijk. 'Dat zal die kleine echt wel begrijpen. Daarbij, Jules vindt dat ik mijn portie straks wel heb gehad. Hij zal met liefde een weekend thuisblijven met zijn kind.'

40

2007

Ik ga tegenover hem zitten en speel met het theezakje dat in de kokende mok drijft.

Eric Schultz schuift zijn stoel aan. Met een triomfantelijke blik kijkt hij me aan.

Afwachtend klem ik de warme mok tussen mijn handen.

'Wat zou je ervan zeggen om directeur te worden van Homecare Rotterdam?' zegt hij uiteindelijk.

Ik kijk hem onderzoekend aan en vraag me af of het wel helemaal goed met hem gaat.

Eric negeert mijn non-verbale reactie en praat rustig verder. 'Je hebt in een relatief korte tijd zoveel goeds voor deze locatie gedaan. Het leeft weer, de mensen leven weer. Ze zitten goed in hun vel en er is weer aandacht voor hen.' Tevreden wrijft hij zijn handen over elkaar. 'Uit de klanttevredenheidsenquête is gekomen dat we een negen scoren, dat is twee punten hoger dan twee jaar geleden. De klant voelt zich weer gehoord en ons aanbod sluit beter aan op hun vraag. Natuurlijk maken we nog fouten, maar die worden adequaat opgelost.' Hij zet zijn bril af, kijkt er met een samengeknepen oog naar en poetst de glazen op met zijn lichtbruine zakdoek. 'Ik weet zeker dat je het aankunt,' zegt hij terwijl hij de bril op zijn schrijfblok legt. 'Natuurlijk is dit geen baan die je in drie dagen kunt doen, maar in vier moet het jou zeker lukken.' Eric trekt zijn wenkbrauw hoog op. 'Mits je die vrije dag telefonisch bereikbaar bent.'

Ik leun achterover in mijn stoel, leg mijn hoofd in mijn nek en staar naar het plafond. We hebben nog één poging te gaan. Als die niet lukt, kan ik makkelijk meer werken. Sophie gaat naar de basisschool. Als ik de woensdag- en vrijdagmiddag thuis kan zijn, is dat voor mij voldoende. Maar als het wel lukt ben ik zwanger, dan wil ik de eerste jaren juist minder werken om er voor de baby te zijn. Ik veer op en sla mijn benen over elkaar. 'Geldt jouw aanbod nog steeds wanneer ik zwanger raak?'

Eric wrijft over zijn dun behaarde wenkbrauw, waarna hij zijn bril weer opzet. 'Ik heb er geen enkel probleem mee wanneer je straks zwanger bent, mits je voor vier dagen terugkomt.' Hij neemt aandachtig zijn kamer in zich op en ik kijk automatisch met hem mee.

De ficussen in de grote ecrukleurige potten links en rechts bij de deur doen het goed. Dat heeft er deels mee te maken dat ze weinig water nodig hebben. De grote kalender aan de muur is vervangen door een reeks zwart-witfoto's van prachtige oude mensen. In dikke zwartomrande lijsten hangen ze aan de muur en kijken met hun verworven wijsheid de kamer in. Iedere afdeling heeft weer andere foto's. Erics bureau oogt opgeruimd, nadat ik een hippe roestvrijstalen opbergkast heb aangeschaft, die voldoende ruimte heeft voor alle bureauspullen. Niet alleen Eric, maar iedere afdeling heeft er inmiddels een.

'Jouw ideeën over een snellere manier van werken, zonder daarbij kwaliteit te verliezen, hebben het nodige gekost, maar we onderscheiden ons nu eens echt van de concurrent,' onderbreekt Eric de stilte. 'We zijn allesbehalve een stoffige thuiszorgorganisatie en dat hebben we grotendeels aan jou te danken.'

Ik voel dat ik begin te blozen door al zijn complimenten.

'Het terugdringen van de reistijden van de medewerkers, de vernieuwde alarmcentrale voor de klanten, de servicebox, intervisiedagen voor het managementteam.' Bij iedere opsomming steekt hij een nieuwe vinger op.

Ik weet even niet wat ik moet zeggen. 'Wat ga jij dan doen?' vraag ik na enig stilzwijgen.

Eric staat op en loopt naar de watermachine. Hij drukt op de witte knop, het apparaat komt met een pruttelend geluid tot leven. 'Er is een plek vrijgekomen in de landelijke directie. Ze hebben me gevraagd de functie van financieel directeur te bekleden. En ik heb ja gezegd,' besluit hij, waarna hij weer in zijn bruinleren fauteuil zakt. 'Wat vind je van mijn voorstel?'

Ik kijk hem glimmend aan. 'Ik voel me heel erg vereerd door je complimenten. Ik heb het ook zo naar mijn zin. Eindelijk heb ik een baan waar ik echt iets voor een ander kan betekenen. Anders dan het organiseren van een trouwerij. Dat was ook leuk, maar toch. Hier kan ik met het team een bijdrage leveren om de zorg te verbeteren. Door op te komen voor anderen die niet meer gehoord worden.' Ik haal mijn schouders op. 'Dat is toch het mooiste wat er is? En dat was mijn doel, de reden dat ik hier ben gaan werken.'

'Is dat een ja?'

Ik kijk Eric lang aan. 'Ik moet erover nadenken. Geef me een week, dan kom ik erop terug.'

41

2004

Na drie intensieve gesprekken en een psychologische test (waar ik goed doorheen ben gekomen) ben ik aangenomen bij Homecare. De aandachtspunten die ik van het psychologisch adviesbureau meekreeg, waren:

– Niet te snel gaan in mijn vernieuwende ideeën. Dit zou anderen af kunnen schrikken. Voldoende de tijd nemen om mijn motivatie voor verandering over te brengen om draagvlak te creëren. 'Doorduwen leidt tot weerstand binnen je team,' werd mij getipt.

– Leren delegeren. Die valkuil kwam aan het licht door een overvol postvakje dat ik moest legen. Bijna elke taak dacht ik het snelst en best zelf op te lossen. 'Oorzaak hiervan is dat je twee jaar als zelfstandige, zonder secretaresse hebt gewerkt. Delegeren leer je snel genoeg, dat wil je ook wel in deze baan. Anders raak je binnen de kortste keren overspannen.'

Ik moest de directeur er de eerste twee gesprekken van overtuigen dat mijn keuze om voor Homecare te komen werken geen bevlieging was. Hij vond mijn carrièreswitch wat drastisch. Een paar maanden terug nog een snelle dame die een eigen bedrijf als wedding planner runde, nu diezelfde dame die in de zorg wilde werken.

Met veel compassie legde ik mijn motivatie uit. 'Ik wil iets betekenen voor mensen die minder goed voor zichzelf op kunnen komen, mensen die vergeten worden door hun familie en door de maatschappij. Ik wil, samen met het team dat ik aan mag sturen, voor die mensen een lichtpuntje in hun dag zijn. Door hen serieus te nemen, liefdevolle aandacht te geven en met respect te behandelen.' Mijn wangen kleurden op het moment dat ik bevlogen mijn doelen met Eric deelde. Op dat moment zag hij dat ik de keuze vanuit mijn hart maakte. Twee dagen later was mijn contract getekend.

Vrijdag was altijd de drukste dag op mijn werk. Het aantal ziekmeldingen op deze dag was vaak het hoogst, waardoor het een hele klus voor onze planning werd om de klanten toch nog zorg te kunnen verlenen. De beschikbare medewerkers moesten dubbele routes lopen, waardoor de klanten later dan ze van ons gewend waren geholpen werden. De medicijnklanten hadden voorrang op de mensen die aangekleed moesten worden. Het zou hun dood kunnen zijn, als we te laat waren met toedienen.

Sommige hulpbehoevenden zaten tot in de middag in hun pyjama. In de ochtend wist ik een vrouw, die in de knoop was geraakt met haar steunkousen, gerust te stellen en had haar met klem verzocht de kousen niet zelf aan te doen, maar nog even geduld te hebben. Hulp was onderweg. Een andere klant wilde de zorg per direct stopzetten, nadat ze haar bridgemiddag af moest zeggen omdat ze om halftwee nog in haar peignoir zat. Het kostte me een halfuur om haar te kalmeren en voor ik ophing moest ik haar beloven dat dit de laatste keer was dat ze zo laat geholpen werd. Ik maakte een aantekening voor de planning. Vanaf die dag stond ze als eerste op de was- en aankleedlijst. Deze baan was zo anders dan de banen die ik hiervóór had. Het gaf voldoening iets te doen waar een ander beter van werd.

In het begin moest ik wennen. De eerste week ben ik bijna gillend gevlucht. Ik zat in het minst hippe kantoor ter wereld. Ik

werk in een mortuarium, sms'te ik Lisa toen ze vroeg hoe mijn eerste dag beviel. **Eigen schuld**, was haar matte reactie. Het duurde even voordat ze mijn beslissing kon begrijpen. Maar toen ze zag hoe gelukkig ik werd van mijn nieuwe leven met Sophie in combinatie met drie dagen werk, wist ze dat het goed was. Sarah was dolblij dat ze na haar diploma-uitreiking een vast dienstverband aangeboden kreeg.

In de 'meimaand trouwmaand' is Lisa op tv geweest bij *Lijn 4*. Ik ging met haar mee naar de studio en heb haar vanaf de zijlijn aangemoedigd. Ze was op van de zenuwen omdat het een live uitzending was. De programmamaker had de vragen een paar dagen voor de uitzending ter voorbereiding op de mail gezet. Samen oefenden we urenlang op de antwoorden. Ik speelde John Williams, Lisa de wedding planner.

Ongemakkelijk draaide ze op de wit gestoffeerde bank toen John volstrekt andere vragen op haar afvuurde: 'Wie is jouw gelukkige? Hoe was jouw eigen bruiloft? Waarom is je compagnon er eigenlijk mee gestopt?'

Ze was als de dood dat de kwart miljoen kijkers haar steeds roder wordende hoofd hadden opgemerkt. Toen John afsloot met de vraag: 'Maar het kost toch heel veel geld om een wedding planner in te huren?' wist ze het even niet meer. Paniekerig schoot haar gezicht mijn kant op. Grote vragende ogen keken me verslagen aan. Ik stak twee duimen in de lucht en knikte haar bemoedigend toe. Ze herstelde zich perfect, schikte haar bloesje en gaf kort en bondig antwoord op zijn vraag. 'Een gemiddelde bruiloft kost 15.000 euro. Ongeveer tien procent van dat bedrag ben je kwijt aan onze diensten. Die 1500 euro verdienen we snel voor je terug, omdat we korting bedingen bij leveranciers. Als je dan ziet wat voor werk we uit handen nemen, op de dag zelf ook regisseren, zorgen dan je niet boven je begroting uitkomt en tot slot ook nog eens een origineel concept bedenken, zijn we het inhuren meer dan waard.' Haar gezicht kreeg een tevreden uitdrukking.

'Maar niet iedereen heeft 15.000 euro voor een trouwerij,' reageerde John met een grimas.

Lisa sloeg haar in een witglanzende broek gestoken been over de andere en glimlachte charmant naar de camera. 'Als het budget beperkt is, gaan we op zoek naar mogelijkheden om binnen het budget toch een creatieve invulling aan de dag te geven. Zo hebben we laatst een mooie tuintrouwerij georganiseerd bij mensen thuis op het erf. Dit concept scheelde enorm in de kosten.'

John stak zijn wijsvinger op en wees naar de camera. 'Mocht het ervan komen dat ik ooit zelf ga trouwen, dan ga ik het zeker door Before You Kiss the Bride laten organiseren.'

Bij het afschminken moest Lisa stoom afblazen. 'Die camera's zorgden ervoor dat ik even niet meer wist wat ik moest antwoorden. Had jij maar naast me gezeten, dan was het veel minder eng geweest.' Ze sloeg haar ogen naar me op. 'Stond ik erg voor gek?'

Haar gekwelde gezicht maakte me aan het lachen. 'Lisa, je was in één woord geweldig,' antwoordde ik trots. Ondanks haar onzekerheid had ze het er goed vanaf gebracht, want na de uitzending stroomden de aanvragen binnen.

Het was dus even wennen op mijn kantoor uit het stenen tijdperk. Maar ik besloot te blijven en te zorgen voor een kleurrijke verandering. In het jaar dat ik hier nu werkte, had ik veel aangepast. Het duurde even voordat ik mijn baas ervan overtuigd had dat een sfeervolle werkplek in het belang was voor een tevreden werknemer en zelfs de productiviteit kon verhogen. Uiteindelijk kreeg ik budget voor interieur en decoratie.

Ik sloot een contract met Fleurop en iedere week stond er op elke afdeling een bos verse bloemen. Ik leerde dat er betrokken medewerkers waren die dit werk met liefde en zorg uitvoerden en dat er onkruid was dat dit werk deed om er zelf beter van te worden.

Zo had ik net een slechtnieuwsgesprek met een niet-functionerende medewerker achter de rug. Mevrouw Bravenboer, die sinds haar geboorte blind was, vroeg zich af waar haar hulp nu al een halfuur mee bezig was. Ze volgde het monotone geluid dat uit de badkamer leek te komen, opende de deur en stak haar hoofd om het hoekje. De geur van tabak drong haar neusvleugels binnen. 'Camel,' zei ze verbolgen. 'Dat rookte mijn man ook altijd.' Met haar handen vooruitgestoken, ging ze op zoek naar haar hulp Maya. Die hield zich muisstil. Al snel had ze Maya gevonden. Ze bleek op de stofzuiger te zitten en rookte in alle rust een sigaretje. De blinde mevrouw Bravenboer rolde haar braille leesgerij tot een koker en mepte Maya er op de tast het huis mee uit.

Het was de derde klacht in twee weken tijd. 'Je bent op staande voet ontslagen,' zei ik en ik probeerde kalm te blijven. 'Hoe kun je zo met mensen omgaan. Mensen die van jou afhankelijk zijn.'

Onverschillig haalde Maya haar schouders op, griste haar tas van de vloer en liep zonder iets te zeggen mijn kantoor uit.

Het was een vermoeiende dag en ik was blij dat ik naar huis kon gaan.

Thuis aangekomen gooide ik mijn sleutels op het dressoir, zette de cd van Jack Johnson op en nestelde me op de bank. Langzaam voelde ik mijn ogen zwaarder worden.

Net op het moment dat ik indommelde, kwam Frank thuis. Hij droeg Sophie op zijn arm. Haar blonde haartjes piekten alle kanten uit. Hoewel ze er moe uitzag, straalde haar gezichtje blijdschap uit. Sophie was inmiddels wel gewend aan de crèche. De eerste weken schreeuwde ze moord en brand, waardoor ik totaal ontredderd naar mijn werk reed, mezelf vervloekend dat ik zo nodig carrière wilde maken. Als ik de crècheleidster een kwartier later met een getergde trilling in mijn stem belde om te vragen hoe het met mijn dochter ging, vertelde ze dat op het moment dat ik uit het zicht verdwenen was, Sophie een brede glimlach opzette en tevreden ging spelen met de andere kindjes. Ik nam haar in mijn armen en drukte haar warme hoofd tegen mijn wang.

Frank plofte naast me neer en legde zijn hand op mijn been. 'Ik wil je iets vragen en ik ben bang dat je het niet leuk vindt.' Ik keek hem nieuwsgierig aan.

'Max is net langsgeweest en vertelde me dat zijn relatie uit is.' Ik liet de woorden langzaam binnenkomen. 'Die twee uit elkaar? Dat had ik nooit verwacht. Ik dacht dat ze zo gelukkig waren samen.' Toen voelde ik nattigheid. 'Oké, Max zoekt dus een dak boven zijn hoofd. Heeft hij misschien al enig idee waar hij gaat slapen?' Ik had dus niet zoveel met Max. Hij keek me altijd te doordringend aan (volgens mij een beroepsdeformatie van alle psychologen). Ik voelde me er in ieder geval knap ongemakkelijk onder. Alsof geen enkel antwoord ooit goed genoeg was.

'Hij zit nu in zo'n rotsituatie en wil graag mensen om zich heen bij wie hij zich prettig voelt. Zoals hij dat bij jou heeft.'

Ik trok een verbaasd gezicht. 'Bij mij? We hebben nooit langer dan een minuut met elkaar gesproken. Na die minuut maakte ik altijd dat ik wegkwam, hoe kan hij mij nou leuk vinden?'

'Het is maar voor twee nachten, daarna gaat Naomi naar haar moeder.'

Ik nam Sophie over op mijn andere arm en veegde wat slaap uit haar ogen. Hoe kon ik me daardoorheen worstelen, twee nachten Max in huis. Tegelijkertijd vond ik dat een vriend in nood, ook al was het allesbehalve mijn vriend, altijd vóór mijn eigen gevoel ging. 'Tuurlijk mag hij komen, zeg maar dat hij welkom is.'

Frank keek me opgelucht aan. 'Ik heb zo een bezichtiging met een klant, maar ik beloof je dat ik niet te laat thuis ben.'

In het begin van de avond belde hij aan. Max droeg een zwarte zonnebril van Tom Ford, een lichte spijkerbroek, teenslippertjes en twee kolossale koffers. Genoeg bagage voor twee maanden, dacht ik huiverig.

Hij leek mijn gedachte te raden. 'Ik heb ook een paar patiëntdossiers meegenomen,' zei hij, terwijl hij de grootste koffer in de lucht zwierde. Hij schoof zijn bril op de achterkant van zijn haar. In zijn ogen was het verdriet af te lezen. Zo'n grote man en tegelijkertijd zo kwetsbaar en klein.

Ik had met hem te doen en gaf hem een knuffel. 'Ik vind het heel vervelend voor jullie, had dit nooit verwacht,' zei ik terwijl ik hem binnenliet.

Max glimlachte flauwtjes. Nadat hij zijn koffers op zijn tijdelijke slaapkamer had gezet, kwam hij naar beneden.

Ik haalde ondertussen een koude fles rosé uit de koelkast, die ik uit alle macht probeerde te openen, waardoor de kurk voor de helft afbrak. Met een driftig gebaar probeerde ik de resterende kurk de fles in te slaan.

Max kwam achter me staan en pakte voorzichtig de kurkentrekker uit mijn hand. 'Het wordt tijd voor de Lazy Fish, de kurkentrekker van het jaar,' lachte hij. 'Zelfs een kleuter kan daarmee in een handomdraai een fles openen.'

Ik vulde twee glazen en met ieder een glas in de hand liepen we de tuin in. 'Zullen we aan het water gaan zitten?' stelde ik voor. Mijn blik gleed over de hortensiastruik die prachtig in bloei stond. Op de donkere takken waren honderden miertjes druk in de weer. De blauwe bloemenkraag was nu op z'n mooist. Sophie vond dat duidelijk ook, die had gisteren de helft van de takken kaalgeplukt. 'Volgens mij komt het wel goed tussen jullie. Frank vertelde me dat Naomi stapelgek is op jou. Neem allebei de tijd om na te denken en dan weten jullie weer dat je voor elkaar gemaakt bent.'

Max stroopte zijn broekspijpen op, liet zijn benen in het water zakken en bewoog zijn voeten zachtjes op en neer. 'Het gaat al heel lang niet goed meer tussen ons. Naomi heeft andere verwachtingen van een relatie dan ik. Ze wil dat ik na mijn werk direct naar huis kom, dat ik al mijn vrije tijd aan haar besteed. Dat is onmogelijk en daarbij vind ik het benauwend. Ik werk zes dagen per week. Voor mij is het belangrijk zo nu en dan te sporten en af en toe een biertje te drinken in de stad. Ik moedig Naomi daar ook in aan maar zij deelt die behoefte niet.' Max keek me niet-begrijpend aan. 'Een relatie hebben betekent toch niet dat je geen eigen leven meer hebt los van elkaar?' Hij pakte zijn glas onder bij de steel beet en keek me lang aan. 'Dit is voor het eerst dat wij een gesprek hebben dat langer dan vijf minuten duurt,' constateerde hij uiteindelijk. Hij hief zijn glas en ik tikte het mijne er glimlachend tegenaan.

'En ik heb nog steeds geen drang om bij je weg te rennen,' zei ik plagend. 'Om eerlijk te zijn, vond ik je aanwezigheid altijd onheilspellend,' bekende ik. 'Vanwege je beroep,' ging ik verder waarbij ik zijn vragende ogen negeerde. 'De meeste psychologen nemen niet zomaar genoegen met een antwoord. Ze proberen bij de diepere laag van je gevoelens te komen,' legde ik uit. 'Met een doortastende blik onderzoeken ze iedere vorm van lichaamstaal. Jij keek me met zo'n zelfde blik aan. Een zelfverzekerde oogopslag, die leek te zeggen dat je mij beter kende dan ik mezelf. Daarom maakte ik me altijd snel uit de voeten als jij er was.'

Max schoot in de lach. 'Heb je wat te verbergen dan? Iets wat een ander niet mag zien?'

Met een betrapt gezicht draaide ik mijn hoofd weg. Twee puberjongens dreven in een gele rubberboot voorbij. De kleinste van de twee, wiens gezicht met een lange pony was bedekt, was onwillekeurig met de peddels in de weer, terwijl de ander onderuitgezakt met een flinterdun mobieltje tegen zijn oor gedrukt zat te bellen. Waarom had ik het gevoel betrapt te worden? Het was lang geleden dat ik over mijn relatie met Frank had nagedacht. Serieus had nagedacht. De afgelopen periode ging ik volledig in Sophie en mijn nieuwe baan op en hing hij er maar een beetje bij. Waarom liet ik hem erbij hangen en haalde ik hem niet naar me toe?

'Waarschijnlijk ben je bang om bij je diepere gevoelens te komen en vertoon je daarom vluchtgedrag,' onderbrak Max mijn gedachten. Er speelde een plagende glimlach rond zijn lippen.

Ik keek verstoord op. 'Zie je wel,' zei ik venijnig. 'Dat bedoel ik nou.' Ik sloeg mijn armen over elkaar.

'Daar had ik je mooi even beet,' grinnikte Max. Zijn net nog bedroefde ogen lieten een kleine twinkeling zien. Hij sloeg een arm om me heen en trok me naar zich toe. 'Ik ben blij dat ik bij jullie mag logeren. Ik ga ervoor zorgen dat jouw overtuiging over mijn collega's en mij vlug bijgesteld wordt.'

Ik keek opzij naar zijn vriendelijke gezicht en werd geraakt door zijn warmte.

'Vrienden die hulp nodig hebben, zijn er om gered te worden,' antwoordde ik gemeend. Ik kwam overeind uit het gras om de wijnglazen te vullen. Max was leuker dan ik voor mogelijk had gehouden. Zijn aanwezigheid voelde fijn. Dit was een goede les om mensen niet direct te veroordelen, zonder hen een eerlijke kans te geven. Maar het onderhuidse gevoel dat ik niet gelukkig was in mijn relatie, was opnieuw tot leven geroepen.

Voor de spiegel in de woonkamer bleef ik staan. Mijn mond viel open bij het zien van mijn spiegelbeeld. Mijn haar hing in vettige slierten langs mijn gezicht. De make-up was vervaagd en ik had een glimmende neus.

Op een draf holde ik de trap op. In de badkamer kamde ik de klitten uit mijn haar en deed het in een staartje. Ik bracht een matte poeder op en werkte mijn mascara bij. Voor mijn kledingkast bedacht ik wat ik aan zou trekken. Mijn spijkerbroek plakte door de warmte aan mijn benen. Ik pakte een rood zomerjurkje van de hanger. Om het geheel in stijl af te maken trok ik knalrode slippertjes aan.

Bij de kamer van Sophie bleef ik een moment staan. Voorzichtig opende ik de deur. Op mijn tenen liep ik naar het witte ledikant. De aanblik van mijn slapende dochter bezorgde me een warme gloed vanbinnen. Meneer de beer stevig in haar knuistjes, haar mondje halfopen en haar wangen donkerroze van de warmte. Ik boog voorover en drukte een kus op haar vochtige haren.

In de keuken pakte ik een dienblad en ik liep met twee gevulde glazen en een schaaltje olijven de tuin in. Max hoorde mijn slippers op de tegels klakken en draaide zich om. 'Wauw, wat zie jij er betoverend uit.'

'Ik heb zomaar even iets aangeschoten, had mijn werkkleding nog aan,' zei ik zo achteloos mogelijk.

Max wilde alles weten over mijn werk bij Homecare. Aan zijn reactie te zien vond hij het bijzonder dat ik voor de non-profit had gekozen. 'Je bent zo anders dan ik dacht.'

Nieuwsgierig sloeg ik mijn ogen naar hem op. 'Hoe zag je me dan?' vroeg ik. Ik hield mijn adem in en vroeg me af of ik er goed aan deed deze vraag te stellen. Het laatste waar ik zin in had was een diepgaande, nergens op gebaseerde analyse te krijgen van iemand die gewend was te pas en te onpas zijn kijk op andermans ziel te geven.

Max zette zijn zonnebril weer op zijn haar en zocht mijn ogen op. 'Meer als een hippe dame die graag geld verdient en carrière maakt. Ik vond je altijd al aardig, maar je bent veel zachter dan ik dacht.'

Met de palm van mijn hand veegde ik zweet van mijn voorhoofd en ademde opgelucht uit. 'Dank je, dat vind ik leuk om te horen.'

Max keek me van opzij aan. 'Hoe gaat het eigenlijk tussen Frank en jou?'

Hij was nog niet uitgesproken of Frank liep de tuin in. Max kwam direct overeind en liep op hem af. De twee omhelsden elkaar.

'Mannen, ik laat jullie alleen, ik ga slapen.' Ik kuste Frank op zijn mond en stak mijn hand op naar Max. 'Slaap lekker en waarschijnlijk ziet het er morgen al weer zonniger voor je uit.' Met een brede glimlach liep ik onze slaapkamer in. Wie had dat ooit gedacht, Max als tijdelijke huisgenoot en ik raakte niet eens overstuur.

Toen ik in bed lag, gingen mijn gedachten direct weer naar

Frank. Zijn poetsobsessie was hij om precies te zijn een week na de geboorte van Sophie kwijtgeraakt. 'Dat past toch meer bij een vrouw dan bij een man,' deelde hij me mee, nadat de kraamhulp vertrokken was en ik vroeg of hij wilde stofzuigen. Als hij niet aan het werk was, hing hij zappend voor de televisie. De onderwerpen die ons beiden raakten, werden steeds schaarser. Ik had zo gehoopt dat de jaren ons dichter bij elkaar zouden brengen, maar de diepgang waar ik naar zocht, leek steeds verder af te drijven.

De volgende avond ging Frank naar de verjaardag van een collega. Sophie sliep en Max was in de keuken bezig. Hij maakte pasta met knoflook, rode pepertjes en zo te zien veel olijfolie. De helft van de fles goot hij in de wokpan, waarna hij de teentjes uitperste en de gesneden pepertjes erbij roerde. In een handomdraai maakte hij een rucolasalade met geitenkaas, bietjes en pijnboompitjes, die hij nadat hij er balsamicoazijn en truffelolie bij had geschonken, met zijn handen losjes omroerde. Ik opende een fles rode wijn en ging aan tafel zitten.

'Wat vind jij nou belangrijk in een relatie?' vroeg Max op het moment dat we de salade bijna ophadden en hij de pasta had opgeschept.

Ik verslikte me, schoof de stoel naar achteren en liep naar de muziekinstallatie. In de tussentijd dacht ik krampachtig na over het antwoord op zijn vraag. Deze vraag had ik mezelf bewust al een tijdje niet gesteld. Enerzijds was ik bang om de waarheid boven te halen, anderzijds was ik blij dat mijn gevoel weer ruimte kreeg. Toen ik mijn stoel weer had aangeschoven, begon ik te praten. De woorden stroomden uit mijn mond, opgelucht eindelijk gehoor te krijgen. 'Tijdens mijn zwangerschap hadden we het best gezellig samen. Vanaf het moment van de geboorte van Sophie is dat omgeslagen. Frank is alleen maar aan het werk en verwacht dat ik alle taken op me neem. Een echt gesprek kunnen we niet met elkaar voeren. Hij zit op zo'n andere golflengte dan ik. We spreken een andere taal.' Om mijn gedachten te ordenen richtte ik me op mijn papieren servetje. 'Ik wil voelen dat hij het voor mij is en ik voor hem. Maar we roepen dat niet bij elkaar op. Het interesseert hem ook niet zoveel wat ik voel. Als ik daarover begin, loopt hij weg. Het maakt me verdrietig te voelen dat het er niet is, omdat we samen wel een kindje hebben.' Ik voelde tranen opkomen en probeerde ze uit alle macht weg te slikken. Zo goed kende ik Max ook weer niet. Daarbij was het ook nog eens de vriend van Frank.

Met zijn hand steunend onder zijn kin luisterde hij alleen maar.

Nadat ik uitgesproken was, vulde de woonkamer zich met rust. 'Nog een wijntje?' vroeg ik om de stilte te doorbreken. Zonder dat Max de kans kreeg te antwoorden, schonk ik hem bij.

'Weet je al wat je gaat doen?'

Ik keek hem aan en zag de vermoeidheid op zijn gezicht gegroefd staan. Zijn ogen waren zwart omrand. 'Sorry, zit ik hier alleen maar over mezelf te praten. Alsof jij daar nu ruimte voor hebt.' Schuldbewust sloeg ik mijn ogen neer.

'Ik stel deze vragen toch aan jou? Jij dwingt me nergens toe,' antwoordde Max met een glimlach.

Ik keek naar de lachrimpels rond zijn ogen. Als prachtige dunne lijntjes getekend in zijn bruine huid.

'Ik zie dat je het moeilijk hebt en ik wil er voor je zijn,' ging hij verder, waarna hij zachtjes in mijn arm kneep.

In een opwelling leunde ik naar voren. 'Jij hoort deze ellende natuurlijk doorgaans in je praktijk. Wat vind jij dat ik moet doen?'

Max stak zijn hand verontschuldigend in de lucht. 'Dat kan ik niet zeggen. Frank is een vriend van mij. Ik wil niets zeggen wat in zijn nadeel werkt.'

Ik legde mijn hand op mijn hart. 'Alsjeblieft, het blijft onder ons. Ik weet zelf niet meer wat ik moet doen.'

Max streek door zijn donkere haar en leunde naar achter. 'Goed dan, je kunt twee dingen doen.' Hij stak zijn duim op. 'Net doen alsof jouw gevoel niet bestaat en je verdere bestaan leven in de wetenschap dat je jezelf verloochent. Met de overtuiging dat het niet goed is voor jou, maar wel voor je vriend en kind.'

'Hm,' zei ik weifelend. 'Dat klinkt allesbehalve aanlokkelijk. Wat is het alternatief?'

Drie diepe fronsrimpels verschenen op zijn voorhoofd waarna hij zijn wijsvinger bij zijn opgestoken duim voegde. 'Als je het gevoel hebt dat jullie er alles aan hebben gedaan, maar dat de koek op is,' hij bleef een moment stil en keek naar een punt op de muur, 'dan kun je erover denken de relatie verbreken.' Hij pakte zijn vork weer op en draaide de pasta eromheen.

Ademloos staarde ik naar mijn bord.

'Het hangt er dus van af of je eerlijk wilt zijn tegenover jezelf,' vulde hij aan.

'Ja,' riep ik uit en ik knikte driftig om mijn woorden kracht bij te zetten. 'Ik weet wel wat ik moet doen om mezelf en uiteindelijk ook Frank weer gelukkig te maken. Dan moet ik onze relatie verbreken, maar ik vind het zo moeilijk. Het verdriet dat ik hem en Sophie hiermee aan ga doen. Ik merk dat ik het definitieve steeds uit wil stellen, uit angst voor wat komen gaat. Aan de andere kant kan ik moeilijk tot haar achttiende bij hem blijven. Daar doe ik Sophie uiteindelijk ook geen plezier mee. Zij weet dan nooit hoe het is om op te groeien in een harmonieus gezin met liefde, heel veel liefde. Zoals ik heb gehad als kind.' Ik zuchtte diep en voelde ineens hoe moe ik was. Al die tijd had ik mijn ogen gesloten voor de realiteit. Maar wat moest ik nu? Blijven en mezelf wegcijferen of voor mijn eigen geluk kiezen? En was dat laatste niet verdomd egoïstisch? Dan bouwde ik mijn geluk op het ongeluk van een ander; van Frank en Sophie. 'Het spijt me, maar ik wil naar bed,' zei ik afwezig.

Max keek bedenkelijk naar mijn gevulde bord. 'Maar je hebt je eten nauwelijks aangeraakt.'

'Sorry, het ziet er heerlijk uit, maar ik krijg geen hap meer door mijn keel.' Ik schoof mijn stoel naar achteren en stond op.

Max vouwde zijn hand om mijn pols. 'Neem geen overhaaste beslissing. Bedenk eerst of jullie er samen alles aan hebben gedaan. Dan kun je jezelf later geen verwijten maken.'

Ik knikte en voelde een diepe leegte in mijn hart. 'Welterusten,' zei ik met een schorre stem.

42

2007

Kates weeën zijn begonnen. Ik krijg kippenvel als Jules me een berichtje stuurt. Mijn beste vriendin wordt moeder. Onze workaholic, gezegend met vier maanden rust. Ik ben zo benieuwd hoe ze het moederschap gaat ervaren.

Om drie uur 's nachts schrik ik op van mijn bliepende mobiel. Ik ga rechtop in bed zitten, knipper met mijn ogen en schuif het klepje omlaag.

Stijn Valentijn is geboren. Hij is gezond en zo lief. Jules mailt straks een foto. Kusjes K.

Lieve schat, wat heerlijk voor jullie. Gefeliciteerd! Ik kom morgen na het werk direct langs. Xx. Ik zak terug in mijn kussen en glimlach. Wat fijn dat het goed is gegaan. Ik ben zo gelukkig voor hen, maar voel tegelijkertijd ook mijn eigen gemis. Ik voel blijdschap voor mijn vrienden en voor mezelf, omdat er een kindje is geboren. Maar ook de pijn van mijn wond voel ik sterker dan ooit. Een rauw verdriet dat het gemis laat voelen van wat er niet is. Een moment waar de wanhoop weer even wordt aangeraakt. Ons kindje zou ook rond deze tijd geboren worden. Ik draai op mijn buik en omarm het kussen dat langzaam nat wordt.

Wanneer ik wakker word, sla ik de dekens van me af en loop de trap af om mijn computer aan te zetten. Als eerste loop ik langs de keuken om het espressoapparaat aan te zetten. Ik kan wel een oppepper gebruiken, viel om vijf uur pas weer in slaap. Met de laptop op schoot ga ik op de bank zitten en zet het kleine espressokopje op de houten tafel voor me. Met mijn muis klik ik op inkomende berichten. Het duurt even voordat de foto's geladen zijn.

Mijn mond valt open. Wat een prachtig kindje. Een piepklein blank gezichtje met dichtgeplakte oogjes en gitzwarte haartjes. Op het moment dat ik naar de foto kijk, gaat het mis. Alle tranen van het afgelopen jaar zoeken hun uitvlucht naar buiten.

Max is inmiddels ook beneden en komt naast me zitten. Nadat ik hem de foto's van Stijn heb laten zien, werp ik me in zijn armen. 'Ik ben zo bang dat wij nooit meer ons pasgeboren kindje in onze armen kunnen houden. Dat we nooit meer zijn geur op kunnen snuiven. Dat we nooit zijn warme huidje tegen onze wang aan kunnen houden,' snik ik. 'Ik gun het jou ook zo. Jij hebt dit nog nooit meegemaakt. Het is zo mooi en bijzonder.'

Max drukt een kus op mijn voorhoofd. 'Misschien moet je het meer los gaan laten. Voor mij is het goed zoals het is. Ik zou de gelukkigste man op aarde zijn als je zwanger zou raken, maar het mag niet ten koste gaan van jou.' Hij laat me los en kijkt me serieus aan. 'Kijk eens wat een prachtig leven we leiden. We hebben elkaar en ik ben medepapa van het mooiste meisje ter wereld. Dat alleen al is genoeg om een leven lang gelukkig te zijn.'

Wanneer Jules de deur opendoet, voel ik mijn onderlip trillen. Ik geef hem een knuffel, duw hem opzij en ren zo snel als ik kan de zwartgelakte trap op naar boven. Mijn vingertoppen zet ik af tegen de rode loper die in het midden ligt. In de deuropening blijf ik staan en leun met mijn hoofd tegen de hoge deurpost.

Ik krijg kippenvel als ik naar mijn vriendin kijk. Kate heeft er nog nooit zo zacht uitgezien. Ze ligt in bed met een paar kussens in haar rug. Stijn ligt als een aapje op haar borst. Buik tegen buik.

Zachtjes streelt ze zijn rug. Ik sla mijn arm om haar heen. Ga op mijn hurken bij het bed zitten. We zeggen niets en luisteren naar de pruttelgeluidjes die Stijn maakt.

'Hij ziet er nu al slim uit,' zeg ik na een tijdje. 'Een wijze ziel, dat zie je zo.' Ik kom omhoog en ga op het randje van haar met klossen verhoogde bed zitten. 'Kate, ik ben zo gelukkig voor jullie. Vertel me alles over je bevalling.'

Kate duwt zichzelf iets omhoog. 'Mijn hele lijf giert nog na van de adrenaline. Het was zo'n intense ervaring. Die pijn is werkelijk verschrikkelijk, ik zou het niet eens uit kunnen leggen. Maar op een gegeven moment wist ik dat ik door moest gaan. Dat ik degene was die hem op de wereld moest zetten.' Ze kust Stijn op zijn haartjes. 'Maar dat er vrouwen zijn die deze ervaring direct vergeten als ze de baby in hun schoot geworpen krijgen is mij een compleet raadsel. Onze-Lieve-Heer had ook wel een ritssluiting kunnen maken,' zegt ze met een pijnlijke grimas. 'Een bevalling is een allesbehalve menselijke ervaring.' Ze rolt met haar ogen. 'Hier,' zegt Kate en ze legt Stijn in mijn armen.

Hij slaat heel even zijn kleine oogjes open en slaapt direct weer verder.

Het geeft me zo'n warm gevoel dat ik het zoontje van mijn vriendin in mijn armen hou. Ik duw mijn neus op zijn voorhoofd en adem zachtjes in. Stijn ruikt naar Nenuco, een goddelijke babylotion die Lisa en ik in Barcelona voor Kate hebben gekocht. Dan leg ik mijn wijsvinger tussen zijn kleine vingertjes die hij in een reflex vastpakt. Even lijkt het alsof ik de brok in mijn keel niet weg kan slikken en dan is het over.

'Wat lach je?' vraagt Kate nieuwsgierig.

Ik haal diep adem door mijn neus. 'Ik voel dat ik weer moet gaan leven, Kate. Ik heb me te lang gefocust op het zwanger worden, waardoor ik alle andere plannen heb uitgesteld. Ik ga weer genieten van het leven, zonder geobsedeerd met ivf bezig te zijn. We hebben nog één poging voor de deur staan. Als die niet lukt, is het klaar.'

Kate bedekt haar lippen met een laagje Purol-balsem.

'Ik kan het niet langer aan,' ga ik verder. 'Die hormonen zijn een terreuraanslag op mijn lichaam, mijn zelfvertrouwen, mijn alles. Hoewel ik niets liever wil dan een kindje krijgen met Max, mag ik het mezelf niet langer aandoen. Om eerlijk te zijn ben ik ook bang voor de gevolgen op de lange termijn. Het is nu al twee keer gebeurd dat mijn eierstokken explosief gegroeid zijn, dat kan nooit goed zijn. En dan dat gif dat iedere keer mijn gezonde lichaam in wordt gespoten. Niemand die me kan vertellen wat dat aanricht vanbinnen.' Ik kijk naar Kates bezorgde gezicht. 'En dan is het gewoon goed,' zeg ik geruststellend. 'Ik heb zoveel moois om me heen. En nu ook nog zo'n lief neefje.'

Kate glimt van trots. 'Je hebt gelijk,' zegt ze en haar stem klinkt zacht. 'Maar jullie wens loslaten zal wel moeilijk worden. Ik weet hoe graag jullie het willen. Acceptatie en afsluiten van wat nooit meer zal komen.'

Ik knik en druk een liefdevolle kus op Stijn zijn donkerrode lippen. Kate heeft gelijk, maar aan die rouwfase wil ik pas denken als de laatste poging mislukt is.

'Lisa is nog steeds verliefd hè?' zegt Kate verwonderd. Het onmogelijke is mogelijk gemaakt. Onze vriendin is al drie maanden gek op dezelfde man. Ze heeft hem tijdens het hardlopen in het park ontmoet. Hij begroette haar en nadat hij haar voorbij rende draaide hij zich om, holde terug en vroeg of hij met haar mee mocht joggen.

'Ik ben zo blij voor haar,' antwoord ik knikkend. 'Ze lijkt oprecht gelukkig met hem. Het wordt alleen tijd dat wij hem een keer gaan ontmoeten, vind je niet? Volgens mij houdt hij de boot af.'

'Tja,' zegt Kate. 'Lisa werkt natuurlijk veel en die man wil de kostbare tijd die ze samen hebben met haar doorbrengen. Geef hem eens ongelijk. De rest komt vanzelf wel.'

Ik leg Stijn tegen mijn schouder en loop zacht neuriënd de kamer door.

'Wanneer ga je eigenlijk in je nieuwe functie starten?' Kates ogen zijn onophoudelijk op haar zoontje gericht.

'Je zult het niet geloven, maar ik heb besloten om het niet te doen. Ook al lukt het niet om zwanger te raken. Ik heb het zo naar mijn zin in mijn baan zoals hij nu is. Het gaat me makkelijk in drie dagen af. Die vrijheid bevalt me wel. Het zou er toch op neerkomen dat er vijf dagen per week een beroep op me gedaan wordt. Ik weet zeker dat ik een soortgelijke kans krijg als Sophie wat ouder is.'

Kate strekt verlangend haar armen uit en ik leg Stijn weer veilig in haar kommetje. 'Lijkt me een heel verstandige keuze,' zegt ze, waarna ze hardop geeuwt.

Het is tijd om te gaan. 'Ik ben trots op je, Kate. Je hebt het goed gedaan. Rust lekker uit en geniet van je kleine mannetje. Ik kom snel weer langs.'

43

2004

'Ik ga bij je weg.'

Frank stopte met kauwen en keek me onderzoekend aan. 'Dat kan niet, Barbara, we hebben een kind samen.' Hij schudde zijn hoofd alsof hij iets bijzonder geestigs had gehoord en at weer verder.

'Dat is het hem nou juist. Sophie kan en mag onze bindende factor niet zijn. We verdienen het allebei om gelukkig te zijn. We zouden het echt wel volhouden samen, een heel leven lang, maar hoe? Half is niet voldoende voor mij, Frank. Ik wil liefde voelen en liefde geven. Maar wij roepen dat niet bij elkaar op, wij kunnen elkaar niet gelukkig maken. En als je goed naar binnen kijkt, moet je dat ook voelen.' Er trok een gespannen gevoel door mijn buik en ik zag hoe mijn handen trilden toen ik mijn glas water oppakte. Ik was erover begonnen, nu was er geen weg meer terug. Ik moest sterk blijven en doorzetten.

Vanaf het moment dat Max bij ons logeerde, was het misgegaan. Tot die tijd had ik de keuze gemaakt om mijn leven te accepteren zoals het was. Omwille van Sophie. Maar wat had Sophie aan een moeder die niet meer sprankelde, bij wie het liefdeskaarsje al een tijdje opgebrand was? Max had me zonder dat hij het wist een spiegel voorgehouden. Door zijn aanwezigheid wist ik weer wat ik zocht in een man. Hij had een diepgeworteld verlangen naar oprechte aandacht en betrokkenheid aangewakkerd. Een verlangen naar een gelijkwaardige gesprekspartner. En vanaf dat moment realiseerde ik me dat, hoe graag ik het ook wilde, ik dat nooit in Frank zou vinden. Sinds het logeerweekend twee maanden geleden had ik Max niet meer gezien. En ik kon het niet uitstaan dat hij meer in mijn hoofd zat dan goed voor me was.

'Ik begrijp het niet,' stamelde Frank. 'We hebben het toch fijn samen?' Hij richtte zijn vinger naar het plafond. 'We hebben een klein meisje dat ons nodig heeft. Heb je er wel eens over nagedacht wat je Sophie hiermee aandoet?'

Uit schuldgevoel kromp ik ineen. 'Dat realiseer ik me maar al te goed,' reageerde ik met een gebroken stem. 'Dat is ook de reden dat ik mijn gevoelens heb weggestopt.' Ik negeerde de tranen die over mijn wangen stroomden. 'Het liefst zou ik ieder verdriet bij haar uit de buurt jagen, haar hele leven lang. Maar dat kan niet, ook zij zal hier doorheen moeten. Ik ben een moeder die haar gevoelens al een tijd verdringt. Wat leer ik Sophie als ik niet oprecht voor geluk durf te kiezen? Dan ben ik een moeder die de weg van de minste weerstand bewandelt. Wat voor voorbeeld ben ik voor haar als ik tegen mijn zin in bij jou blijf?'

Frank legde zijn bestek neer en keek me met vernauwde ogen aan. Zijn hoofd kleurde rood tot in zijn nek. 'Heb je het zo slecht naar je zin bij me? Ben ik nou zo'n vreselijke vent?'

Ik schudde bedroefd mijn hoofd. 'Dat ben je helemaal niet, daar gaat het ook niet om.'

Met afwachtende ogen keek Frank me aan.

'Wat weet jij nou van mij, ik bedoel werkelijk van mij?' vroeg ik hem. 'Waar word ik blij van en wat maakt me verdrietig?'

Frank rolde verveeld met zijn ogen, alsof het tijd werd dat ik een moeilijkere vraag stelde. 'Jij houdt van kleding en schoenen,' antwoordde hij minachtend.

Ik verborg mijn gezicht in m'n handen. Deze benadering had

geen enkele zin. 'Het is geen verwijt, Frank,' probeerde ik hem duidelijk te maken. 'Laten we eerlijk naar elkaar zijn. Ik weet net zo weinig van jouw verlangens als jij van die van mij. Zo hoort liefde toch niet te zijn? Als je gek op elkaar bent, ben je nieuwsgierig naar wat de ander bezighoudt. Dan zoek je elkaar op. Wij doen dat niet. Ik weiger nog langer door te leven in een leugen, daarom ga ik bij je weg.'

Frank knikte kalm, stond op en pakte zijn bord dat nog voor de helft gevuld was met groente en rijst. Hij hield het hoog in de lucht en liet het vervolgens los. Het volgende moment pakte hij het tafelkleed en gaf er een ruk aan. Met een oorverdovend lawaai knalden de resterende stukken van wat nog heel was uit elkaar. 'Waarom is voldoende niet goed genoeg voor jou?' schreeuwde hij. 'Dat simpele gezwets over je verlangens. Waar ben je naar op zoek? Naar spanning? Opnieuw verliefd worden? Je bent geen twintig meer, je hebt een verantwoordelijkheid en die ligt boven te slapen.' Hij schopte tegen een scherf die met een boog de woonkamer inrolde.

'We zijn elkaar lang geleden al kwijtgeraakt en we hebben elkaar nooit meer teruggevonden. Als het er al ooit echt geweest is,' fluisterde ik. Ik beet op de binnenkant van mijn lip. 'In onze relatie voel ik me eenzaam en ik ben liever alleen eenzaam dan samen met jou.' Een pijnlijke steek schoot door mijn borst.

Frank keek me woedend aan. Zijn kaak verstrakte. 'Als het dan zo erg is met mij, dan donder je maar op,' riep hij buiten adem.

Als verdoofd kwam ik omhoog uit mijn stoel. Ik wilde geen ruzie, ik wilde op een respectvolle manier uit elkaar gaan. Als de ouders van Sophie moesten we nog een leven lang met elkaar door. 'Het spijt me, maar ik blijf in dit huis, met Sophie. Het wordt voor haar al moeilijk genoeg. Over twee maanden verloopt het huurcontract van de Canadees en kunnen Sophie en ik verhuizen naar mijn oude huis.' Ik sloeg mijn ogen naar hem op. 'Tot die tijd kunnen we toch samenblijven? Laten we in ieder geval proberen in harmonie uit elkaar te gaan.'

Franks rode gezicht plofte bijna uit elkaar. 'In harmonie?' gilde hij. 'Je vertelt me dat jullie bij me weggaan en ik moet voor harmonie zorgen?' Met zijn wijsvinger tikte hij hard tegen zijn slaap. 'Mens, je bent niet goed bij je hoofd. Ik wil geen moment langer met jou onder één dak wonen.' Hij stoof naar de hal en smeet met een enorme knal de deur achter zich dicht.

Verslagen staarde ik naar de rommel op de grond. Ik pakte eerst de grote scherven en de etensresten op en gooide ze in de vuilniszak. De stofzuiger zoog het overige op. Kleine stukjes broccoli en courgette bleven aan de stofzuigermond plakken. Toen het opgeruimd was bleef ik een tijdje roerloos zitten, mijn armen om mijn knieën geslagen. Het kostte me moeite mijn trillende lichaam weer rustig te krijgen. Af en toe veegde ik met mijn handpalm langs mijn ogen. Het was over, ik was weer alleen.

Ik was op de bank in slaap gevallen. Het roze dekentje van Sophie over mijn benen geslagen. Toen de voordeur openging, schrok ik wakker. In mijn ogen wrijvend zag ik op mijn mobiel dat het over twaalven was. Ik luisterde naar de voetstappen die mijn kant op kwamen.

Frank hurkte voor me op de grond en pakte me vast. Na een tijdje verstrengeld te hebben gezeten, nam hij mijn gezicht tussen zijn handen. 'Ik wil je niet laten gaan,' zei hij met een broze stem. Hij blies een medicinale lucht van sterkedrank uit. 'Maar ik zie aan je ogen dat je niet genoeg van me houdt. De manier waarop je ogen oplichten als je Kate of Lisa ziet,' hij stopte even met praten. 'Zo heb ik je nog nooit naar mij zien kijken.'

Een overstelpend schuldgevoel overmande me. Ik had niet alleen mezelf, maar ook Frank tekortgedaan. Uit liefde voor mij nam hij al jaren genoegen met minder.

'Natuurlijk voel ik dat je iets mist, maar ik kan het je blijkbaar niet geven,' ging hij verder. 'Ik vind het al moeilijk om over mijn eigen gevoelens te praten, laat staan om erachter te komen wat jou bezighoudt. En ik zie dat je daar ongelukkig van wordt.'

Frank liet mijn gezicht los. Zijn ogen vulden zich opnieuw met tranen. 'Dat doet me pijn, jij verdient het om gelukkig te zijn.'

Ik voelde een verscheurende pijn door mijn lijf trekken. 'Jij ook Frank,' huilde ik diep vanuit mijn buik.

'Geef me nog een kans, ik beloof je dat ik alles zal doen.' Met smekende ogen keek Frank me aan.

'Mensen kunnen veranderen. Ik kan veranderen.' Ik sloot mijn ogen en dacht terug aan de tijd dat ik net zwanger was van Sophie. Toen wist ik al dat we niet bij elkaar hoorden. Iets in me spoorde me nu aan driftig ja te knikken en straks veilig naast hem in bed te kruipen. Wetend dat alles bij het oude zou blijven. Ik zou geen alleenstaande moeder worden die het in haar eentje moest zien te rooien. Sophie zou niet hoeven te wennen aan twee huizen en de nieuwe vriend en vriendin van mama en papa. Ons leven zou rustig voortkabbelen.

Maar ik wilde meer uit mijn leven halen. Ik wilde de liefde weer door elke vezel in mijn lichaam voelen stromen. We moesten verder, ook Frank. 'Nee,' antwoordde ik en ik probeerde sterk te klinken.

Hij zat er verslagen bij, zijn armen hingen slap langs zijn lichaam.

'Ik weet zeker dat er iemand anders komt die jou echt gelukkig gaat maken. Die jou zonder moeite begrijpt. Dan pas zul je zien wat je miste in deze relatie.'

'Ik wil helemaal niemand anders,' fluisterde Frank. Zijn hoofd lag in mijn schoot, mijn handen woelden troostend door zijn haar.

'Vertrouw me dat het uiteindelijk goed voor ons beiden is, liefje. Loslaten doet pijn, zeker in het begin. Maar laten we elkaar beloven dat we er alles aan zullen doen om goed uit elkaar te gaan. Ik wil dat Sophie zo min mogelijk last heeft van onze breuk,' zei ik terwijl ik mijn betraande gezicht in zijn hals verstopte. Onze woorden stierven weg in de woonkamer. Dat was het dan, het was gezegd. Er was geen weg meer terug. We hielden elkaar vast en huilden om het verlies van ons gezin.

44

2008

Rust, reinheid en regelmaat, dat zijn de ingrediënten voor een geslaagde ivf-behandeling. In alle rust een schone naald met regelmaat in mijn opgezette buik zetten. De derde behandeling is begonnen en ik word langzaam krankzinnig. Ik verander in een onzeker, wantrouwend, kwetsbaar, hysterisch, argwanend en vreemd mens. Een mens dat nooit een vriendin van me zou kunnen worden. Ik ben onhandelbaar, met name voor Max. Hij weet niet meer hoe hij met mijn buien om moet gaan, maar hij heeft makkelijk praten. Ik moet het allemaal maar ondergaan. Ik ben alweer elf dagen aan het spuiten en ik ben zo moe. Het gaat zichtbaar slechter met me dan bij de eerste twee behandelingen. Na de eerste decapeptyl-spuit ging het al mis. Van vermoeidheid kon ik mijn ene been niet meer voor het andere zetten. Misschien is het wat veel allemaal, twee ivf-behandelingen en een mislukte cryo in anderhalf jaar tijd.

Vanochtend ontving ik een sms'je dat niet voor mij bestemd was. Ik denk in de laatste plaats voor mij bestemd was. In eerste instantie voelde ik me gevleid, maar dat was van korte duur.

```
Ik mis jou ook, verheug me om je vanavond te zien,
veel te lang geleden. Ben halfacht bij je. X Mx.
```

Ik staarde zeker drie minuten als een onnozel schaap naar het berichtje, totdat de letters over de display dansten. Max zijn nummer. Een liefdevol sms'je van mijn lief dat niet voor mij, maar voor een ander is bedoeld.

Er komt een golf van misselijkheid op, maar dat kan ook door de hormonen komen. Max, ik word niet goed, hoe kan hij? Ik zit in de moeilijkste periode ooit. Dankzij hem, voor hem, voor ons. Voor ons gezin. Koortsachtig denk ik na over wat ik moet doen. De adrenaline giert door mijn lijf. Zal ik hem bellen, terug sms'en of gewoon vermoorden? Ja, als hij straks thuiskomt vermoord ik hem met mijn decapeptyl-naald. Ik doorboor hem driehonderd keer en sluit af met een overdosis hormonen. Eén die gelijkstaat aan drie behandelingen. Oog om oog, naald om naald. Zien hoe de wind dan waait.

Ik kijk weer naar de display. Voor wie zou het bedoeld zijn? Heb ik dan niets gemerkt? Hij is wel anders de laatste tijd. Komt vaak later thuis, kan minder hebben. Dat heeft ermee te maken dat hij de laatste maanden ook 's avonds twee keer per week patiënten heeft. Omdat de wachtlijst opliep tot drie maanden. Althans, dat gaf hij als reden aan en ik geloofde hem.

Mijn mobiel rinkelt en van schrik gooi ik hem hoog in de lucht. Wanneer ik de losse delen weer in elkaar heb gedrukt, gaat hij voor de tweede keer, een duidelijke aanhouder.

'Lunch Pol?' vraagt ze.

Nadat ze me bijna dood heeft gedrukt neemt ze uitgebreid de tijd me van top tot teen te bekijken. 'Je ziet er beroerd en zorgelijk uit, schat.' Terwijl ze dit zegt strijkt ze even door mijn haar.

'Dank je, Lies, dat zijn opbeurende woorden. Behalve dat ik moe ben, überhaupt niet meer weet wie ik ben en er net achterkom dat mijn vriend me belazert, gaat het best redelijk, hoor.' Ik gooi mijn tas neer en plof op de bank.

Lisa kijkt me aan alsof ik Zimbabwaans praat.

Het verbaast me niets, niemand begrijpt me de laatste weken. En ik begrijp niemand, vooral Max niet. Verrader.

'Waar heb je het over?'

Bart begroet ons alsof hij ons jaren niet heeft gezien en vraagt wat we willen.

'Twee soja latte, een bio cruesli en een tuna sandwich,' antwoordt Lisa, op voorhand ervan uitgaande dat ik daar trek in heb.

Gelaten hang ik op de bank. Mijn schouders zijn gebogen en mijn hoofd is op mijn schoenen gericht. Naar mijn nieuwe suède laarzen die tot net boven mijn knie reiken. Zelfs die maken me niet meer blij.

'Ik zie iets anders aan je,' zegt Lisa. 'Je ogen staan onrustig, alsof je wordt opgejaagd door drie hyena's.'

Ik pak mijn mobiel uit m'n tas. 'Hier, het keiharde bewijs.'

Lisa leest het bericht en ik zie dat ze een kleur krijgt. 'Jezus, Bar. Hoe heeft hij gereageerd toen hij hoorde dat dit naar jou is gestuurd?'

Ik roer in mijn koffie en lepel de geklopte sojamelk eruit. 'Ik heb nog niet gereageerd. Hij weet nog van niets.'

Lisa leunt achterover. 'Nou ja, wie weet is het wel een oude schoolvriendin. Of zijn moeder. Het kan van alles zijn. Ga nou niet direct van het ergste uit. Dat kun je er nu helemaal niet bij hebben. Bel hem, dan weet je waar je aan toe bent.'

Ik haal de rozijntjes uit mijn yoghurt en leg ze op een schoteltje. 'Hoe gaat het eigenlijk met je lover en wanneer krijg ik hem nou eens te zien?' vraag ik om de aandacht even van mijn overspel plegende man af te halen. 'Het is nu al meer dan vier maanden toch?'

Ze kijkt me ondeugend aan. 'Ik ben echt verliefd, hij is ontzettend leuk! Zo leuk dat ik er onzeker van word.' Lisa staart dromerig voor zich uit. 'Flyn is, hoe zal ik het zeggen. Hij is mysterieus. Hij geeft steeds een piepklein stukje, een stukje dat zo bijzonder is en enorm verslavend werkt. Dan trekt hij zich weer terug. Als een oester die je een vluchtige blik op zijn prachtige parel gunt en op het moment dat je de parel los wilt trekken, zijn stevige schelp sluit. Potdicht.' Ze klapt haar handen in elkaar en houdt ze demonstratief gesloten. 'Soms hoor ik een paar dagen niets van hem. Net als ik hem een sms wil sturen dat hij de pot op kan, duikt hij op uit het niets met een geweldige verrassing. Hier,' ongeduldig grist ze haar mobiel uit haar tas en zoekt naar een berichtje van hem. 'Dit zet je toch in vuur en vlam?'

`Heerlijkheid, ik heb twee tickets geboekt voor Valencia, overmorgen vertrekken we. Om halftien pik ik je op.`

Lisa zet haar koffie voor zich op tafel. 'Daar kan een mens toch geen nee tegen zeggen?' zwijmelt ze watertandend.

'Hoe doe je dat op kantoor?' vraag ik praktisch.

'Het is eigenlijk te druk om weg te gaan, Sarah zal het niet begrijpen. Misschien meld ik me wel ziek.'

Ik kijk haar geschokt aan. 'Jij en ziekmelden? Wat is dat voor iets belachelijks, dat heb jij nog nooit in je leven gedaan. Dan doe je dat toch zeker niet voor een vent? Daarbij is het jouw eigen bedrijf en jouw verantwoordelijkheid. Waarom zou je liegen?'

Even kijkt ze me vijandig aan. 'Niet zomaar een man. Ik heb het hier over een zwoel, sexy en gloeiend heet geschenk uit de hemel en daar zeg je geen nee tegen. Dat is godsonmogelijk!' Triomfantelijk pakt ze haar broodje tonijn en zet er haar tanden in.

Ik knijp mijn ogen wantrouwend samen, terwijl ik met mijn ellebogen voorover op tafel leun. 'Ik denk dat hij getrouwd is en dat je daardoor zo weinig over hem weet. Je weet niet eens waar hij woont, dat is op zijn zachtst gezegd een beetje merkwaardig, vind je niet?'

De mayonaise druipt langzaam langs haar linkermondhoek. 'Ik kan wel zien dat je jezelf niet bent. Ik heb hier nu even geen zin in. Wees gewoon blij voor me, dat is wat ik nu nodig heb.' Lisa kijkt op haar horloge en schrikt. 'Zo laat al, ik moet echt weg. Ik wil nog een nieuwe bikini kopen en een mooi jurkje om in uit te gaan. Morgen vertrekken we, ik heb nog veel te doen.' Snel veegt ze de saus van haar gezicht en drukt een kus op mijn wang. Voor ze gaat kijkt ze me nog even aan en pakt mijn hand. 'Bel Max, beloof het me?'

'Kijk wel,' zeg ik terwijl ik koppig mijn schouders ophaal.

45

2005

Met de vieze was in mijn armen geklemd bukte ik voorover om haar tandenborstel van de vloer te rapen. Geroutineerd pakte ik een nat washandje en veegde de opgedroogde streep Teletubbie-tandpasta weg. Ik rook een vleugje aardbei.

Toen ik overeindkwam stond ik oog in oog met mijn spiegel-beeld. Vluchtig bekeek ik de lijnen van mijn gezicht. Twee zachte donkerbruine ogen keken terug. Het moederschap had mijn uit-straling veranderd. Ik was zachter geworden, liever ook. Waar-schijnlijk eigenschappen die er altijd al inzaten, maar die in mijn vo-rige leven minder tot hun recht kwamen. Drieëndertig jaar. De wet van de verminderde huidelasticiteit had haar intrede gedaan, zij het in bescheiden mate. Beginnende kraaienpootjes lachten me vrolijk toe. Ik lachte vriendelijk terug. *If you can't beat them, join them.*

Het was vrijdagavond. Hoewel het prachtig weer was en Lisa drie kaartjes had geregeld voor het Mustfeest, zat ik thuis op de bank. Mijn eigen bank, die ik met niemand hoefde te delen. In ieder geval niet met een man. Nooit zat een bank zo lekker als deze vrijdagavond. Ik had (tot grote ontsteltenis en verbijstering van eenieder die Must kent en met name van Kate en Lisa) vrien-delijk bedankt voor het felbegeerde kaartje. Het deed niet eens pijn. De weekenden dat Sophie niet bij Frank was, waren heilig voor mij. Dan bleven we lekker samen thuis. Nadat ik haar had voorgelezen uit Winnie de Poeh, nestelde ik me met een grote zak magnetronpopcorn op de bank.

Mijn 'hoera tot nu toe bereikt'-lijstje had ik die avond bijgewerkt en het zag er als volgt uit.

1. Ik was moeder.
2. Ik had het heilige inzicht verkregen dat yoga echt niets voor mij was, maar dat ik yoga ook niet meer nodig had. Een alleenstaande, hardwerkende moeder viel 's avonds heel snel in een comateuze slaap.
3. Ik had mijn schoenenfetisj leren accepteren.
4. Ik had een geweldige baan waarin ik echt iets kon betekenen voor anderen.
5. Ik had een goede relatie met mijn ex Frank, wat voor Sophie wel zo fijn was.

Ik kloof op mijn pen en dacht na over mijn 'helaas nog steeds niet bereikt'-lijstje.

1. Het lef hebben om Max te bellen, hoewel ik vaak aan hem dacht.
2. Zonder schuldgevoel naar mijn werk gaan, omdat Sophie (hoewel ze het er naar haar zin had) elke dag liet weten dat ze veel liever bij mij was dan op de crèche.
3. Meer tijd met Kate en Lisa doorbrengen.
4. Een potje maken voor onvoorziene uitgaven.
5. Sophie een nacht door laten slapen (ook al was ze al drie).

Tevreden zette ik de dvd aan. Het was eigenlijk goed zoals het was. Ik voelde me een gelukkig en compleet mens. *Cold Mountain* was spetterend goed, ook al zag ik hem niet helemaal af omdat ik op de bank in slaap viel.

Diep in de nacht voelde ik pluizige haartjes op mijn voorhoofd kriebelen. Toen ik slaperig mijn ogen opende, zag ik dat het Sophietje was. 'Mammie, kom je mee naar bed? Ik was je kwijt.' Slaapdronken liepen we hand in hand naar mijn slaapkamer, waar we lepeltje-lepeltje weer in een diepe slaap vielen.

Ik was eerder wakker dan Sophie en keek vertederd naar haar lieve peutergezichtje. Ik hield mijn neus pal voor haar mond en rook haar zoete ochtendadem. Omdat Tim jarig was, zou ze daar slapen vannacht.

Om tien uur zouden Frank en Karin haar ophalen. Sophie was gek op Karin en haar zoontje Tim. Vier maanden na onze breuk had Frank haar ontmoet. In de supermarkt. 'Dankzij Sophie,' zei hij trots. 'Bij het snoepschap van de Albert Heijn zag Sophie Tim staan,' begon Frank zijn liefdesverhaal. 'Sophie huppelde op hem af en bleef pal voor hem stilstaan. Met een glimlach rond haar lippen trok ze de zak drop uit zijn handen. Tim pakte de zak weer terug en klemde hem stevig tegen zijn borstje. Waarop Sophie hem aan zijn haar trok. Geschrokken rende ik op het geschreeuw af. Toen zag ik haar. Ze zat gehurkt voor Sophie en probeerde haar tot bedaren te brengen. Tim leunde snikkend tegen haar benen. Er ging een schok door mijn lijf. Ze was prachtig. Ik tilde Sophie op en zette haar in de winkelwagen. Ik zei dat ze sorry moest zeggen. Maar ze stak haar kin vooruit en deed er alles aan om aan Tims blik te ontsnappen. Toen raakten we aan de praat. Eerst over de kinderen, daarna over andere onderwerpen. Bij de kassa waren we nog niet uitgesproken. Buiten durfde ik haar nummer te vragen.'

Ik was blij dat Frank weer gelukkig was. Het klikte zo goed tussen die twee dat Karin haar baan als secretaresse had opgezegd en voor Frank ging werken.

Zachtjes drukte ik een kus op Sophies vingertjes. Ik miste haar altijd als ze bij Frank was. Nadat ik haar had uitgezwaaid, liep ik naar binnen. Ik bracht mijn neus naar mijn koffiekopje en genoot van de aromatische geur. De tulpen die mama voor me had gekocht, stonden op mijn eettafel en sprongen alle kanten uit. Iedere week kocht ze bloemen voor me. 'Dat is wel zo gezellig en dan voel je je minder alleen.' Mama kon maar niet begrijpen dat ik het heerlijk vond om zonder man te wonen. Het had even geduurd voordat Sophie gewend was aan haar nieuwe huis, maar nu wist ze niet beter. Zielsgelukkig was ik dat ik terug kon gaan naar het plekje waar ik me zo fijn had gevoeld.

De laatste twee maanden met Frank waren verdrietig geweest. Hij bleef hopen dat het een bevlieging van me was. Op het moment dat ik de kleding van Sophie en mij in kartonnen verhuisdozen inpakte, stond hij er lamgeslagen bij. Nooit zal ik zijn door verdriet en wanhoop getekende gezicht vergeten. Een leven zonder mij kon hij zich langzaamaan wel voorstellen, maar het idee dat hij Sophie niet langer dagelijks om zich heen had, brak zijn hart.

We zijn een omgangsregeling overeengekomen, waarbij Sophie om het weekend twee nachten bij Frank logeert en hij kan haar, als hij daar behoefte aan heeft, bij ons thuis opzoeken.

De Canadese huurder had mijn huis keurig achtergelaten. Ik had alleen de badkamer en het toilet opnieuw geverfd en een nieuwe wc-pot aangeschaft. Vond ik wel zo fris. Ik duwde mijn wang tegen het raam en keek naar het verkeer dat voorbijkwam. Over twee uur zouden de auto's filerijdend de stad ingaan. Zo ging dat altijd in het weekend. Op het moment dat ik getoeter hoorde, sloeg ik mijn strandtas om mijn schouder en liep ik naar beneden.

Bloemendaal was een ramp in de zomer. Als je pech had, deed je er drie uur over. Nadat we de auto geparkeerd hadden en best ver hadden moeten lopen, veroverden we drie ligstoelen bij Bloomingdale.

'Hoe was Must?' vroeg ik aan Lisa toen we in zee stonden.

Met een moeizaam 'Goedemorgen' had ze Kate en mij die ochtend begroet, waarna ze in de foetushouding op de achterbank in slaap was gevallen.

Lisa schoof haar zonnebril tussen haar krullen. 'Het was afschuwelijk, een avond om snel te vergeten.'

Belangstellend keek ik haar aan.

'Kate en ik stonden op de dansvloer toen er een aantrekkelijke man een gesprek met me aanknoopte. Hij stelde zich voor als Danny. Kate voegde zich weer bij Jules, die met een collega aan de bar stond te praten. De muziek stond zo hard dat we moeite hadden elkaar te verstaan. Na een tijdje in elkaars oor gegild te hebben, zonder te weten wat de ander zei, pakte Danny mijn arm en nam me mee naar een nisje, vlak bij de ingang van de kerk. Ongeveer de enige plek waar geen muziek uit de boxen schalde. Danny kwam steeds dichter bij me staan. Ik voelde dat het niet lang meer zou duren voor hij me zou kussen. Ik schoot in de lach om iets wat hij zei, stapte daarbij te ver naar achteren en raakte uit balans. In het luchtledige graaide ik naar houvast. Zette mijn voet verkeerd neer en viel van de trap. In mijn spijkerrokje, tree voor tree op mijn kont. Op de benedenverdieping van de Laurenskerk kwam ik tot stilstand en lag ik op mijn rug met mijn benen in de lucht. Eén pump zat nog aan mijn voet, de ander lag halverwege de trap.'

Dobberend op mijn rug viel mijn mond open van verbazing.

'Het was zo'n onnozele smak en zo op het verkeerde moment. Toen ik naar boven keek, was ik ervan overtuigd dat die man geschrokken naar beneden zou rennen en me op zou tillen. Met zijn sterke handen zou hij mijn gezicht vastpakken en kijken of ik beschadigingen had opgelopen. Maar de enige die op me afsnelde was de toiletdame om te kijken hoe het met me ging. Ze bood me een glaasje water aan, dacht dat ik wel genoeg alcohol had gehad. Het kusproject had zich uit de voeten gemaakt.' Lisa trok een enorme pruillip.

'Wat verschrikkelijk komisch, dat ik dat nou net heb moeten missen. Ik denk dat ik nu pas was bijgekomen als ik je had zien rollen.' Terwijl ik dat zei werd ik direct gestraft. Een enorme golf sloeg over me heen en ik verdween in mijn geheel onder water. Als een spartelende vis deed ik mijn uiterste best om weer boven te komen. Ik voelde hoe een flinke hoeveelheid zand volop gelegenheid kreeg mijn bikinibroekje in te schuiven. Proestend kwam ik weer boven. 'Hoe zie ik eruit?' brieste ik terwijl ik een halve liter zeewater uit mijn neusgaten blies.

Lisa onderdrukte een lachje. 'Wat zal ik zeggen?' zei ze aarzelend. 'Ik denk dat de vergelijking met een vogelverschrikker die onder stroom heeft gestaan het dichtst in de buurt komt.'

Ik duwde mijn kiezen op elkaar. 'Dat is dan heel fijn, dan moeten we nu naar huis.' Zo onopvallend mogelijk probeerde ik het water uit te lopen, mijn hoofd gebogen en mijn ogen strak op het zand gericht. Ik plofte neer op de loungekussens en jammerde dat ik naar huis wilde.

Kate, onze chauffeur, was onder geen beding van plan met me mee te gaan. Ze overhandigde me een borstel en een tissue om me mee op te kalefateren. Ik liep naar het toilet en bekeek mezelf in de spiegel. Mijn mascara zat overal behalve op mijn wimpers. Zwarte plakkaten ontsierden mijn gezicht. Mijn haar zat in een keurige scheiding langs mijn wangen geplakt. Ik leek wel een zeehond.

Na een kwartier liep ik naar buiten. Lisa kwam zwierig aangelopen met een fles rosé in haar hand en had tapas besteld. Over haar rode bikini had ze een witte omslagdoek geknoopt. De pootjes van de wijnglazen handig tussen haar vingers geklemd. Ik sloeg wat zand van mijn voeten en pakte een glas wijn aan. 'Proost, meiden, op het vrijgezelle leven, op de zon en op mijn strohaar.'

'Wat leuk, jij hier?' hoorde ik een paar uur later.

Ik voelde een warme hand op mijn schouder en draaide me nieuwsgierig om. Er trok een schok door me heen toen ik recht in zijn gezicht keek. 'Max,' stamelde ik blozend. 'Kom erbij zitten.' Kate haalde een extra wijnglas, dat ze vulde met rosé.

'Je ziet er anders uit,' zei Max. Zijn ogen waren op mijn haar gericht.

Paniekerig voelde ik aan de harde slierten die aan mijn hoofd vastzaten. 'Ik heb gezwommen; borstcrawl, vlinderslag, je kent het wel.' Vliegensvlug griste ik Lisa's hoed uit haar gele tas en zette hem op.

'Zie je Frank nog wel eens?' vroeg Kate met een knipoog naar mij. Iedere keer als ik het over Max had, pakte ze mijn mobiel en scrolde ze naar zijn naam. 'Als je hem zo leuk vindt, moet je actie ondernemen. Hij is veel te integer om contact met jou te zoeken.'

Max schudde zijn hoofd. 'Die heb ik al vier maanden niet gezien. Hij is veel bij Karin. Volgens mij kunnen ze het goed vinden samen.' De muziek werd harder gezet. Max trok me van mijn bedje en pakte mijn hand vast. 'We gaan dansen,' fluisterde hij in mijn oor. Na zessen ging het los in Bloomingdale. Alle gezinnen waren weer onderweg naar huis om hun kroost op tijd in bed te leggen. Ik had geen reden om naar huis te gaan. Max trok me dicht tegen zich aan en samen bewogen we ritmisch op de muziek. 'Ik breng je wel thuis,' stelde hij voor op het moment dat Kate en Lisa naar huis wilden. Kate wilde een dvd-avond houden met Jules en Lisa moest op tijd naar bed om wat slaap in te halen. We namen afscheid en na het inpakken van alle spullen slenterden ze richting auto. Kate en Lisa draaiden zich tegelijkertijd om en staken hun duim naar me op.

Het was donker en de muziek had plaatsgemaakt voor het geluid van de golven.

'Zullen we een stukje lopen?' stelde Max voor.

We wandelden langs de zee, totdat we de enigen in de wijde omtrek waren. 'Ik ben moe, ik kan niet meer,' kreunde ik terwijl ik me loom in het zand liet vallen.

Max kwam naast me liggen en ondersteunde zijn hoofd met zijn hand. 'Ik weet dat het niet kan en niet mag maar ik verlang naar je. Sinds die paar dagen bij jullie thuis zit je in mijn hoofd. Denk ik aan onze gesprekken, aan je ogen, aan je manier van bewegen. Ik probeer het te verdringen, maar het lukt me niet.'

Ik rolde op mijn zij en keek hem verrast aan. 'Echt? Dat wist ik helemaal niet. Nou moet ik eerlijkheidshalve toegeven dat jij mij ook alleszins mee bent gevallen,' lachte ik plagend terwijl ik met mijn vingers door zijn haren streek.

'Maar we kunnen niets met elkaar beginnen,' benadrukte hij met een verdrietige glimlach. 'Ik bedoel, je bent toch de ex van Frank.'

Ik fronste mijn wenkbrauwen. 'Frank is allang over me heen. Na een paar maanden had hij een nieuwe vriendin, op wie hij stapelgek is.' Met mijn vinger maakte ik rondjes in het zand.

'Ik weet dat hij moeite heeft gehad je los te laten. Daarbij ben je ook nog eens de moeder van zijn kind. Het laatste wat ik wil, is hem kwetsen door met jou een relatie te beginnen.'

Ik glimlachte verleidelijk. 'Loop je niet wat hard van stapel, meneer de psycholoog? Laten we van dit moment genieten en zien wat de toekomst ons brengt.'

'Maar ik vind echt dat…'

Met mijn vinger sloot ik zijn lippen. 'Sjttt, nu niets meer zeggen.' Ik kuste hem op zijn voorhoofd, zijn wang en zijn mond. Aan de verlangende blik in zijn ogen te zien, wist ik dat Max precies hetzelfde wilde als ik.

Hij draaide me op mijn rug en ik voelde honderdduizend zandkorrels tegen mijn lijf aan schuren. Zachtjes wreef hij over de rand van mijn zwarte bikinibroekje. Zijn tong zocht de mijne. Wat smaakte hij hemels. Zoute lippen en een vleugje Armani. Hij schoof mijn bikinibroekje opzij en gleed met zijn vinger in mijn binnenste. Het leek alsof we alle verloren momenten samenbrachten naar dit moment bij Bloemendaal aan Zee. Voor het eerst sinds tijden voelde ik me weer vrouw, vol met lust en passie. Max kwam in me, bewoog eerst zachtjes en liefdevol. Op het moment dat ik gewillig mijn armen langs mijn hoofd legde en kreunde, begon hij heftige stootbewegingen te maken. 'Je bent onweerstaanbaar,' gromde hij. Mijn nagels lieten sporen achter in zijn rug. Ik sloot mijn ogen en voelde dat ik weer leefde.

46

2008

Zijn koffer staat in de gang. Ik heb er zoveel mogelijk ingedaan.
Kleding, tandenborstel, lenzenspul en een pakje condooms. Dat
laatste is sarcastisch bedoeld. De koffer zit behoorlijk vol. Ik
moest erop zitten om hem dicht te krijgen. Max heeft me wel een
keer of vier gebeld vandaag, maar ik heb hem steeds weggedrukt.
Zelfs zijn boodschappen heb ik zonder te beluisteren gewist.

Tegen elven hoor ik gemorrel aan de deur. Het was te kort dag
om een nieuw slot te regelen, maar met de ketting op de haak is
het ook moeilijk binnenkomen.

'Schatje, doe eens open, het hangslot zit erop.'

Al die tijd heb ik in kleermakerszit op bed gezeten. Geprobeerd aan yoga te doen om tot rust te komen. Dat was lang geleden. Ik denk wel vier jaar. Verder dan de lotushouding ben ik vanavond niet gekomen. Ik dacht alleen maar aan Max en zijn
geheime minnares. Max blijft roepen, straks maakt hij Sophie nog
wakker. Ik loop naar beneden en haal de ketting van de haak.
Daar staat hij dan, *the talented Mister Ripley*.

Hij kijkt me nietsvermoedend aan en wandelt als een wolf in
schaapskleding zijn bijna ex-huis binnen. 'Hier, schatje, voor jou,
omdat ik de laatste tijd wat brommerig was. Terwijl jij degene
bent die het moeilijk heeft. Het was ook zo druk op mijn w...'

Ik gris de bos uit zijn hand. Terwijl ik de bloemen met ferme klappen op zijn hoofd stuksla, duw ik hem naar buiten. De koffer gooi ik erachteraan. Ik smijt de deur dicht en doe de ketting er weer op. Met mijn rug tegen de deur hijg ik van woede, verdriet en uitputting. Op de vloer liggen kapotgeslagen lelies. Zes met een geknakte steel en vier die zijn onthoofd.

Na vijf minuten aanbellen geeft Max het op. Met gesloten ogen zak ik op de deurmat en probeer ik mijn ademhaling weer tot rust te brengen. Mijn hart bonkt in mijn keel en mijn mond voelt droog aan. Als ik mijn ogen weer open, kijk ik naar de zwartomlijste foto's in onze hal. De meeste zijn in Frankrijk op het strand genomen. Max, Sophie en ik bij Club 55. Sophie met een vanille-ijsje in haar hand, ik in een paars tuniekje en Max in een witte zwemshort. Onze hoofden tegen elkaar aangedrukt. Het had zo mooi kunnen zijn. Nu kan hij voortaan met zijn nieuwe liefje gaan. Opgeruimd staat netjes. Ik stuur hem het berichtje dat ik 's ochtends van hem had ontvangen met een aanvullende tekst.

Sukkel. Als je vreemdgaat, doe het dan goed.

Mijn hele lijf voelt ijskoud aan. Ik probeer te slapen, maar het lukt niet. Wat nu, over twee dagen is de punctie. Die kan onmogelijk doorgaan. Of ik moet op de valreep nog een geschikte donor zien te vinden. Ik was zo zeker van onze relatie, van de liefde die we voor elkaar voelden. Ik wist zeker dat wij bij elkaar zouden blijven. Dat het gewoon klopte tussen ons. Ons, wat een leugen.

Het schermpje van mijn mobiel licht op. Met trillende vingers open ik het bericht. Ik heb bij je ingesproken dat ik met Maritt ging eten vanavond. Wel drie keer. Dat bericht was inderdaad voor haar bedoeld. Laten we er ajb over praten.

Hardop blaas ik uit. Die man probeert er wel heel gemakkelijk onderuit te komen. Ik had hem hoger ingeschat. Het minste wat hij kan doen is eerlijk tegen me zijn.

Ken geen Maritt. Maakt ook niet uit, je hebt me zo

gekwetst dat ik je voorlopig niet meer wil zien. Ik leg mijn mobiel op Max zijn onbeslapen kussen. Nooit had ik verwacht dat wij in zo'n situatie zouden belanden. Het is dus waar wat ze zeggen, vreemdgaan ligt altijd op de loer en slaat toe op het moment dat je het 't minst verwacht. Mannen zijn in de basis onbetrouwbaar, zelfs wanneer hun vriendin een vruchtbaarheidsbehandeling ondergaat. Of misschien juist dan wel. Om haar irritante gedrag te compenseren met aandacht en genot buiten de deur. Het verlichte schermpje leidt me af van mijn gedachten.

Doe niet zo koppig en laat me binnen om het je uit te leggen. Ik hou toch alleen van jou?

Met een bedroefde blik in mijn ogen schud ik mijn hoofd. Hiermee bevestigt Max mijn tweede theorie. Mannen bestaan uit clichés. Het volgende wat hij zal schrijven is vast en zeker dat het niets voorstelde. Laat me niet lachen.

Ik mis jou ook? Bedrieger!

Een paar minuten nadat ik op verzenden heb gedrukt volgt zijn reactie. Ik heb haar drie jaar niet gezien en heb dat geschreven omdat ik onze vriendschap ook mis. We zijn vrienden van vroeger. Trouwens, ze is al zeven jaar gelukkig getrouwd met Monica.

Er schiet een warmtegolf door me heen. Een die in mijn benen begint en nog lang nagloeit op mijn gezicht. Zijn lesbische vriendin Maritt. Daar heeft hij me inderdaad wel eens iets over verteld. Lang geleden, dat wel. Ik schaam me zo diep dat ik het liefste onder het dekbed verdwijn en er de komende dagen niet meer onder vandaan kom. Het duurt zeker tien minuten voordat ik durf te reageren. Vriendjes sluiten?

47

2005

Terwijl Max in La Vilette de gebeurtenissen van de afgelopen week met me deelde, gleed zijn hand voorzichtig langs mijn knie. Ik voelde mijn hele lijf warm worden, maar het was geen prettige warmte. Eerder een uit paniek geboren opvlieger. Terwijl mijn ogen schichtig de met veel mensen gevulde ruimte doorschoten, bracht ik het glas viognier naar mijn mond. Ik liet de koele wijn door mijn mond rollen en bedacht waarom ik me zo ongemakkelijk voelde. Hoewel ik Max meer dan leuk vond, leek het alsof ik nog niet openstond voor een relatie en dit was welgeteld de tweede ontmoeting in een week tijd.

Onrustig schoof ik op mijn stoel. 'Ik ben zo gelukkig dat ik al een jaar vrijgezel ben,' begon ik, terwijl ik met mijn lepel door de aardappelsoep met truffel roerde. 'Dat is me vanaf mijn zestiende nooit langer dan drie weken gelukt. Het is goed voor me om alleen te zijn. Zonder verplichtingen, zonder verwachtingen. En voor Sophie vind ik het ook wel rustig, zonder man in huis.'

Max schoot in de lach. 'Dat we hier nu samen zitten te eten betekent nog niet dat we gaan trouwen, hoor,' reageerde hij met een vermakelijke grijns op zijn gezicht.

Er verscheen een dieprode blos op mijn wangen die ik uit alle macht weg probeerde te denken. 'Maar wat er op het strand is gebeurd,' ging ik verder om de aandacht van mijn tomatenhoofd af te leiden.

'Dat was in één woord goddelijk,' vulde Max me aan, waarna hij een met carpaccio en Parmezaanse kaas gevulde vork naar zijn mond bracht.

Ik glimlachte verlegen. 'Dat was het zeker. Maar geloof mij wanneer ik je zeg dat ik niet makkelijk ben om een relatie mee te hebben. Daar heeft Frank je misschien wel iets over verteld.' Ik boog voorover en voelde mijn fronsrimpel op mijn voorhoofd verschijnen. 'Als het om liefde gaat, ben ik veeleisend. Liefde moet puur zijn en gelijkwaardig. Ik neem geen genoegen met minder, dan blijf ik liever een leven lang alleen.'

Max keek me zelfverzekerd aan. 'Barbara, jij bent zo'n heerlijke vrouw en volgens mij valt dat lastige wel mee. Je hebt jezelf bewezen dat je makkelijk alleen kunt zijn, je bent sterk en zit goed in je eigen energie. De essentie is dat jouw zelfstandigheid nooit aan banden gelegd mag worden, daar word je rebels van. Maar wanneer een man jou de vrijheid gunt, zijn ziel durft te geven en je oprecht liefheeft kan ik me geen mooier mens voorstellen om een relatie mee te hebben.'

Ik was geraakt door de mooie woorden die hij had geuit. Mijn longen vulden zich langzaam met zuurstof. Bij iedere ademhaling voelde ik me rustiger worden. Toch was er nog een belangrijk iets dat me bezighield: zijn beroep. 'Jij bent wel psycholoog.' Ik pakte het servet van tafel en wreef ermee langs mijn mondhoeken. De in het zwart geklede ober schonk ons nog wat wijn bij. Max keek me aan, wachtend op wat komen ging. Ik zag dat hij moeite had zijn gezicht in de plooi te houden. 'Een paar jaar geleden heb ik zelf een psycholoog gehad. Uit eigen beweging heb ik iemand gezocht om me te helpen mijn onrustige geest te temmen.'

'Heel goed,' antwoordde Max. 'Je hebt er duidelijk baat bij gehad.'

Ik veerde op en keek hem met een hoog opgetrokken wenkbrauw aan. 'Daar betaalde ik tachtig euro per uur voor en dat heb ik afgesloten op het moment dat ik hem niet meer nodig had. Ik kan jou toch moeilijk uitzetten als je me ongevraagd wilt voorzien van raad?'

Max zijn ogen begonnen te twinkelen van plezier. 'Ben je bang dat ik mijn werk thuis op jou voort ga zetten?' Hij schudde zijn hoofd alsof hij zojuist iets dolkomisch had gehoord. Het volgende moment keek hij me onderzoekend aan. Uit mijn niet-overtuigde blik kon hij vast opmaken dat ik het nog niet helemaal vertrouwde. 'Lieve Bar, ik ben blij dat ik op het moment dat ik de praktijkdeur achter me dichttrek, rust heb. Jij hangt toch ook niet vierentwintig uur per dag de manager uit?'

Daar had hij een punt. Het gebeurde zelden dat ik mijn werk mee naar huis nam. En een tandarts zou bij thuiskomst ook niet de hele middag boven het gebit van zijn gezin hangen. Opgelucht zakte ik weer terug in de stoel.

'Ik kan je natuurlijk altijd een factuurtje sturen op het moment dat je voor advies bij me aanklopt. Om het puur en zuiver te houden tussen ons,' grapte Max terwijl hij zachtjes in mijn wijsvinger kneep.

Na afloop van ons etentje nodigde ik hem bij mij thuis uit voor een kopje thee. Terwijl het water aan de kook raakte, keek ik naar buiten. Ik was gek op de zomer. Op het gezellige geroezemoes van buren die tot laat buiten zaten, de geur van barbecue, mijn klamme huid. Het leek wel of in de zonnige zomer de mensen tot leven kwamen. Ik kwam tot leven. En ik had weer een man op mijn bank zitten.

'Ping,' gaf de waterkoker aan. Ik pakte twee zakjes kamillethee en liet deze trekken.

Voorzichtig ging ik op de bank zitten en zette de kopjes dampende thee voor ons op de grond. Terwijl we verder praatten, pakte Max mijn arm en draaide langzame rondjes met zijn vinger óver mijn pols. Ik keek ernaar. Het voelde fijn. Ik keek hem van opzij aan terwijl hij praatte. Opvallend hoe mooi zijn haar was. Dik en ook nog eens veel haar, dat dankzij een prachtige slag nonchalant langs zijn gezicht viel. Dit haar zou je als vrouw moeten hebben. Het zou goed staan, bijvoorbeeld op mijn hoofd.

Tegen twaalven pakte Max zijn jas. 'Ik ga maar, we moeten morgen allebei weer vroeg op.'

Ik ging op de eettafel zitten, pakte zijn handen en bekeek ze onderzoekend. Handen waren veelzeggend. De handen die ik nu in mijn handen droeg, waren goed. Groot, keurig onderhouden, met mooie nagels aan de vingertoppen. Op negen van de tien nagels was net boven de nagelriem een klein wit half maantje te zien. Volgens mijn moeder een teken van blakende gezondheid. 'Vind je het nu niet erg meer dat ik de ex van Frank ben?' vroeg ik voorzichtig.

Max liet mijn hand los en kwam naast me op tafel zitten. Hij pakte zijn veter en draaide hem om zijn vinger. 'Frank heeft in Karin zijn ware gevonden, ik denk dat het daardoor makkelijker wordt mijn liefde voor jou toe te laten. Toen ik je net leerde kennen, vond ik je vluchtig. Maar na die avond in de tuin ben ik je met andere ogen gaan zien. Iedere dag ben je wel in mijn gedachten. Ik zie je in de zon die door de wolken breekt, ik hoor je als de vogels me 's ochtends wakker zingen, ik voel je als ik mijn eigen huid aanraak. Zulke diepe gevoelens heb ik nog nooit voor iemand gevoeld.' Max streek langs mijn wang en speelde met een plukje haar. 'Jouw eigenwijsheid maakt me aan het lachen. Jij durft tegen me in te gaan als dat nodig is. Jij loopt niet weg voor een confrontatie. Ik kan niet wachten om al jouw eigenschappen te leren kennen. Je onzekerheid, je ondeugd, je liefde en je humor. Volgens mij heb ik aan een heel leven nog niet genoeg.'

Mijn keel was zo opgezet dat er bijna geen geluid meer uitkwam.

'En dat je de ex van Frank bent, daar moet ik dan maar dankbaar voor zijn. Zonder hem had ik jou nooit ontmoet.' Max zijn ogen straalden zoveel warmte uit dat ik het in mijn buik voelde gloeien.

'Wat lief,' piepte ik. Alle onrust die ik aan het begin van de avond voelde, was verdwenen. Zoiets moois had nog nooit iemand tegen me gezegd. Max wilde me ontdekken, mijn leuke maar ook mijn afschrikwekkende kanten. Bij Max kon ik mezelf zijn, zonder dat ik hem daarmee kwetste. Ik keek hem aan, zijn lichtblauwe ogen maakten me licht in mijn hoofd. Zijn zelfverzekerde blik hield me zo lang vast dat het onwennig werd.

'Ik ga nu maar,' zei Max uiteindelijk om de stilte te doorbreken. 'Je moet gaan slapen, het is al laat.'

Met mijn hand in die van hem trok ik Max naar me toe. Onze neuzen raakten elkaar aan. Ik opende mijn mond en voelde hoe zijn tong de mijne aanraakte.

Hij pakte me op en droeg me zoenend naar de deur.

Toen ik hem had uitgezwaaid en de deur op slot had gedraaid, voelde ik tranen van geluk over mijn wangen glijden.

48

2008

'Wat denk je?' vraagt professor M. op geheimzinnige toon. 'Een-entwintig eitjes,' zegt hij er direct achteraan, zonder dat ik de mogelijkheid heb gehad om te raden. 'Morgen hoor je hoeveel eitjes bevrucht zijn.'

Een zucht van opluchting trekt door ons heen. Wat een prachtig resultaat. Het is meer dan voldoende om mijn wens tot uitvoering te brengen. De punctie viel mee. Ik voelde helemaal niets van de verdoving en de vloeistof die in mijn infuus werd gespoten, was nog beter dan de vorige keer. Ik ben blij dat het voor mij meest angstige gedeelte van de behandeling er weer op zit.

Professor M. overhandigt me een formulier dat ik straks mag tekenen. Ik heb er zelf om gevraagd.

Aandachtig lees ik wat er staat. Max leest met me mee. *Hoeveelheid eicellen die u af gaat staan.* Dertien vul ik vastberaden in.

Ik weet inmiddels wat voor impact verminderde vruchtbaarheid heeft. Ik ken de hoop, de wanhoop, de leegte, de voorpret, de teleurstelling en de angst die hand in hand gaan met iedere behandeling. En ik realiseer me dat er vrouwen zijn die helemaal geen eitjes hebben, waardoor ze bijna onmogelijk zwanger kunnen raken. In ieder geval niet zonder donor. Ik wil wat betekenen voor deze vrouwen. Hun een eerlijke kans geven die grote kinderwens in vervulling te laten gaan. Hun lichaam de mogelijkheid geven toch zwanger te raken. Gemiddeld staat zo'n vrouw drie jaar op een wachtlijst. Ze heeft dan ongeveer twintig procent kans op een zwangerschap. Is de poging mislukt, dan mag ze weer achter aansluiten in de rij. Terwijl ze steeds ouder wordt en haar vruchtbaarheid dus verder afneemt.

Ik realiseer me dat wanneer ze zwanger raakt, er een kindje wordt geboren dat wel eens op mij kan lijken. Een kindje dat voor een gedeelte mijn genen heeft. Wie weet mijn bruine ogen, het kuiltje in mijn kin, mijn vrolijke karakter, mijn eigenaardigheden en misschien wel mijn glimlach. Een kindje dat zo goed als zeker al zijn zakgeld verbrast aan kleding en schoenen. Dat vanaf zijn zestiende op kroegentocht gaat en twee jaar later de wijde wereld in wil trekken. Het is best een gekke gedachte, temeer omdat ik het nooit zal weten. Ik zal het kindje nooit te zien krijgen. In België is de eiceldonor (in tegenstelling tot in Nederland) anoniem. Maar ik voel zo sterk dat wanneer de donatie slaagt, de droom van twee mensen uitkomt. Mede dankzij mijn eicellen. Dat is het mooiste cadeau dat ik iemand kan geven, ook al ken ik diegene niet.

Max staat achter mijn besluit, hoewel hij verwacht dat ik er moeite mee ga krijgen om te leven in de wetenschap dat er een kindje uit mij geboren is. Een kindje dat ik nooit zal kennen. 'Het kan zijn dat je later zelf met vragen komt te zitten,' zei hij. 'Is het een jongen of een meisje, lijkt het op mij? Zal het kind ooit op zoek willen gaan naar zijn of haar biologische moeder? Vertellen de ouders überhaupt wel dat het kind dankzij een donor geboren is? Realiseer je goed dat dit vragen zijn die altijd onbeantwoord zullen blijven.'

'Dat weegt niet op tegen de blijdschap die een geslaagde donatie teweeg zal brengen,' antwoordde ik resoluut. 'Mijn besluit staat vast.'

Nadat ik mijn wens twee weken geleden kenbaar heb gemaakt bij mijn professor, heeft het donorteam contact opgenomen met de vrouw boven aan de wachtlijst. Het was de dag van de eerste echo om te kijken of we weer met de behandeling konden starten.

'Je bent de eerste in dit ziekenhuis die dit uit zichzelf aanbiedt,' zei M. met een zachte stem. 'Dat is zeer edelmoedig.'

Ik legde mijn handen op mijn buik en ademde diep in. 'Weet u, professor, wij hebben zoveel aan de medische wetenschap te danken. Aan mensen zoals u, die zich hun hele werkende leven inzetten voor onderzoek naar mogelijkheden om verminderd of zelfs geheel onvruchtbare mensen kans op een zwangerschap te geven.' Ik keek naar Max, die zijn hand op mijn knie legde en er een kneepje in gaf. 'Vijftig jaar geleden hadden we geen enkele kans gehad om zwanger te raken. Ik vind het fijn om iets terug te kunnen doen.' De professor en ik keken elkaar een moment zwijgend aan. Het volgende moment begonnen mijn ogen te twinkelen. 'Misschien is het een idee dat jullie meer bekendheid aan eiceldonatie gaan geven. Door bijvoorbeeld informatieve posters te ontwerpen en overal op te hangen.' Mijn vinger zwaaide onbeheerst door de lucht. 'Die overigens best confronterend mogen zijn. Het doel is dat het mensen bewust maakt en in beweging zet.'

M. keek me afwachtend aan. Ondertussen tikte hij met zijn vulpen op mijn dossier.

'Verder is het belangrijk ook brochures te maken,' vulde ik mezelf aan. 'Niet te oubollig, het mag best wel glossy zijn.' Vol enthousiasme klapte ik in mijn handen.

Max kneep harder in mijn knie. Dit keer niet uit trots, eerder om me tot stilte te manen.

'Het zou toch geweldig zijn als deze informatie in iedere willekeurige wachtkamer van een gynaecologische en fertiliteitsafdeling terechtkomt?' zei ik, terwijl ik Max zijn hand zachtjes van me afduwde. 'Wanneer de boodschap duidelijk overkomt, prikkelt het misschien wel om zelf te doneren.'

Professor M. keek me met samengeknepen ogen aan. Er verschenen ontelbaar veel lijntjes op zijn voorhoofd. Waarschijnlijk vond ook hij dat ik doordraafde, wat misschien ook wel het geval was. Maar als ik eerder had geweten dat er zo'n tekort aan eiceldonoren was, dan had ik bij de eerste poging al eicellen afgestaan.

Max kuchte een ongemakkelijk hoestje.

Ik schoof onrustig op mijn stoel, mijn ogen waren niet meer op mijn professor, maar op mijn nagels gericht.

'Daar zeg je me wat,' zei M. uiteindelijk meer tegen zichzelf dan tegen mij. 'Dit onderwerp is te lang een achtergesteld kindje geweest.' Hij krabbelde iets in zijn agenda waarna hij zijn handen tevreden in elkaar sloeg. 'Maar laten we ons eerst op jou concentreren, Barbara.' De manier waarop hij mijn naam uitsprak was bijna zingend, met een heel lange Franse a. Het gaf me een warm gevoel vanbinnen. De professor stond op, waardoor Max en ik ook opvlogen. M.'s tengere hand rustte een moment in de mijne. 'We gaan ons uiterste best doen de rode vlag dit keer buiten de deur te houden,' zei hij, waarna hij een kleine buiging voor me maakte.

De vrouw die mijn eicellen zou ontvangen, werd met behulp van hormonen klaargemaakt voor de terugplaatsing. Het doet me goed dat ik dit kan doen. Stel dat de behandeling bij ons niet aanslaat, dan hoop ik dat zij in ieder geval een positieve test in haar handen mag dragen. Is het niet voor niets geweest.

49

2006

Sophie zat op haar fietsje en ik was zielsgelukkig dat er zijwieltjes aan vastzaten. Zonder angst scheurde ze over het voetgangerspad van het Kralingse bos. Ik hield mijn hart vast toen ik zag hoe ze rakelings langs een oude man fietste. Ze draaide zich om en stak haar handje naar me op. Ik slikte even en zwaaide liefdevol terug. 'Het voelt alsof dit de man is van wie ik wist dat hij bestond en op wie ik gewacht heb. In het begin was het natuurlijk best lastig, de vriend van. En we hadden natuurlijk nooit verwacht dat Frank er zo makkelijk mee om zou gaan.' Ik keek opzij en zag twee zwanen vlak boven het water vliegen en bijna tegelijkertijd de landing inzetten. Zwanen zijn een van de weinige monogame dieren uit het dierenrijk. Ik heb me ooit laten vertellen dat als een van de twee overreden wordt, de ander zich zonder te aarzelen eveneens onder een auto werpt. Max is gek op me, maar dat zie ik hem niet zo snel doen.

'Frank is zelf heel gelukkig, dan gunt hij jullie toch ook het geluk?' reageerde Lisa. 'Jullie hebben nooit gerotzooid terwijl je nog een relatie met Frank had. Dat heeft het wel zuiver gehouden.' Ze omzeilde een hondendrol waarna ze haar arm in de mijne haakte.

Ik keek naar mijn vriendin en mijn ogen lichtten op. 'Het is zo bijzonder, ik heb voor het eerst niet meer het gevoel dat ik op de vlucht moet.'

Lisa trok ongemakkelijk haar schouders krom. 'Ik kan daar gewoon jaloers op worden,' zei ze met een klein stemmetje. 'Ik word er soms niet goed van. Elke dag zit ik tot mijn neus in de verliefde stellen die elkaar trouw beloven voor altijd samen te blijven. En dan keer op keer weer die vraag: "Hoe is jouw eigen trouwdag geweest?" Ze trok haar neus op. 'Je zou die gezichten eens moeten zien als ik dan zeg dat ik niet getrouwd ben. 'Een wedding planner die zelf nooit getrouwd is,' lachen ze dan schamper. 'Dat is ook gek,' zeggen ze er ook nog eens achteloos achteraan. Ze schudde niet-begrijpend haar hoofd. 'Dan zeg ik met geforceerde vriendelijkheid dat een gynaecoloog ook niet altijd zelf kinderen heeft.'

'Dat lijkt me heel moeilijk voor je, maar ik weet zeker dat je hem nog gaat ontmoeten in dit leven. Denk maar aan de woorden van meester Ramses. Mijn voorspellingen zijn uiteindelijk ook uitgekomen.'

Lisa knikte stilzwijgend, waarna ik haar bij haar schouders pakte. 'Vorige week hebben we seks gehad,' onthulde ik met grote ogen. Mijn lippen klemde ik op elkaar. Lisa was de eerste met wie ik ons geheimpje deelde. Max en ik wilden een baby en die wetenschap maakte me rozig van blijdschap. Lisa zette haar bril op haar hoofd en keek me afwachtend aan. 'En is hij in me klaargekomen, zonder voorbehoedsmiddel.' Ik glimlachte sereen.

'Willen jullie kinderen dan?' reageerde Lisa geschokt. 'Jullie hebben nog maar net een relatie. Wil je elkaar eerst niet beter leren kennen voordat je weer een levenslange verbintenis aangaat? Straks heb je twee exen met wie je een kind hebt.'

Omgekeerd had ik waarschijnlijk dezelfde reactie gegeven. Maar Lisa had geen besef van wat ik wist. Max en ik waren voor elkaar gemaakt en als het om echte liefde ging, was tijd volstrekt onbelangrijk. Ik wenkte Sophie dat ze terug moest komen door met mijn armen in de lucht te maaien. 'Ik begrijp je gedachte, maar het voelt heel goed, Lies. En ik sta er nu zo anders in. Toen ik zwanger werd door de pil heen, was ik boos op mijn lichaam. Nu zie ik wat een wonder het eigenlijk is om überhaupt zwanger te worden. Voordat een eicel bevrucht wordt, tot een klompje cellen uitgroeit en een kindje wordt. Dat alleen is al een wonder. Ik ervaar nu hoe prachtig moeder zijn is. Hoeveel liefde ik voel en krijg. Ik zou niets liever willen dan het nog een keer beleven, maar dan samen met een man van wie ik echt houd.'

Lisa haalde haar schouders op. 'Als je het echt zo zeker weet dan moet je ervoor gaan.' Ze glimlachte en boog zich naar me toe. 'Dan ga ik deze week alvast een geboortecadeautje kopen, want gezien jouw vruchtbaarheid verwacht ik over negen maanden aan je kraambed te staan.' Lisa zette haar goudkleurige pilotenbril weer op en zwaaide naar Sophie, die op ons af fietste.

'Mammie, zullen we pannenkoeken eten?'

50

2008

Ik werd vannacht wakker met migraine, de trouwe vooraankondiging van mijn ongesteldheid. Mijn baarmoeder doet pijn. Ironisch woord, 'baarmoeder': moeder die baart. Gaat het ooit nog gebeuren dat die van mij die naam waar mag maken?

Ik wil naar het ziekenhuis voor een bloedtest. Dat kan veertien dagen na de terugplaatsing. Dan weet ik het maar. Alles is beter dan in deze onwetendheid te verkeren. Ik bel mijn huisarts voor een doorverwijzing. De buikpijn en hoofdpijn worden zo intens dat ik mama vraag om met me mee te rijden naar het ziekenhuis. Max komt vanavond laat pas thuis, die heeft een belangrijk seminar in Brussel.

Wanneer ik mijn doktersverwijzing aan de dame achter de balie overhandig, duwt ze een urinepotje in mijn handen.

Met een vervreemde blik kijk ik naar het plastic potje. 'Wat moet ik hiermee? Ik kom voor een bloedtest, een urinetest kan ik natuurlijk thuis ook uitvoeren.' Ik probeer vriendelijk te klinken, maar klap bijna uit elkaar van spanning. Niet eerder ben ik zo nerveus geweest. Straks heb ik eindelijk antwoord, dan word ik uit mijn onzekere lijden verlost. Mits deze dame een beetje mee wil werken.

De dame kijkt me stoïcijns vanachter haar rond metalen mon-

tuurtje aan. Haar grijszwarte haren zijn strak in een knot bijeen-
gebracht en een brede diadeem zorgt ervoor dat geen enkel haar-
tje kan ontglippen. 'Dan moet u terug naar uw huisarts, zodat hij
een ander streepje aan kan vinken.' Met haar pink wijst ze het
vakje aan dat aangevinkt had moeten worden. 'Het vakje hierbo-
ven, dat staat voor de bloedtest.' Ze zegt het op een manier dat
ze, ook al lig ik smekend aan haar voeten, mij toch met een
krachtige schop onder haar bureau vandaan veegt.

'Alstublieft mevrouw, dit is heel erg belangrijk voor me.' Mijn
stem klinkt broos van ellende.

Ze haalt ongeïnteresseerd haar schouders op. 'Zonder nieuw
verwijsbriefje kan ik niets voor u doen.'

Dan ontplof ik. 'Nou moet u eens goed naar me luisteren, mevrouw de korzelige ambtenaar. U behandelt mij op een wel heel
vervelende manier. Dit is mijn derde vruchtbaarheidsbehandeling en het ziet ernaar uit dat ook deze is mislukt. Als u nou
gewoon even een kruisje bij "bloedtest" zet, is het probleem opgelost. Het is een kwestie van een seconde. Vinkje en klaar. Alstublieft!'

Ik bespeur niets dan onwelwillendheid in haar ogen. 'Sorry,
mevrouw,' zegt ze terwijl ze langs me heen kijkt. 'Ik kan helaas
niets voor u betekenen. Regels zijn natuurlijk echt regels. Uw
huisarts moet een nieuw verwijsbriefje maken met het vinkje op
de juiste plaats. Goedemiddag.' De knot gaat direct verder met
het helpen van de persoon die achter me staat.

Ik word warm en koud en begin te trillen. Woedend gris ik het
verwijsbriefje van de balie en scheur het voor haar neus in duizend stukjes.

Ze rolt verveeld met haar ogen en gaat door met waar ze mee
bezig was.

'Dat ziet er niet best uit,' zegt mama, die in de auto heeft gewacht, als ik briesend het portier dichtgooi.

Ik probeer op adem te komen en zeg met monotone stem: 'Wil
je alsjeblieft langs de drogist rijden? Ik koop wel een gewone

zwangerschapstest en wil het even niet hebben over mijn bezoek van daarnet.'

Zonder iets te zeggen rijdt mama naar de drogist. Ze stapt zelf uit en koopt als zestigjarige een zwangerschapstest. Ik ben benieuwd of ze er 'voor mijn dochter' bij heeft gezegd.

Morgenochtend mag ik pas testen. Dan zijn er vijftien dagen voorbij. Weer wachten, mijn lijf doet zeer, mijn geest is op, ik kan niet meer.

Om 02.00 uur 's nachts word ik wakker omdat ik moet plassen. Ik grijp direct naar de predictortest en sluip de trap af om niemand wakker te maken. Beneden aangekomen nestel ik me op het toilet. Het felle licht maakt me klaarwakker. Ik knijp mijn ogen samen en probeer me te concentreren. Iets te lang houd ik het staafje in de plas, maar te veel in deze is ongetwijfeld beter dan te weinig. Nog wat versuft staar ik naar het staafje dat doordrenkt is met urine. Ik vergeet bijna het dopje erop te doen. Kijkend naar het testvenster zie ik dat de test niet goed is uitgevoerd. Het rechtervakje blijft wit terwijl er een streepje moet verschijnen. Teleurgesteld sluip ik weer naar boven en schrik van een donkere gestalte. Het is Max die rechtop in bed zit en uiterst gespannen naar me kijkt. Hij houdt zijn adem in.

'Mislukt, waarschijnlijk het dopje te laat op de staaf gedaan,' leg ik uit. Tegen beter weten in houden we de test tegen het licht. We zien niets noemenswaardigs. 'Morgenochtend proberen we het nog een keer,' stel ik hem gerust.

Om zeven uur voel ik een zacht maar dringend getik op mijn schouder. 'Schatje, word wakker, we moeten weer testen.'

'Ik ben nog zo moe,' murmel ik. Snel trek ik het dekbed over mijn hoofd. Ik blijf liever in onwetendheid, dan hoef ik de teleurstelling en de pijn ook niet te voelen. Aan de andere kant ben ik blij dat ik deze twee weken zonder ongesteldheid doorgekomen ben en dat we überhaupt aan testen toekomen. De nieuwsgierigheid wint. Ik pak een tweede test en probeer het dit keer goed te doen. Het staafje houd ik nauwgezet onder de straal. Niet te lang, niet te kort en sluit het direct af met het dopje. De test is gelukt, alle vensters kleuren roze. Ik probeer er rekening mee te houden dat ook deze poging mislukt is. Misschien komt de teleurstelling dan minder hard aan. Ik leg het staafje op mijn kussen en draal wat in het rond. Na een minuut of twee kruip ik onder de dekens, de test veilig tussen ons in liggend. We kijken elkaar aan en onze vingers vlechten zich in elkaar. Hoopvolle blikken kruisen. Max knikt. De tijd is daar. Samen houden we de test tegen het licht van ons bedlampje en kijken verrast, verbaasd en intens gelukkig naar de minuscuul vage stip die zich vormt en we glimlachen.

Sophie wordt wakker en kruipt tussen ons in. Met meneer de beer.

Hier liggen we dan, een volmaakt gelukkig en compleet gezin.

51

11 maanden later

Gefelicit Lies, maak er een spetterend jaar van. Zullen we lunchen samen?

Mijn mobiel bliebt. *Thx. 13.00 uur Pol? Kate komt ook, tot zo L.*

Tien minuten na enen stap ik Pol binnen. Kate en Lisa zijn er al. 'Jarige jop, wat zie je er prachtig uit,' zeg ik, terwijl ik haar van top tot teen opneem.

Ze kneedt met haar vingers haar krullen in model en trekt vervolgens haar zwarte wollen jurkje recht voordat ze gaat zitten. Nieuwsgierig kijkt ze naar het pakje dat ik in mijn handen heb.

'Waar is Stijn?' vraag ik aan Kate, nadat ik ook haar gekust heb.

'Jules is thuis, heb ik even tijd voor mezelf,' lacht ze. Stijn is inmiddels ruim een jaar en een superlevenslustig mannetje. Jules werkt twee dagen minder, waardoor Kate haar fulltimebaan zonder moeite weer op kon pakken. Ze ziet er gelukkig uit.

'Hier, voor jou. Pak uit,' zeg ik en ik leg het cadeau voor haar op de houten tafel. 'Van Kate en mij.'

Lisa trekt de paarse strik er vanaf en scheurt het papier open. 'Wauw, dit is te gek.' Met grote ogen bekijkt ze de schakelarmband en klikt hem om haar pols.

'Hij staat je geweldig, past heel mooi bij je.'

Ze beweegt de armband over haar onderarm en haalt hoorbaar adem.

'Hoe gaat het met Mister Oyster? Je kunt hem nu echt niet langer voor ons verstoppen, hoor!' zegt Kate.

Lisa frummelt nerveus met het zilveren pakpapiertje en draait de paarse franjes om haar duim. Haar hoofd gaat langzaam gloeien. 'Er is gisteren iets heel vreselijks gebeurd.' Ze verbergt haar gezicht tussen haar handen. 'Ik ben hem achtervolgd, kon me niet meer bedwingen.' Ze slaat haar ogen neer en staart naar haar schoenen. Dan zwaait ze opgewonden met haar handen in de lucht. 'Ik ken inmiddels elk plekje van zijn lichaam uit mijn hoofd. Ik weet hoe hij ruikt, hoe hij voelt. Mijn lichaam rilt als ik denk aan de manier waarop zijn mond en zijn vingers mijn lichaam ontdekken.' Ze slaat hard met haar vuist op tafel. De mensen naast ons kijken geanimeerd onze kant op. 'En ik wist verdomme niet eens waar hij woonde en werkte, dat is toch vreemd als je elkaar al meer dan een jaar kent?'

Kate en ik wenden tegelijkertijd ons gezicht af en houden bewust onze kaken op elkaar. Het zou allesbehalve verstandig zijn nu terug te geven dat we dat al die tijd al gezegd hebben. Mijn oog valt op haar steeds roder wordende duim.

'Hij parkeerde de auto en liep een huis binnen. Vijf minuten later zag ik hem met twee zware vuilniszakken mijn kant op lopen. Ik dook vliegensvlug weg en stootte daarbij hard mijn hoofd tegen het dashboardkastje.' Lisa trekt een pijnlijk gezicht en wrijft over haar hoofd, alsof ze de pijn nog steeds voelt. 'Gelukkig zag hij mij niet. Ik heb een halfuur in mijn auto gezeten met de lichten uit en de nieuwe cd van Coldplay op. Die had hij in Nice voor me gekocht, tijdens onze laatste reis samen. Ik wist niet wat ik moest doen, kreeg ineens een voorgevoel dat hij daar niet alleen woonde. Met een kloppend hart stapte ik uit en liep op de voordeur af. Mijn mond werd kurkdroog.'

Kate pakt Lisa's duim en draait, voordat hij van haar hand valt, het paarse lintje er vanaf. Het bloed vindt zijn weg weer naar haar vingertop.

Lisa praat onverstoorbaar door. 'Ik drukte de bel in en wilde het liefste heel hard wegrennen. Na een paar seconden werd de deur op een kier geopend. We keken elkaar allebei een moment verbaasd aan. Ze is het tegenovergestelde van mij. Donker haar dat stijl langs haar gezicht valt. Een leuke vrouw om te zien. Ze zag eruit alsof ze van plan was naar bed te gaan, wat natuurlijk ook niet gek was op dat tijdstip. Ik schaamde me zo.'

We kijken Lisa uiterst nieuwsgierig aan, kunnen de woorden wel uit haar mond trekken. 'Wat heb je gezegd? Dat je kwam collecteren voor de hartstichting?' vraagt Kate.

Even verschijnt er een flauwe glimlach op Lisa's gezicht. 'Ik vroeg of Flyn er was, waarop de vrouw aan de deur haar wenkbrauw omhoogtrok. Het leek alsof ze iets wilde vragen, maar ze draaide zich om. Bleef onder aan de trap staan en riep hem. 'Flyn, er staat iemand voor je aan de deur, een vrouw welteverstaan.' De vrouw was weer naar de deur gelopen en nam me van top tot teen op. 'Om elf uur 's avonds,' voegde ze eraan toe. Flyn was inmiddels naar beneden gekomen en stond naast haar aan de deur. Hij sloeg zijn arm om haar heen en trok haar dichter naar zich toe. Ik voelde me zo klein.' Lisa begint te huilen. Eerst zachtjes, maar haar beheerste gesnotter gaat snel over in een onbedaarlijk gesnik.

'O schatje, en nog wel op je verjaardag. Wat erg,' zegt Kate.

Ik voel op de tast in mijn tas en pak er een snoetenpoetsdoekje uit. 'Hier.'

Lisa snuit luidruchtig haar neus en gaat verder. 'Daar stonden ze dan. Samen aan de deur, als Romeo en Julia. Flyn keek me aan en ik zag aan zijn ogen dat hij woedend was. Hij leek niet eens geschrokken. 'Wil jij nu eens en voor altijd stoppen met mij te stalken! Ik heb er genoeg van. Op het werk, in de kroeg en nu ook bij ons thuis? Val mijn vrouw en mij niet langer lastig, anders bel ik de politie en zorg ik voor een straatverbod. Je bent een trieste vrouw. Ga hulp zoeken!' Voordat ik me ook maar enigszins kon verdedigen, smeet hij de deur voor mijn neus dicht. Ik stond als aan de grond genageld en toen ik weer lucht kreeg, draaide ik me om en liep ik naar de auto. Onderweg heb ik die klote-cd van Coldplay uit het raam gegooid, zo de rijksweg op.' Lisa roert met haar lepel in de soja latte.

'Wat een zak, zeg, die ben je toch liever kwijt dan rijk?' reageer ik. 'Wees blij dat je er nu achter komt. Er staat een nieuw mooi levensjaar voor de deur en er komt heus wel iemand op je pad die echt van je houdt, zonder verborgen agenda.'

Lisa schudt haar hoofd. 'De komende tijd wil ik alleen nog maar rust. Het is mijn eigen schuld. Ik was zo op zoek naar een levenspartner dat ik niet meer zag dat de realiteit zo anders was dan mijn wens. Een man die onvoorwaardelijk voor mij kiest. Die gaat bloeien als hij in mijn buurt is.' Ze kromt haar schouders. 'De afgelopen jaren heb ik dat allemaal gegeven, aan meerdere mannen. Terwijl ik er genoegen mee nam dat mijn gevoel niet wederzijds was. Als ik er maar hard aan trok, dan zou het wel goed komen.' Ze zucht vanuit haar tenen. 'Ik ben liever alleen dan dat ik op deze manier door blijf worstelen.' Lisa veegt haar neus af en kijkt me verontschuldigend aan. 'Sorry, ik zit alleen maar over mijn eigen miserabele leven te praten. Hoe gaat het met jou? Worden jullie niet gek van de drukte thuis?'

Op dat moment zwaait de deur open. Sophie houdt hem open. Haar hele gezichtje doet met haar glimlach mee wanneer ze ons ziet.

Max duwt de Bugaboo naar binnen en manoeuvreert de wagen naar ons tafeltje. Alle vrouwenogen zijn op hem gericht en de aaaah's vullen de ruimte. Het is me de afgelopen twee maanden opgevallen dat een reusachtige man met pasgeboren baby het goed doet bij de dames.

Sophie springt direct bij Lisa op schoot en slaat haar armpjes om haar heen. 'Gefeliciteerd met je verjaardag, Liesewies.' Ze haalt een opgevouwen papiertje uit haar broekzak en overhandigt het met een plechtig gebaar aan Lisa. Op Lisa's betraande gezicht breekt een glimlach door als ze de tekening van een oranjege-kleurde, lachende zon ziet.

Max strijkt een lok haar achter mijn oor en drukt zijn lippen op mijn voorhoofd. Hij draait de kinderwagen zo dat ik er makkelijk bij kan.

Kate en Lisa roepen om beurten hoe leuk ze wel niet is en dat ze alweer zoveel groter is.

Ik sla het roze dekentje terug en kijk vertederd naar haar nog slapende snoetje. Mijn hand rust op haar borstje. Door haar pakje heen voel ik een razendsnel hartje kloppen. Dan begint ze te geeuwen, balt haar kleine vuistjes en rekt zich als een aapje uit.

'De baby wordt wakker,' concludeert Sophie op het moment dat ze een blik in de wagen werpt.

Fientje opent haar ogen, waarna ze het op een hongerig gillen zet. Zo hard dat haar kinnetje meebeeft. Niet lang daarna heb ik een piepkleine baby op schoot. Dromerig besnuffel ik haar don-zige hoofdje, terwijl ze gulzig uit haar flesje drinkt. Mijn lichaam voelt koortsig aan van geluk. Onze grootste wens is eindelijk ver-wezenlijkt. Vanaf het moment van de stip heeft de golf van blijd-schap en dankbaarheid ons in de greep gekregen. En ik voel dat we die voor altijd bij ons zullen dragen. Met een glimlach die uit-straalt naar mijn oren weet ik dat daar alles mee gezegd is.

Negen maanden hebben Max en ik in een dolblije stemming doorgebracht. Zielsgelukkig dat het teruggeplaatste embryo be-sloot in te nestelen. We moesten elkaar soms in de armen knijpen om er zeker van zijn dat het geen droom was. Beseffend dat het zo-maar had kunnen gebeuren dat er nooit meer een stip zou komen.

Onze blijdschap werd afgewisseld met de zorg of het allemaal wel goed zou gaan. We hebben ervaren dat geluk broos is en zo weer tussen je vingers door kan glippen. Pas vanaf het moment dat de gynaecoloog met een vastberaden stem onthulde 'Jullie hebben er een dochter bij', werd ik van mijn bezorgdheid verlost. Een opgelucht geluid dat vanuit het diepste van mijn zijn kwam, ontglipte mijn keel.

Max vouwde zijn bezwete hand om de mijne. Zijn hele lichaam trilde.

De zuster legde ons kindje op mijn borst en vouwde een dekentje over haar heen. 'Hoe gaan jullie haar noemen?' vroeg ze bijna op fluistertoon.

'Fientje Maxime,' antwoordde Max, omdat ik simpelweg niets meer uit kon brengen.

Een meisje. Hoewel een jongen ongetwijfeld ook geweldig zou zijn, hoopte ik een piepklein beetje op een meisje. Waarschijnlijk omdat het bekend terrein is en ik uit ervaring weet hoe leuk en pittig meisjes zijn.

Fientje stopte direct met huilen en gaf zich afwachtend over aan mijn liefde.

'Dag mijn lieve meisje,' zei ik schor. 'Wat ben jij welkom op aarde.' Ik hield haar alleen maar heel dicht tegen me aan. Met mijn vingers streelde ik haar huidje dat met een dikke vetlaag was bedekt. Haar verkreukelde gezichtje was donkerroze. Ze had het kleinste neusje dat ik ooit had gezien. Ik besnuffelde haar gezichtje dat naar honing rook en drukte een lange kus op haar droge lipjes. Met piepende geluidjes beantwoordde ze mijn aanraking.

Ik keek opzij naar Max. Het licht weerkaatste in zijn vochtige ogen. Hij pakte Fientje voorzichtig op, legde haar in zijn arm en keek naar haar alsof hij haar al jaren kende. Ze probeerde haar vastgeplakte oogjes te openen, waar ze nog niet in slaagde. Wat wil je ook, negen maanden in totale duisternis verkeren, om vervolgens in een felverlichte OK wakkergeschud te worden. Net als Sophie is Fientje met de keizersnede gehaald.

De zuster nam haar voorzichtig van hem over, wikkelde de deken strakker om haar tengere lijfje en nam haar mee voor wat testjes.

Aan zijn gezichtsuitdrukking zag ik dat Max net zoveel moeite had als ik om onze dochter nu al af te staan. 'Ga maar met haar mee,' zei ik met een brok in mijn keel, waarna Max er snel achteraan hobbelde. Ik keek mijn kleine meisje na en zag nog net een paar donkere krulletjes boven de deken uitpiepen. Toen pas zag ik dat ze Max zijn haar had.

Vanuit mijn ooghoeken kijk ik naar mijn Max die van zijn cappuccino nipt en aandachtig naar het verhaal van Lisa luistert. Dit keer vertelt ze het zonder te huilen. Haar wangen zijn rood bevlekt.

Max lijkt net als Kate en mij niet echt verbaasd te zijn over Lisa's ontdekking. 'Zie het als een verlossing,' zegt hij uiteindelijk waarna hij haar zachtjes in haar hand knijpt.

Lisa knikt voorzichtig.

'Onbewust moet je gevoeld hebben dat er iets niet klopte, dat is slopend.' Zijn stem klinkt warm en betrokken. Mijn lief. Hij zal het pittig krijgen met drie dames in huis.

Ik kan me er nu al op verheugen. De grote verkleedpartijen met mijn jurkjes en pumps. Liever uitgebreid willen tutten dan ontbijten voor ze naar school gaan. Dagenlang overstuur zijn als hun grote liefde uit groep drie toch op haar beste vriendin blijkt te zijn. Dansen op Madonna in de woonkamer met mijn mobiel als microfoon. Allemaal meisjesdingen, die zelfs voor een ervaren psycholoog een uitdaging zullen zijn.

In de weerspiegeling van het raam kijk ik naar ons complete gezin. Het is een lange weg geweest, maar het was het verdriet en de pijn meer dan waard. Wie beproeft, proeft straks van het goede. De twee leukste meisjes van de wereld noemen mij mama. Mama, ik, moeder. Ik sluit mijn ogen en proef het goede.

Nawoord

Beste Barbara,

Ik heb je boek gelezen, van naaldje tot draadje. Na zovele ont-moetingen was het ook voor mij nog een revelatie. Het is zelden dat je tijdens het intakegesprek en de erop volgende, eerder korte ontmoetingen, een goed zicht krijgt op de persoonlijke levens-sfeer van je patiënten en wat hun verwachtingen en emoties zijn. Zelfs na het uitgebreide intakegesprek tijdens onze eerste ont-moeting wist ik eigenlijk niet hoe en waarom je vorige relatie op de klippen was gelopen. Hoe je met list een keizersnede hebt af-gedwongen, hoe je relatie met Max vorm had gekregen; je (bij)-geloof in een helderziende was een verrassing voor mij. Vooral had ik nooit kunnen vermoeden dat je zo een onstuimig, vurig maar ook grillig karakter had: fuiven, feesten en katers, vreugde en verdriet, vrijheidsdrang maar ook verlangen naar tederheid. Je lijf bleek een hypergevoelige barometer voor hormonale veran-deringen te zijn. Kortom, je bent een vrouw van vlees en bloed. Nadat ik je boek had gelezen vroeg ik me af of ik met deze voor-kennis je op dezelfde manier zou zijn tegemoet getreden. Op de-zelfde manier behandeld zou hebben; ik denk het wel.

Anderzijds klinkt je verhaal me niet vreemd in de oren. Dui-zenden stellen met vruchtbaarheidsproblemen, waaronder veel uit Nederland, heb ik gezien, aangehoord en gelukkig dikwijls kunnen helpen om hun droom te realiseren. Ik ken de carrousel van emoties die een vruchtbaarheidsbehandeling met zich meebrengt: verlangen, hoop, verwachting en ontgoocheling. Gevoelens die bij iedere vruchteloze poging zo versterkt worden tot wanhoop en depressie de kop kunnen opsteken.

Ik heb nu geleerd dat er dikwijls een hemelsbrede kloof gaapt tussen de zorgverlener en de patiënt. Het zal wel onmogelijk zijn om in alle omstandigheden deze kloof te dichten. Iedere patiënt is verschillend: zijn verwachtingen, voorkennis, zijn privé- en beroepssituatie, familiale en omgevingsfactoren, zijn relatie en zoveel meer.

Wat wel kan is luisterbereidheid, respect voor zijn inzichten en gevoelens, blijk van medevoelen, kortom wat men samenvat met het woord 'empathie'. Goede geneeskunde steunt op vier pijlers: correcte infrastructuur, feilloze organisatie, expertise van alle betrokken zorgverstrekkers én empathie. Ik ben blij en ook fier dat je deze combinatie bij ons hebt gevonden. Na twee mislukte ivf-behandelingen heb je spontaan aangeboden om anoniem een deel van je eicellen te schenken aan een andere vrouw. Zoals jij is ook deze vrouw zwanger geworden. Ik ben niet zo om te denken dat deze geste je heeft geholpen om zelf zwanger te worden, maar ze illustreert in ieder geval een aloud gezegde: 'wie geeft die krijgt'.

Het ga je goed, samen met Sophie, Max en je toekomstige kinderen.

Prof. dr. M.

Dankwoord

De Babyplanner is een autobiografische roman met een vleugje fictie. Nagenoeg alle situaties zijn waargebeurd, een enkele is verdraaid of iets verfraaid. Sommige situaties zijn verschoven in de tijdslijn om te zorgen dat het beter paste in het verhaal. De namen van de personages uit *De Babyplanner* zijn (op de mijne na) alle gefingeerd. Deze bijzondere bijpersonen hebben er immers niet om gevraagd in de handen van onbekende lezers terecht te komen.

Ik heb in mijn leven op een paradoxale manier kennis mogen maken met de thema's vruchtbaarheid en onvruchtbaarheid. Het heeft me geleerd dat het leven een heel andere wending kan nemen dan je als mens in petto hebt. Dat het soms beter is om mee te bewegen in plaats van weerstand te bieden. En vol vertrouwen af te wachten wat voor moois er uit die onverwachte hoek kan ontstaan. Laat ik vooropstellen: ik ben geen medicus en ook zeker geen psycholoog. Het is dan ook in het geheel niet mijn intentie geweest me op die specifieke vlakken te begeven. Daarom bedank ik in het bijzonder drs. Niek Zimmermann, die met me deelde wat voor krater verminderde vruchtbaarheid volgens de psychologie in zowel lichaam als geest kan slaan. Het bleek een mooie aanvulling op wat ik zelf heb doorgemaakt. Professor M. uit Gent, dank voor uw kritische blik op de medische teksten. Wij zijn u eeuwig dankbaar. Mede dankzij uw toewijding en betrokkenheid is onze prachtige dochter geboren. Bijzonder veel lof voor het gehele infertiliteitsteam van het UZG. Jullie bieden naast expertise en professionaliteit een warm onderkomen voor jullie patiënten. Met liefde en begrip, wat 'wij infertiliteiters' hard nodig hebben.

Als bron bedank ik Freya, de vereniging voor mensen met vruchtbaarheidsproblemen. Via www.freya.nl is nagenoeg alle informatie over dit onderwerp te vinden.

Mijn lieve ouders, helden door dik en dun. Jullie zijn de levende vertaling van onbaatzuchtige liefde. Mark en Frederik; waar zou ik zijn zonder jullie? Met elkaar kunnen we de hele wereld aan.

Eva Marie en Feline, betoverend mooi. De kleurrijke vlinders in mijn bestaan.

Bijzondere dank voor mijn geliefde, die vanaf het begin vertrouwen heeft gehad in mijn schrijfkwaliteiten (zelfs toen deze nog best gebrekkig waren). Wat mooi dat je er geen probleem van maakt dat ik ons verhaal met anderen wil delen. Dank voor de ruimte die je gecreëerd hebt, waardoor ik me ongeremd op het schrijven kon storten. In het verlengde daarvan onze engel Theresa die met veel toewijding op onze meisjes past en er ook nog eens voor zorgt dat het in ons huis aan niets ontbreekt. Hetzelfde geldt voor Isolde.

Mijn beste vriendinnen Anette, Natascha, Eveline en Joan. Zoveel jaar vriendschap en nóg zijn we niet uitgesproken. Het verbaasde me overigens ten zeerste dat jullie het doorspitten van mijn script (en driftig rood krassen waar nodig) leuker vonden dan een avondje stappen in St. Tropez! Ik wens ieder mens op aarde de vriendschap toe die wij delen.

Anette, dank dat je intensief met me meeleest. Op school was je in veel opzichten al sterker ontwikkeld dan ik. Daar waar ik er alles aan deed zo snel mogelijk uit het lokaal verwijderd te worden, zorgde jij ervoor dat je de kennis zo snel mogelijk absorbeerde en in nagenoeg elk vak uitblonk. Hoewel je 'ver weg' woont ben je altijd bij me.

Bedankt J.S., voor de bijzondere band die we door de jaren heen hebben opgebouwd en niet in de laatste plaats voor onze prachtige dochter.

Kristy Jungcurt, *muchas gracias*. Je bent naast mijn bijzonder grappige vriendin een veelbelovend fotograaf!

Merci Caroline, Jaqueline, Katja, Anna, Donna, Marisa, Tessa, Ad en Brela, Anna Marie, Michel, Alex, Cor en Kim, Hans, Dominique, Borg, Bart, Marc en Annelies. Gewoon voor wie jullie zijn.

Bedankt Paul Sebes, een groot vakman van wie ik veel heb geleerd. Willem Bisseling voor het vertrouwen vanaf het prille begin.

Lieve Margot, het liefste had ik je het eerste exemplaar van *De Babyplanner* in levenden lijve overhandigd. Jouw lot bepaalde anders. De moed en levenskracht die ik tot de laatste dag in je ogen mocht zien, zal ik nooit vergeten. Ik mis je!

Bijzonder veel dank en waardering voor mijn uitgever The House of Books en in het bijzonder Melissa Hendriks, Heleen Buth, Tessa de Boer, Margot Eggenhuizen en Wilbert Surewaard. Een warmer thuis kon ik mij niet wensen.

Willeke, welkom terug in mijn leven. Zonder jou geen compleet verhaal.

Rest mij jou, de lezer die de moeite genomen heeft om mij (als debuterend, dus nog onbekend auteur) beter te leren kennen, te bedanken. Ik hoop van harte dat je met veel plezier mijn boek zult lezen.

Tot het volgende boek!

Lieve groet,
Barbara Muller